Einaudi. Stile Libero Big

Dello stesso autore nel catalogo Einaudi

Per mano mia
Il senso del dolore
La condanna del sangue
Il posto di ognuno
Il giorno dei morti
Vipera
I Bastardi di Pizzofalcone
Buio
Giochi criminali (con G. De Cataldo, D. De Silva e C. Lucarelli)
In fondo al tuo cuore
Gelo
Anime di vetro
Cuccioli
Il metodo del Coccodrillo

Maurizio de Giovanni

Serenata senza nome

Notturno per il commissario Ricciardi

Einaudi

www.einaudi.it

ISBN 978-88-06-22553-7

Serenata senza nome

A Severino, il mio caro Severino.
Nel cuore, profondamente.
E in ogni singola storia.

Prologo

Non c'è abbastanza luce. Il ragazzo lo ha pensato sempre, fin dalla prima volta: in quella stanza non c'è abbastanza luce.

All'inizio credeva fosse perché il vecchio è quasi cieco, con quegli occhi velati di bianco. Adesso, però, non ne è piú tanto sicuro. Certo, quelli che vedono poco si orientano senza problemi negli ambienti a loro familiari, sembra quasi ci si muovano meglio di chi invece ci vede benissimo. Ma quel vecchio, il ragazzo ormai lo sa, è speciale. Sotto un sacco di aspetti.

Lo riceve sempre nel pomeriggio e gli chiede subito di aprire le imposte, che in genere tiene accostate. Lui, il ragazzo, ormai sa a memoria il percorso che porta alla finestra fra cataste di libri e vecchi giornali, dischi e scatole dal misterioso contenuto ammucchiate senza ordine, cosí ci arriva senza fare troppi danni. Ma continua a pensare che non ci sia abbastanza luce, in quella stanza.

Il messaggio gli è arrivato che aveva appena finito di suonare. Mentre andava in camerino, accompagnato dagli applausi e con tutti quelli che cercavano di fermarlo per una firma o un saluto, ha scorto la donna nella penombra, un biglietto in mano. Non l'ha riconosciuta subito, quando vedi qualcuno fuori contesto la mente non collega. Poi ha capito, e un battito è saltato. In fondo è vecchio. Molto vecchio.

Ha scansato le mani e i sorrisi e le si è avvicinato. Ogni volta lei gli apre la porta in silenzio e lo conduce all'interno, ma il ragazzo, se ne accorge in quel momento, non l'ha mai guardata bene. È una donnetta insignificante, i capelli raccolti, gli occhi bassi. Indossa un soprabito scuro e se ne sta nell'angolo buio del corridoio che porta dal palco al retroscena.

Il ragazzo ha atteso, con l'anima piena di pensieri sinistri. La donna gli ha allungato il biglietto. La grafia inclinata, incerta: domani alle diciotto.

Sono mesi che il ragazzo va dal vecchio. Ha sempre sollecitato lui gli incontri, chiedendo con insistenza di essere ricevuto. E piú volte si è trovato davanti la donna che gli ha mormorato: il Maestro oggi non può, tornate domani. Ora, all'improvviso, una convocazione; addirittura. Il ragazzo ha domandato se fosse successo qualcosa, se il Maestro stesse bene, ma lei si è stretta nelle spalle ed è andata via senza salutare.

Oggi è domani, e il ragazzo, sulla porta, sbatte gli occhi perché la luce è troppa.

La finestra è aperta. Il vecchio è in piedi, le braccia conserte; i radi capelli bianchi e lunghi si muovono pigri nel vento. Il ragazzo rabbrividisce.

Buonasera, Maestro, dice, stringendo il bavero del soprabito. Lassú l'aria pare diversa rispetto alla strada: tagliente, fredda. Il tramonto spezza il cielo, la notte e le nuvole premono dall'altro lato. Il mare, che il ragazzo distingue dalla soglia, si muove inquieto.

Pensa che avrà visto il vecchio in piedi non piú di un paio di volte, in quei mesi. È sempre su quella poltrona sformata, immerso in un apparente dormiveglia, salvo che poi all'improvviso gli parla, come se leggesse nella sua mente. E di solito è ben coperto, anche nei giorni caldissimi dell'estate, la camicia abbottonata fino al collo, un gilet e una coperta leggera sulle gambe. Adesso invece se ne sta là, nella corrente d'aria che entra impetuosa nella stanza. Qualche foglio dal mucchio alle sue spalle cade a terra. Il ragazzo tossicchia, fa un passo avanti e dice: Maestro, vi prego, fa freddo. Chiudiamo la finestra, venite a sedervi. Non sentite il vento?

Il vecchio neanche si gira, gli occhi velati sembrano scrutare un angolo tra cielo e mare. Dice, serio: non è il vento, questo. È l'autunno. Lo conosci, l'autunno?

Il ragazzo ha imparato che per certe domande del vecchio, all'apparenza incomprensibili, non ci sono una risposta giusta e una sbagliata. Per un po' ha creduto che fosse svanito, che non avesse un contatto stabile con la realtà e che non potesse insegnargli niente. Questo prima di capire che imparava di piú in un'ora passata in quella strana stanza piena di vecchiaia che in cento ore di corsi presso celebrati professori d'orchestra.

So quello che sanno tutti, Maestro. È una stagione intermedia, tra estate e inverno. Piove spesso, giornate calde e giornate fredde. Comincia la scuola. So questo.

Ma la musica?, pensa. Quando parliamo di musica? Io sono qui per questo. Perché mi hai mandato a chiamare?

Il vecchio si volta a metà.

Una stagione intermedia, dici. No. Non è cosí. L'autunno è l'inizio. L'autunno è la fine. E sai perché?

Ecco, la musica. Sta di nuovo parlando di musica, pensa il ragazzo con un brivido. Sta ricordando qualcosa che ha a che fare con la musica. Una volta, quando era ancora caldo e dalla finestra socchiusa entrava l'odore del mare, invece del vento freddo, il vecchio gli ha detto: se parliamo di sentimenti, parliamo di musica; non te lo scordare. E il ragazzo non se lo scorda.

Perché nell'autunno ci sta la perdita. Ecco perché.

Il vecchio lo dice con un tono diverso. Con un tono che ha dentro storie e ricordi. Con un tono che ha le partenze ma non i ritorni. Il ragazzo è pur sempre un artista, e la sua anima ha un lungo brivido.

La perdita, Maestro? La perdita? Quale perdita?

Il vecchio si volta del tutto e lo guarda per la prima volta. Il vento cambia il verso dei lunghi capelli bianchi. Mezza faccia illuminata dal tramonto, rosata di sangue; l'altra metà nera d'ombra e di sconfitte e di rughe. Il ragazzo si accorge dello strumento nella mano, finora nascosto, tenuto per il manico come se fosse un prolungamento del braccio: una protesi di legno d'abete, panciuta e con quattro coppie di corde.

Quando vede il mandolino il ragazzo avverte una specie di frustata. I muscoli si irrigidiscono, la pelle si prepara prima ancora della mente ad assorbire famelica ogni accordo, ogni variazione magica di quelle dita deformi capaci di trarre suoni eccelsi. È là per questo, il ragazzo. Per imparare quel suono unico. Perché tutta la gente che va a sentirlo cantare, che lo adora come un piccolo dio, non sa che la vera musica, quella che lui darebbe una gamba per saper suonare, abita in una stanzetta a mezza collina, tra le mani artritiche di un vecchio che non vuole condividerla con nessuno. E lui va là per rubarla, nota dopo nota, quasi sperando di esserne contagiato.

Parla cauto, gli occhi fissi sullo strumento come se temesse che, in preda a un raptus, il vecchio possa scagliarlo fuori dalla finestra aperta.

La perdita, sí. Me la raccontate, Maestro, la perdita che c'è nell'autunno?

Il vecchio gli sorride e all'improvviso sembra pazzo, di una pazzia dolce e disperata. Mica te la racconto io, la perdita. La perdita, lo sai, sta nella canzone.

Quale canzone?, chiede il ragazzo. Spera che il vecchio ne tiri fuori una sconosciuta; sarebbe una meraviglia inserirla nel repertorio. La gente rimarrebbe a bocca spalancata.

Il vecchio, per tutta risposta, compie un gesto fluido e deciso, impugnando il mandolino con precisione assoluta. Il ragazzo si rende conto che quel gesto è stato ripetuto migliaia, forse milioni di volte. È semplice, definitivo. Lo ha sempre visto suonare da seduto, il vecchio; nemmeno pensava che avesse la forza di reggerlo, lo strumento, se non appoggiandolo sul ginocchio. E invece eccolo là, nella luce del tramonto e nel vento dell'autunno, senza tracolla e senza sostegni. Al solito non si guarda le mani, non guarda le corde. In genere gli occhi sono fissi su un punto lontano nel tempo e nello spazio, alle calcagna di chissà quale ricordo smarrito, di chissà quale illusione. Ora, invece, quelle pupille velate sono addosso a lui, al ragazzo, insieme a un mezzo, triste sorriso.

Il vecchio tira fuori un paio di accordi e il ragazzo li riconosce all'istante. Prova un po' di delusione; non solo la canzone non è sconosciuta, è tra le piú famose, forse la piú famosa di tutte.

Ma come sempre, nella stanza polverosa dove abita la Musica, quel suono gli spacca il cuore in due. E la celebre introduzione diventa qualcosa di nuovo e antico, di dolcemente noto eppure mai sentito.

Il vecchio si ferma, come se qualcuno gli avesse parlato all'orecchio. Si gira ancora verso il vento. Sí, dice. Qui c'è la perdita. La disperazione della perdita.

Il ragazzo scuote il capo: Maestro, ma perché una perdita? Questa è una serenata, no? È un lamento, sí, la sofferenza, capisco; ma la perdita?

Il vecchio sospira. Si avvicina alla finestra, ormai la sera ha vinto sul tramonto. Va a sedersi, trascinando i piedi; si sistema la coperta sulle gambe, ma non lascia lo strumento. Parla piano.

Questa canzone, dice. Questa canzone tu la suoni bene, e la canti bene. Eppure è quella che sbagli di piú.

Il ragazzo pensa agli applausi, al silenzio assorto del pubblico, al trionfo quando chiude. Al fatto che è quello il pez-

zo che gli viene piú richiesto, quello che riserva come ultimo bis. E si chiede, ancora una volta, quand'è stato che il vecchio lo ha sentito cantare.

Maestro, chiede: perché la sbaglio? Io mi attengo allo spartito originale, e la canto tutta intera… Ci stanno colleghi che fanno solo due strofe. Se mi potete spiegare…

La sbagli. Perché non ci metti la perdita che ci sta dentro. La chiave della storia raccontata dalla canzone è la perdita. Lui va a cantare sotto alla finestra di lei perché l'ha perduta.

Il ragazzo sussurra: ma no, Maestro. Non l'ha perduta. Infatti poi si sposano, e nella realtà…

Il vecchio batte la mano aperta sulla custodia del mandolino; un colpo secco, rabbioso. Come uno sparo.

No! Nel momento in cui scrive, lui l'ha perduta. Fai sempre lo stesso errore, credi che una canzone sia una canzone e che sia scritta per essere cantata. Non è cosí. La canzone è un messaggio, non lo capisci? Un messaggio. Lei si è sposata, lui l'ha perduta. Ed è autunno, e se non lo è, è come se lo fosse. È finita, non capisci? Finita!

Il ragazzo incassa la testa nelle spalle, sorpreso dalla potenza di quella voce che rimbomba nella stanza carica di livore e di rabbia. Che cazzo vuole, questo?, pensa. Adesso lo mando a quel paese e me ne vado, basta subire, chi si crede di essere?

Ma il vecchio continua.

È questo il motivo per cui canti, non lo vuoi capire? Tu canti per raccontare in eterno quella storia. Tu canti ogni sera per portare nel tempo quel sentimento. Non contano niente le ragazzine che vengono a sentirti, né gli uomini e le donne che ti applaudono in piedi. Non cambia di una virgola se canti da solo, nel cesso di casa, oppure su quel palco. La storia non è tua, ma sei tu che devi raccontarla. Lui è in strada, nella notte; lei è dietro una finestra, con l'uomo che le hanno messo al fianco. Lui sa del dolore di lei, ne conosce la rassegnazione; non vuole farle del male, però non può tacere. Non riesce a lasciarla. Non può lasciarla.

Ha scritto in un'ora, ha la febbre alta. Anche il suo amico ha tagliato e cucito la musica in un'ora sola. Nel buio silenzioso, nel vento freddo dell'autunno, chi canta è un uccello accecato che ha perso la compagna. Per sempre, non ha dubbi. Non sarà mai piú felice. È un condannato a morte che canta il rimpianto per la vita. Aspetta che la luce della finestra si spenga per dare inizio alla sua dannazione eterna, poi le dice perché è là. Le canta la perdita. Le canta l'autunno.

Stai a sentire.

Imbraccia di nuovo lo strumento. Suo malgrado il ragazzo si tende nell'ascolto. Le dita volano come farfalle sul manico, nelle strane posizioni dovute alla deformità. Il vecchio, mentre suona, lo guarda in faccia come se avesse delegato il racconto al mandolino, sottolineando le anse e le curve della musica che corre verso il mare come il piú imprevedibile dei fiumi.

Poi comincia a sussurrare le parole. E il ragazzo le sussurra con lui, gli occhi sgranati nella penombra che irrompe a fiotti dalla finestra.

Si 'sta voce te scéta 'int'a nuttata,
mentre t'astrigne 'o sposo tujo vicino,
statte scetata, si vuo' sta scetata,
ma fa' vedé ca duorme a suonno chino.

Nun ghí vicino ê llastre pe' fá 'a spia,
pecché nun puó sbagliá 'sta voce è 'a mia...
È 'a stessa voce 'e quanno tutt'e duje,
scurnuse, nce parlávamo cu 'o vvuje.

(Se questa voce ti sveglia nella notte,
mentre ti stringi vicino al tuo sposo,
resta sveglia, se vuoi stare sveglia,
ma fa' finta di dormire profondamente.

Non andare vicino ai vetri per spiare,
perché non puoi sbagliare: questa voce è la mia...
È la stessa voce di quando noi due
con vergogna, ci parlavamo dandoci del voi).

La voce del vecchio è calda, dolente. La voce del vecchio vibra senza età, sospesa in notti di secoli e di dolori. Notti senza sonno.

Notti d'autunno.

1.

Cettina non si staccava dalla finestra. Le aveva detto che sarebbe venuto e non aveva mai mancato alla parola, ma si stava facendo tardi e lei temeva che il padre e la madre sarebbero rientrati dal negozio: a quel punto non avrebbe potuto parlargli piú.

Aveva finito di rigovernare, e aveva anche preparato la cena. Poi si era pettinata, raccogliendo i lunghi capelli in una treccia che aveva avvolto dietro la testa; teneva il cappellino a portata di mano.

Il tempo andava verso il brutto, ma non pioveva ancora. Ottobre è cosí, pensò Cettina. Un giorno bello e uno cattivo.

Per l'ennesima volta volò davanti allo specchio grande, quello in anticamera, per controllare se era in ordine. L'abito di mussolina marrone, la camicetta bianca. Abbastanza sobria da non dare l'impressione di voler uscire, se i genitori fossero tornati prima del suo arrivo, ma abbastanza elegante da poter scendere sotto casa per incontrarlo.

Cettina aveva quindici anni e un peso sul cuore. Perché Cettina era innamorata, e temeva di essere sul punto di perderlo, il suo amore. Però era determinata a lottare.

La guerra si era portata via molti uomini in quell'anno e mezzo, e altri ancora ne avrebbe uccisi. Non c'era da scherzare. In tanti non sarebbero tornati, e in troppi erano a casa feriti, storpiati dalle schegge delle granate e dai colpi di mortaio. Quella guerra era incomprensibile, per Cettina. Lo era per quasi tutte le donne che, rimaste a casa a custodire un simulacro di esistenza, aspettavano col cuore in gola un passo noto o un telegramma. Terre troppo lontane per chiamarle patria, luoghi troppo distanti per doverli difendere con la vita; e la memoria dei vecchi, che ricordavano un altro re e un'altra nazione, si traduceva in racconti di un'antica grandezza, rendendo ancora piú estranee le ragioni di un conflitto già difficile da accettare.

Il padre di Cettina era malato di petto, perciò non era stato richiamato. Il fratello era piú piccolo di lei e non correva rischi. Non le era toccata l'ansia di aspettare un telegramma col cuore in gola.

Vincenzo però aveva diciassette anni. Era sano come un pesce, con occhi neri vivaci e ribaldi, e un corpo nervoso e forte abbastanza per scaricare i carri del grano e le navi di tessuti. Vincenzo correva il rischio di essere mandato al fronte, se la guerra fosse durata ancora. La maledetta guerra che non accennava a voler finire.

Vincenzo, che aveva conosciuto un anno prima, d'estate, vicino a una fontana dove lui era andato per rinfrescarsi e lei ad accompagnare un'amica lavandaia. Vincenzo, che le aveva sorriso nel sole, abbagliandola di denti bianchi e di pelle scura. Vincenzo, che le aveva rubato il cuore per sempre.

Ne avevano parlato tanto. Lui a dirle che sarebbe andato dal padre di lei quando avesse avuto i mezzi per assicurarle la stessa vita che aveva. Lei a dirgli che non le importava di niente e di nessuno, che voleva solo stare con lui, mano nella mano sotto le stelle che ammorbidivano il mare di notte. Lui a chiederle di aspettare, lei a chiedergli di far presto.

E adesso 'sta cosa dell'America.

Quelle storie sulla terra delle opportunità. Quelle fantasie sulla ricchezza a portata di mano per chi aveva voglia di lavorare...

Dammi tempo fino alla fine della guerra, ripeteva lui. E a lei veniva il pensiero di sé stessa in attesa, col cuore in gola.

Proprio questo la teneva piú in pena. Chi sono io?, gli diceva. Se tu andassi in guerra dovrei spiare la casa di tua madre per sapere se ti è successo qualcosa. A me nessuno verrebbe a dire niente. L'idea di essere esclusa dalle notizie le stringeva il cuore in una morsa. Ecco perché aveva detto di sí all'idea dell'America.

Per la centesima volta andò alla finestra e guardò in strada. Niente. Niente ancora.

Sentí su di sé gli occhi del fratello e del cugino, seduti al tavolo a giocare a carte. Finse serenità, ma Michelangelo e Guido le leggevano dentro.

Con finto disinteresse, il cugino le chiese:

– Stai aspettando qualcuno, Cettina?

– Ma no. Che vai a pensare? Guardo se arrivano mamma e papà.

Michelangelo, il fratello, ridacchiò indicando l'orologio a pendolo che troneggiava sulla parete.

– Ma è presto, per loro. Chiudono il negozio alle sette, e ci vuole almeno mezz'ora per fare i conti, lo sai. Prima delle otto a casa non stanno.

Guido, fissandola senza espressione, disse:

– E infatti non aspetta gli zii, Cettina. Chissà chi aspetta.

Certe volte, a Cettina, Guido dava i brividi. Era un bravo ragazzo, piú grande di lei di due anni; aveva perso prima il padre, poi la madre, sorella della sua, e viveva con loro. Ma era taciturno, strano, sempre pensoso e con un libro in mano; bravissimo a scuola, ma senza amici.

– Nessuno. Non aspetto proprio a nessuno. Cioè, Maddalena, la mia amica, ha detto che forse mi veniva a salutare. Vediamo se ce la fa in tempo.

Da un momento all'altro. Vincenzo poteva partire da un momento all'altro. Le aveva detto che un amico piú grande si sarebbe imbarcato da marinaio e lo avrebbe fatto entrare sottocoperta, nella terza classe, senza pagare il biglietto. Certo, avrebbe dovuto viaggiare nascondendosi, ma l'amico gli avrebbe portato da mangiare e ce l'avrebbe fatta. In quei piroscafi la gente era stipata, nessuno avrebbe fatto caso a un clandestino.

Adesso che la partenza era diventata possibile, Cettina si rendeva conto che non ci aveva mai davvero creduto. Non poteva essere che Vincenzo andasse via. Che lei non lo vedesse piú per mesi, forse per anni. E chi le assicurava che in America non ci fossero pericoli altrettanto enormi quanto la guerra? E se fosse finito in cattive mani? Se l'avessero costretto a restare là, a non tornare piú? Se avesse incontrato gli indiani, che dicevano feroci e sanguinari, addirittura cannibali?

Se, piú di ogni altra cosa, avesse incontrato una donna che gli piaceva piú di lei?

Un fischio acuto la colse in mezzo a quel pensiero. Non poté evitare di illuminarsi di un sorriso. Prese il cappello e disse, calma:

– Le vado incontro, a Maddalena. Cinque minuti e torno, mi deve dire il titolo di un libro che voglio leggere. Guido, ci pensi tu a Michelangelo, vero?

Aprí la porta, senza curarsi degli occhi del fratello e del cugino sulla schiena.

Vincenzo le teneva le mani. Nel portone il vento gelido fischiava con forza. Cettina non riusciva a smettere di piangere.

– Cetti', ma perché piangi cosí? Non eravamo d'accordo?
La ragazza scosse la testa.
– No, che non eravamo d'accordo! Eri d'accordo tu solo. E adesso mi vieni a dire che è per stanotte. Abbiamo parlato tanto di quello che dovevamo fare: i nostri sogni, una casa, i bambini…
Lui la interruppe con vivacità:
– E allora? Era tutto vero, verissimo. E faremo tutto insieme, come ci siamo detti, come abbiamo giurato. Ci vado apposta, no? Io vado per questo, per procurarmi i soldi, cosí…
– Ma ci sono tanti altri modi! Posso parlare con papà, puoi lavorare al negozio e…
Vincenzo rise.
– Eh, a caricare e scaricare i carri di stoffa. A fare il servo.
– Solo all'inizio, poi diventerai commesso e tra qualche anno…
Vincenzo le strinse le mani ancora di piú:
– Io me lo compro, il negozio di tuo padre. Vado in America, faccio i soldi, torno e me lo compro. Io camperò per questo, per diventare ricco e degno di te.
Cettina scrollò la testa.
– Ma non lo capisci che a me dei soldi non interessa nulla? Io che faccio qua da sola, senza di te?
– Mi aspetti. Ecco che fai. O preferisci che mi mandano soldato e torno in una cassa oppure su una sedia, senza gambe? Vuoi questo per me?
Cettina singhiozzava.
– Magari la guerra finisce. Magari non ti chiamano. Magari, pure se ti chiamano, non ti succede niente. Don Arturo, il marito di Rosina, le scrive tutte le settimane e sta benissimo: dice che non ha mai mangiato cosí bene.
Vincenzo sbuffò.

– E grazie, quello sta al comando di Bologna, il fronte non lo vede manco per prossimo, è vecchio. Quelli come me li spediscono direttamente in trincea, sotto i bombardamenti dei cannoni austriaci. Io non ti capisco, dici che mi vuoi bene e mi vuoi mandare a morire.

La ragazza fece segno di no, tra le lacrime.

– No, non voglio. Ma nemmeno voglio che te ne vai.

– E allora vieni con me. Parti insieme a me.

Cettina sussultò.

– Sei pazzo? Come faccio con mia madre e mio padre? Ne morirebbero.

Il giovane sorrise amaro.

– Già. Perché tu stai bene. C'è il negozio, siete ricchi. Tu e tuo fratello, con quel fesso di tuo cugino, avrete di che campare pure quando tuo padre, tra cent'anni, non ci sarà piú. Ma io? Io che posso avere da un padre che è morto quando tenevo due anni e da una madre che devo mantenere?

Tacque un istante, poi riprese, serio.

– Ti giuro che torno a prenderti. Te lo giuro. Ma tu dimmi che mi aspetterai.

Cettina lo fissò, gli occhi arrossati ed enormi.

– Io non lo so se ti aspetto, Vince'. Io voglio una casa, voglio dei figli. Non voglio passare la gioventú guardando il mare e aspettando una lettera. Se parti adesso, non lo posso sapere se mi trovi quando torni.

Vincenzo strinse le labbra, retrocedendo come se fosse stato schiaffeggiato. Annuí e disse:

– Io torno a prenderti, Cetti'. Io torno a prenderti. Ti conviene aspettarmi.

La prese per le spalle e la baciò, con la furia disperata della perdita.

Poi scappò via.

II.

Il ragazzo era stato felicemente sorpreso dalla chiamata di Alfonso. Di solito quelle cose si facevano in tarda primavera e d'estate, quando le notti erano dolci e le finestre aperte.

Era semplice, d'estate. Si percorrevano le strade e i vicoli dove le donne, anche a tarda ora, stavano sedute fuori la porta dei bassi per chiacchierare e combattere il calore terribile, pronte a sorridere vedendoli passare con gli strumenti in mano: giovino', dove andate? Chi è la fortunata, giovino'? Chi vi ha chiamato? E si sceglieva un angolo, si annusavano il vento e l'acustica, la distanza giusta dal passaggio delle carrozze e dagli altri rumori. Si faceva in modo che il suono e le parole attraversassero l'aria e giungessero a chi doveva ascoltarli, senza equivoci e senza sospensioni di giudizio.

L'estate è il momento giusto, rifletteva il ragazzo. Quando la notte si riempie di fiori e mare, le stelle si sistemano come un pubblico sugli spalti e nessuno ha da lamentarsi per un po' di musica, perché l'indomani è pigro e senza urla. Allora il committente si lancia in qualcosa che non ha mai fatto, se non tra le mura di casa, e affida il proprio messaggio a una canzone scritta chissà quando e da chissà chi, sbirciando le parole da un foglietto spiegazzato alla luce malferma di un lampione che ondeggia nella brezza leggera. O magari si affida alla voce altrui, se proprio è stonato o ha paura di rendersi ridicolo, o anche solo di vanificare il significato del testo per una voce spezzata dall'emozione.

Una serenata ha il diritto alla perfezione, o almeno allo sforzo di raggiungerla.

Il ragazzo si era rassegnato dunque a perdere quella fruttuosa opportunità con la fine della bella stagione, perché il vento, il freddo, le finestre chiuse e la corsa per allontanarsi dalla fame, che attendeva tanti il mattino successivo, distoglievano lo spirito della gente dalla voglia di un po' di poesia. Per campare, come gli altri musicisti, si esibiva in ristoranti e caffè, o faceva da accompagnamento nelle riviste itineranti e nell'avanspettacolo; lavori spesso ricompensati con un pasto e pochi spiccioli. Però, con il pensiero, correva volentieri alle serenate, alla felicità di condividere l'eccitazione di un innamorato, di scortare un sentimento dolce nel proprio viaggio da un cuore all'altro.

Una cosa che lo aveva sempre colpito era quanta meraviglia ci fosse nel linguaggio di quel rito. Era bellissimo dire che la serenata «si porta», non si canta. Si porta. Sí, perché è un messaggio. Come una lettera vergata su un foglio color crema con una lunga penna d'oca, affidata alla musica anziché alla posta.

Per una serenata ci si rivolgeva a un «concertino». Una coppia di musicisti, a volte un terzetto. Una chitarra, magari due, e un mandolino. Se il mittente del messaggio non se la sentiva, uno dei due chitarristi gli prestava la voce. C'era stato un tempo, verso la fine del secolo precedente e fino a una ventina d'anni prima, in cui vicoli e piazzette risuonavano di serenate come fosse una festa. Ora i soldi erano pochi e a farne le spese, come il ragazzo purtroppo sapeva bene, era la musica. Ormai ci si limitava alla serenata istituzionale, quella che precedeva il giorno delle nozze, per la quale si faceva un pomeriggio di prove a casa dello sposo, prima di esibirsi sotto casa della donna con tutti i vicini e i familiari affacciati alle finestre: una breve accordatura degli strumenti (*'na tiratella 'e recchie* alle chiavi), un'introduzione allegra, e infine la canzone dedicata, che si concludeva tra le urla e gli applausi di tutto il vicolo. Sul concertino piovevano soldi e dolci e confetti, e si partecipava alle battute a doppio senso con grevi riferimenti alla notte seguente.

Perlopiú ai concertini partecipavano musicisti anziani e scafati. Un'esecuzione cosí precaria e dagli esiti imprevedibili richiedeva la capacità di adattarsi alle circostanze, quindi era meglio rivolgersi a gente esperta, che ne aveva viste tante. Si raccontava di secchi d'acqua fredda svuotati sulla testa di poveri suonatori ignari di sostenere le ragioni amorose indifendibili di amanti fedifraghi; di padri armati di mazze e martelli; perfino di fidanzati rivali col coltello in pugno. Il ragazzo, però, possedeva un talento raffinato, e nonostante la giovane età era entrato nella considerazione e nelle grazie di Alfonso, uno dei piú bravi e noti «posteggiatori» della città; perciò veniva spesso convocato per le serenate, cosa che gli faceva un gran piacere, viste le robuste remunerazioni che comportavano. Ottobre, poi, era il mese piú difficile per un musicista. La gente non aveva voglia di divertirsi, in ottobre, ma lui e sua madre dovevano mangiare lo stesso, anche con la pioggia e il vento.

Per tutti questi motivi il ragazzo ci teneva in modo particolare che ogni cosa andasse bene, quella sera.

Mentre percorreva la salita che conduceva alla meta, ricordò il volto eccitato di Alfonso quando era venuto a cercarlo la sera prima. La paga era enorme, lo aveva lasciato a bocca aperta. L'anziano collega gli aveva raccontato di essere stato assunto da uno straniero, uno che parlava in modo insolito. All'inizio gli pareva un deficiente, tanto che lo aveva quasi respinto, poi il tizio aveva tirato fuori dalla tasca del soprabito un fascio di banconote e subito aveva ottenuto la sua massima attenzione.

Una canzone. Una sola. Non avrebbero dovuto cantare, solo accompagnare. No, non sarò io a cantare, aveva detto il tizio. C'è un mio amico. Canta lui. Vi aspettiamo a questo indirizzo alle undici. Siate puntuali.

Il ragazzo sospettava che Alfonso gli avesse mentito al ribasso su quanto aveva davvero percepito, ma la sua parte era lo stesso doppia rispetto al solito, quindi molto piú che soddisfacente. Ne valeva la pena, anche se tirava un'aria gelida e l'assenza di stelle lasciava temere un improvviso scroscio di pioggia.

Piuttosto si chiedeva perché una serenata con tanto di concertino in un giorno come quello. Un matrimonio era da escludere, a meno che non si trattasse di una cerimonia preparata in fretta e alla bell'e meglio, con la sposa che deve nascondere il pancino incipiente sotto un abito un po' piú largo. Ma non avrebbe avuto molto senso; in certi casi tutto veniva improntato alla massima riservatezza. Eppure, se non costretto dalle circostanze, nessuno si sposava dopo la metà di ottobre e cosí vicino al periodo dei Morti. Peraltro Alfonso era stato chiaro: una sola canzone. La piú famosa delle serenate.

Sul luogo dell'appuntamento, aveva precisato quello che parlava strano, avrebbero trovato chi doveva cantare e ricevuto la seconda metà della somma concordata.

Va bene, *paisà*? Va bene. Figuriamoci se non va bene.

Pure la scelta della canzone era curiosa. Il testo era straziante e straziato, non felice, non incantato da un futuro radioso. Tanto che in genere la si faceva seguire almeno da un altro pezzo aperto alla speranza. Chissà perché una sola, e perché quella. Girando l'angolo scrollò le spalle: e chi se ne frega, si disse, l'importante è che ci paghi, cosí domani si mangia senza bisogno di svegliarsi all'alba per cercare una scrittura.

La notte si allontanava dal tramonto procedendo verso l'alba e cominciava a fare freddo, perciò il ragazzo teneva le mani in tasca; Alfonso gli aveva spiegato che doveva essere una cosa rapida, il tizio si era raccomandato, quindi non avrebbe avuto il tempo di qualche accordo per riscaldarle. Le pietre della strada erano lucide d'umidità e i cani randagi si ammucchiavano negli androni dei palazzi cercando un po' di riparo. Lo strumento, nella custodia sotto il braccio, attendeva quieto.

Alfonso era bassino e grassoccio, in perenne movimento, sempre sorridente e sudato. Il ragazzo era alto e ossuto, le lunghe dita nodose, taciturno e introverso. A vederli insieme facevano pensare piú alle macchiette che alle serenate. Finché non cominciavano a suonare. Allora la musica cancellava ogni immagine e il cuore si apriva ad altri sensi che non rilevavano piú nulla di comico. Sapevano anche far ridere, beninteso, ma davano il meglio di sé quando c'erano da raccontare i sentimenti.

Nell'ombra, fuori dal chiarore fioco di un lampione, aspettavano fumando due figure. Al loro arrivo una si staccò e venne loro incontro. Il ragazzo trasalí vedendo quella che nell'incerta illuminazione gli parve una maschera: un naso enorme e rincagnato, storto; il labbro superiore spaccato e mal ricucito in piú punti; diverse cicatrici sulle guance; un sopracciglio mancante con il segno di una lunga apertura rossastra. L'uomo aveva le spalle larghe, era piuttosto alto e sembrava privo di collo. Per contro era ben vestito, con un elegante cappello di foggia moderna e un cappotto nuovo reso un po' lucido dall'umidità.

Si rivolse ad Alfonso, sbrigativo:

– Buonasera, *paisà*. Grazie per, come si dice? Puntuale. Grazie per puntuale, sí?

Il ragazzo pensò che il parlare strano derivasse dall'abitudine dell'uomo a pensare in un'altra lingua. La lunga consuetudine coi turisti che affollavano i ristoranti del lungomare nella bella stagione gli permise di riconoscere un evidente accento americano.

Alfonso fece un breve inchino e lo presentò.

– Lui è il mio collega, il mandolino. È molto bravo e fidatissimo, sa che si deve stare zitto, che non deve raccontare a nessuno di stanotte.

Era vero. Alfonso si era dilungato nella richiesta di un'assoluta discrezione, cui il ragazzo aveva risposto con una breve stretta di spalle: non capiva a chi potesse interessare il racconto di una serenata notturna nel quartiere Materdei. L'uomo gli si avvicinò, fissandolo da pochi centimetri con gli occhi stretti. Lui provò un brivido, ma resse lo sguardo. Alla fine lo straniero annuí come se si fosse convinto e fece un cenno all'altra figura che aspettava nell'ombra.

Dal buio emerse un uomo piú giovane dello straniero e molto diverso da lui, pur con qualche tratto in comune. Il ragazzo ebbe subito, nettissima, l'impressione di averlo già visto, ma non avrebbe saputo dire dove. Era alto, atletico; indossava un vestito a doppio petto gessato, senza soprabito, con una cravatta larga a pallini. Le scarpe, di pelle nera e alla moda, erano rese opache dalla polvere e un po' inzaccherate. La pelle del viso era bruna, gli zigomi alti, gli occhi neri leggermente velati. Teneva il cappello chiaro spostato sulla nuca e un ciuffo umido gli attraversava la fronte.

Si avvicinò. Le narici del ragazzo furono colpite da un pungente odore di alcol. Quel tipo era ubriaco. Barcollò in avanti, tanto che l'amico dovette sorreggerlo, mormorandogli qualche parola in inglese cui lui rispose con voce impastata:

– No, Jack, no. La voglio fare questa cosa. La voglio fare. Andiamo.

Percorsero qualche decina di metri, arrivarono a una piazzetta e si fermarono. Il tizio in gessato alzò una mano indicando una finestra al secondo piano di un palazzo elegante. Il ragazzo notò che apriva e chiudeva i pugni in preda a un crescente, palese nervosismo. All'improvviso si portò due dita alla bocca ed emise un lungo fischio, molto acuto. Per qualche oscuro motivo, in quel fischio il ragazzo riconobbe un lamento.

L'uomo dal viso sfigurato allungò una mano verso il braccio dell'amico, che però lo allontanò con fermezza, rimanendo nel cono di luce del lampione a gambe un po' larghe, ondeggiando avanti e indietro. Alfonso tirò fuori la chitarra dalla custodia e il ragazzo fece lo stesso col mandolino. Jack si voltò mettendosi un dito sulle labbra, imperioso. L'ubriaco si tolse il cappello e lo lasciò cadere a terra, passandosi una mano prima nei capelli, poi sulla faccia. Tirò un lungo sospiro, si girò appena e annuí col capo.

Alfonso attaccò le prime note e il ragazzo si introdusse sicuro nella trama della musica, arricchendola col suono dolce e struggente del suo strumento.

Si aspettava che la voce dell'uomo, di certo non un cantante e per di piú in quello stato di alterazione, avrebbe rovinato la meravigliosa melodia. Era lui che pagava, quindi, per quanto lo riguardava, poteva anche esibirsi in una filastrocca per bambini, ma il suo orecchio raffinato urlava di dolore quando era costretto ad ascoltare certi strazi. Talvolta si chiedeva come facessero, alcuni, a non rendersi conto di quanto potesse essere controproducente un suono sgraziato abbaiato verso la finestra di una donna che si intendeva affascinare.

Rimase molto sorpreso scoprendo che quell'uomo, invece, sapeva cantare eccome. Un bel timbro tenorile, perfetta intonazione, conoscenza del testo. Ma non era solo questo.

Cantava col cuore. Nelle parole, che il ragazzo conosceva benissimo, faceva vibrare un dolore senza pace e senza tempo. L'ubriaco, il ragazzo se ne rese conto con estrema chiarezza, stava lanciando un messaggio disperato.

Com'era prevedibile, qualche luce cominciò ad accendersi. Nonostante l'umidità e il vento, diversi battenti si aprirono e visi assonnati e curiosi si affacciarono per capire chi cantava e per chi.

La prima strofa terminò e l'uomo attaccò la seconda. Teneva gli occhi sulla finestra al secondo piano, senza staccarli un attimo. La mano destra al petto, la sinistra lungo il fianco. Il ragazzo si accorse che sulle guance gli scendevano le lacrime, ma la voce non perdeva fermezza.

In quelle situazioni capitava sempre che qualcuno si intromettesse, lamentandosi del chiasso perché voleva dormire oppure accompagnando la musica con un controcanto o addirittura con qualche sfottò. Invece stavolta nessuno fiatava. L'estemporaneo pubblico ascoltava in un silenzio partecipe, avvertendo forse la profonda emozione del cantante.

All'inizio della terza strofa, quella conclusiva, anche le imposte del secondo piano si aprirono, lasciando intravedere il volto di un uomo con i baffi lunghi e i capelli trattenuti da una retina, la cui espressione di sorpresa divenne arcigna quando capí che, senza possibilità di errore, la serenata era indirizzata proprio alla sua finestra. A quel punto, esattamente in corrispondenza del verso di chiusura, le imposte si serrarono di nuovo con uno schiocco che risuonò in tutta la piazza.

L'ubriaco strozzò l'ultima parola in un singhiozzo. Alfonso si fermò, chinando il capo; il ragazzo invece ricamò un finale delicato e amaro, come per posare un fiore su una tomba.

Una alla volta le finestre si riaccostarono. Nessun commento, non una risata, nemmeno un sussurro. Una donna di mezza età, prima di sparire dentro casa, inviò al cantante un bacio sulla punta delle dita.

Lo sfigurato si accostò all'amico toccandolo delicatamente sulla spalla. L'altro si coprí la faccia con le mani. Dai sussulti della schiena il ragazzo capí che stava piangendo.

Dopo qualche istante Jack andò da Alfonso e gli porse una manciata di banconote. Il chitarrista sollevò il cappello in segno di ringraziamento, prese la custodia dove aveva riposto lo strumento e fece un cenno al giovane collega, avviandosi lungo la discesa. Il ragazzo lanciò un ultimo sguardo all'ubriaco e lo seguí.

Si sentiva come se avesse assistito a un funerale.

III.

All'ingresso della coppia l'allegro brusio che attraversava il ristorante del *Grand Hotel* cessò di botto, tanto che per la sorpresa uno dei violinisti sbagliò una nota, guadagnandosi un'occhiataccia del pianista. Fu solo un attimo, però. Quasi subito i clienti ripresero a parlare a un volume perfino piú alto; ora avevano un argomento di conversazione davvero succoso.

La guardarobiera ritirò la stola di pelliccia della dama e il soprabito del suo accompagnatore con una riverenza e un sorriso, mentre un cameriere impettito andò ad accoglierli – prego, favorite, faccio strada – e li accompagnò a un tavolo riservato che, caso volle, si trovava proprio in fondo all'ampio salone, illuminato da applique a forma di candelabro e da lampadari con gocce di cristallo. Per raggiungerlo i due dovettero cosí percorrere una passerella virtuale, offrendosi ai velenosi commenti degli astanti impegnati a consumare la costosa cena. Insomma, un piccolo spettacolo fuori programma.

L'orchestra attaccò un valzer.

La donna, con atteggiamento di sfida, scelse la sedia in modo che chiunque potesse vederla in faccia. L'uomo, invece, sedette di spalle, ostentando, almeno all'apparenza, il proprio disinteresse per la curiosità che li circondava.

Il cameriere si allontanò con un inchino; sarebbe ritornato dopo qualche minuto con il menu.

La nuova arrivata era di sicuro la piú bella ed elegante tra le signore presenti. Indossava un abito in satin grigio scuro con la gonna a metà gamba, le maniche ai polsi con uno sbuffo sul gomito e un drappeggio di seta nera sulla spalla che le accarezzava il seno e si raccoglieva sul fianco destro, fermato da una cintura con una fibbia elaborata. Il cappellino era fissato leggermente obliquo, sul lato sinistro dei capelli biondi con riflessi color rame, tramite una piccola guarnizione di seta che richiamava il vestito. Le caviglie affusolate terminavano in un paio di scarpe a tacco alto in pelle nera, come la borsetta piccola e piatta, con la chiusura a schiocco, che aveva appoggiato sul tavolo. Ai lobi portava orecchini in platino con una rosetta di diamanti. Le mani erano coperte da guanti in pizzo, anche questi neri.

La raffinatezza dell'abbigliamento, in ogni caso, era nulla se paragonata al viso che risplendeva sul lungo collo: un minuscolo naso, il labbro superiore lievemente sollevato sopra la dentatura bianchissima e, soprattutto, gli occhi. Sereni, limpidi, forti, di un colore incredibile: un azzurro intenso che tendeva al viola.

La donna li fece correre con fierezza sui tanti che la stavano osservando costringendoli a distogliere lo sguardo imbarazzati. Sorrise soddisfatta e tornò a occuparsi del proprio accompagnatore.

In quella stagione autunnale, Bianca Borgati dei marchesi di Zisa, moglie del conte Palmieri di Roccaspina, era la donna di cui si parlava maggiormente nei salotti dell'aristocrazia. Presto sarebbe stata scalzata dalla pianificazione delle vacanze invernali in costiera, ma al momento nulla pareva piú interessante che tagliarle addosso i panni della donna perduta; di quella che si divertiva mentre il povero Romualdo, suo marito, se ne stava in galera. Certo, lui aveva confessato un omicidio e non voleva ritrattare la confessione; certo, qualcuno diceva che preferiva starsene in prigione piuttosto che onorare i pesantissimi debiti contratti per il demone del gioco; certo, sarebbe stato piú onorevole e consono al suo rango un colpo di pistola alla tempia. Ma comunque fosse, le leggi non scritte che regolavano i comportamenti della classe nobiliare avrebbero preteso una contessa in gramaglie, rinchiusa in una sofferenza tanto composta quanto assoluta; o almeno ben distante dai ristoranti alla moda e non agghindata con capi e accessori che, garantivano le dame presenti dopo averli prezzati con precisione a uno a uno, non si capiva proprio come potesse permettersi, giacché il suddetto marito, attualmente galeotto, aveva sperperato l'intero patrimonio familiare.

Ne conseguiva, senza ombra di dubbio, che la contessa Palmieri di Roccaspina esercitasse ora il piú antico mestiere del mondo, approfittando della propria avvenenza e della conoscenza di chissà quali arti, su cui i maschi in sala stavano favoleggiando mentre fingevano l'identico sdegno di consorti e fidanzate. Ora, il punto era: con chi esercitava le proprie arti la contessa? Da dove venivano quella seta, quelle rosette di diamanti, quella fibbia gioiello e quei guanti di pizzo?

Era nota la sua amicizia col ricchissimo duca Carlo Maria Marangolo, erede di una delle fortune piú consistenti della città, ma la loro era una consuetudine di antica data, inoltre il duca era molto malato. Nei corridoi si mormorava che c'era dell'altro, e quell'uscita serale al *Grand Hotel* sul lungomare, frequentato dalla migliore società, ne era una clamorosa conferma.

Negli ultimi tempi si vociferava infatti che la contessa fosse l'amante di uno strano commissario di polizia. Che la relazione, iniziata da chissà quanto, fosse emersa in occasione dell'accusa rivolta a costui di pederastia. Che, per scongiurare il concreto pericolo di un invio al confino dell'amante, la Roccaspina fosse intervenuta, di sua spontanea volontà, presenziando all'informale istruttoria tesa all'accertamento del reato. Che lui, pur essendo un semplice funzionario di pubblica sicurezza e sebbene non frequentasse alcun salotto o circolo, fosse in realtà di nobili natali, per quanto della bassa provincia, e molto ricco. Che infine, sempre lui, non portasse mai il cappello, indice certo di qualche eccentricità e, probabilmente, perversione.

C'era insomma parecchio materiale per animare i tè sonnacchiosi dell'autunno, ormai troppo lontani dai pettegolezzi estivi.

Si ricamava, in particolare, su questa enigmatica figura, il commissario Luigi Alfredo Ricciardi, barone di Malomonte. C'era chi ne ricordava il defunto padre, animatore della vita mondana della città trent'anni prima e mancato nel fiore degli anni. C'era chi aveva conosciuto la madre, una delicata fanciulla dagli occhi verdi, di buona famiglia, andata in sposa giovanissima e ritiratasi nei meandri del basso Cilento prima di morire per una grave malattia di nervi. C'era perfino chi ricordava, ma non ne era proprio sicuro, un taciturno compagno di scuola in collegio, dai gesuiti, che si teneva sempre in disparte e faceva un po' paura, venendo perciò ignorato da tutti.

Insomma, la contessa allegra e il commissario schivo erano la coppia del momento.

Bianca rivolse un luminoso sorriso al cameriere che le porgeva la carta e disse a Ricciardi:

– Da quando sono una donna perduta mi è venuto un appetito insaziabile. La cucina francese che offrono in questo posto, poi, è qualcosa di sopraffino.

Il commissario fece una smorfia, accennando alla sala alle proprie spalle.

– Tu scherzi, Bianca. Ma a me dà un peso enorme essere la causa delle maldicenze nei tuoi confronti solo perché hai voluto darmi una mano in quella situazione assurda.

La contessa ridacchiò, coprendosi con delicatezza la bocca.

– E invece, Luigi Alfredo, per quanto mi riguarda non avrei osato sperare in niente di meglio. Mio marito mi aveva messo nella tomba anzitempo, lo sai. E ciò che hai scoperto tu, e che mi hai confidato, mi libera da ogni scrupolo di coscienza. Ma lasciamo perdere.

Ricciardi annuí.

– Figurati, hai tutte le ragioni. Però avresti potuto riguadagnare il posto che ti compete nel tuo mondo senza dover passare per una specie di vedova allegra.

Bianca si strinse nelle spalle, con grazia.

– E che vuoi che me ne importi, dei pettegolezzi? Ci sono abituata, sento sparlare di chiunque fin da quando ero una bambina. Si stancheranno, vedrai, e passeranno oltre. Cominciano già ad arrivare inviti a concerti e a teatro; ben presto qualche gran dama progressista in vena di esibire curiosità e stranezze mi inviterà a un ricevimento insieme a un pigmeo e a un mangiatore di fuoco. Non è mica cosí male essere un animale a due teste.

Ricciardi si agitò sulla sedia.

– Indirettamente è colpa mia. È questo che mi rende inquieto.

Bianca rise.

– Allora ci provi proprio gusto a martoriarti. Ti ho detto che la cosa mi diverte molto, e che mi sento viva come non mi sentivo da anni. Anzi, a pensarci bene, come non mi sono sentita mai. Lascia che parlino. È eccitante: sono un'attrice che recita una parte sul palcoscenico e dà il meglio di sé per riscuotere la sua razione di applausi a sipario chiuso. Perché noi stiamo recitando, no?

Il commissario aprí la bocca per rispondere, ma la richiuse per l'arrivo del cameriere. Bianca sorrise e ordinò, sicura e contenta come una bambina affamata.

– Omelette espagnole, vol-au-vent à la toulousaine e fricandeau di vitello. Poi, magari, torta Suchard. Grazie.

Ricciardi spalancò gli occhi.

– Caspita, hai davvero fame. Per me potage à la Reine e galantine de volaille à la gelée. Basta cosí, grazie.

– Io avrò pure fame, ma tu mangi come un uccellino. Sei sicuro di sentirti bene?

Ricciardi fece un gesto vago.

– Cerco di difendermi dalla cucina di Nelide, la mia governante. È con me da quando... da non molto, e ho l'impressione che tema sempre di non farmi mangiare abbastanza. Cosí esagera, e quando sono fuori cerco di bilanciare. Altrimenti il mio fegato va a pezzi.

Bianca rise di nuovo.

– Io invece, dopo anni passati a calcolare ogni centesimo per evitare di spendere soldi che tanto non avevo, mangerei in continuazione. Diventerò grassa e brutta, e nessuno crederà piú che un uomo del tuo fascino possa volermi come amante.

Suo malgrado, a Ricciardi scappò un sorriso.

– Mi sento di escludere quest'eventualità, sia perché il mio fascino è inesistente sia perché è impossibile che tu diventi brutta.

– Ma dài, Luigi Alfredo, mi hai fatto un complimento? Non credo alle mie orecchie, devo essere ubriaca. Eppure non abbiamo ancora bevuto.

Il commissario scrollò la testa.

– Nessun complimento, Bianca. Pura e semplice verità. Anche per questo mi dispiace che tu sia in questa situazione. Potresti avere tutto quello che desideri.

La contessa divenne seria e gli sfiorò una mano con le dita guantate.

– Ascoltami, per piacere. Io benedico l'istante in cui ho deciso di venire a cercarti. Se non fosse stato per te, per quello che hai fatto, ora sarei disperata, chiusa in casa in preda a dubbi e insicurezze. E oppressa dalla povertà, perché avrei sentito l'obbligo di mantenere legata la mia esistenza a quella di mio marito. Sei stato tu a farmi comprendere quanto assurda fosse la vita che conducevo, non potrò mai sdebitarmi abbastanza. Tu mi hai ridato la Bianca Borgati che era morta. Tu mi hai resuscitata.

Ricciardi ascoltò in silenzio, poi disse:

– E senza di te io adesso sarei su qualche isola pontina non sapendo perché e per volontà di chi. Quindi, mia cara contessa, la gratitudine è tutta mia.

Bianca batté appena i palmi.

– Bene, ci siamo grati reciprocamente. Adesso godiamocela.

Ricciardi stava per replicare, ma Bianca lo fermò.

– Per la verità io devo ringraziare anche Carlo Maria Marangolo. Con la scusa che sarebbe funzionale alla nostra messa in scena mi ha fatto avere questo magnifico abito, che prima non avrei mai accettato. Sono stata a trovarlo, sai? Se ne sta a letto, per ora, questa nuova cura lo debilita molto. Ma sapessi quanto si diverte quando gli racconto di come reagiscono nel nostro ambiente. Lui, dall'alto della sua sostanza e del suo nome, ne ha sempre provato disgusto. Dice che è avvilente e provinciale.

Ricciardi disse:

– Sono grato, molto grato anche a lui. Se non avesse avuto quelle notizie, se non avesse deciso di giocare a mio favore le sue conoscenze...

Bianca gli rivolse un sorriso:

– Ti confesso che quando mi ha detto che sarebbe stato necessario mostrarsi in pubblico un certo numero di volte per dare forza alla testimonianza, che saremmo stati sorvegliati per alcuni mesi, ho pensato che non ce l'avrei fatta. Una cosa è una chiacchierata nella stanza di una fabbrica abbandonata, davanti a qualche gerarca sconosciuto, altra è confrontarsi con un mondo come questo. Pensavo che un cosí esteso tribunale, pronto a giudicarci, sarebbe stato un ostacolo troppo grosso da superare.

Il commissario lanciò una fugace occhiata attorno:

– Non dirlo a me. Non sono mai stato incline alla vita di società, preferisco starmene per conto mio. Non amo uscire, andare a teatro, frequentare ristoranti di lusso come questo. Ma non posso rendere inutile quello che tu e Marangolo avete fatto per aiutarmi. Seguire il suo consiglio, approfittando della tua disponibilità, è davvero il meno.

La donna rise, come se avesse ascoltato una battuta divertente. I vicini di tavolo si guardarono con intenzione.

– Finirà, non preoccuparti. Anche quelli che ci spiano si stancheranno e passeranno oltre. Carlo Maria, nonostante l'infermità, tiene dritte le orecchie e ci avvertirà di eventuali cambiamenti di temperatura. È che ai tuoi accusatori non piace fare brutta figura; ma capiscono quando sono sconfitti. Dobbiamo entrambi forzare la nostra natura schiva e riservata per un po', cercando nel frattempo di non annoiarci. Tutto qui.

Mentre ascoltava, Ricciardi non poteva fare a meno di ripensare a una coppia anziana che aveva visto entrando, seduta a un tavolo nell'angolo opposto rispetto a loro. La donna, piuttosto grassa e con un'improbabile piuma sulla testa, ingurgitava rumorosamente una zuppa rivolgendo sguardi curiosi verso Bianca. L'uomo, parecchio in là con gli anni, fissava perplesso il contenuto del proprio piatto senza avere il coraggio di assaggiarlo; aveva l'aria di uno che sta sognando gnocchi e mozzarella e maledicendo le ansie mondane della moglie, che lo avevano condotto a mangiare lumache e altri strani alimenti. Insieme a loro, invisibile commensale, gli occhi del commissario avevano distinto la figura di un uomo magro, in smoking, accasciato sul piano del tavolo che vomitava una bava verdastra mormorando *addio, addio, odore del mare*. Quell'immagine era il vero motivo per cui Ricciardi aveva scelto di dare le spalle alla sala.

Si rivolse a Bianca.

– Che tu sappia, qualcuno si è tolto la vita, qui dentro? Mi pare di ricordare una cosa del genere.

Lei annuí, spalancando gli occhi.

– Ricordi bene, è stato quest'estate. Un avvocato, un certo Berardelli, si è avvelenato. Debiti, credo. Pare che amasse cenare qui, perché diceva che gli piaceva sentire...

– ... l'odore del mare, – concluse pensoso Ricciardi.

Bianca lo fissò.

– Sí... L'odore del mare. Se n'è parlato tanto, il ristorante non ci ha fatto una bella figura. Per fortuna hanno trovato il biglietto d'addio, altrimenti si sarebbe potuto pensare a un problema in cucina. Ascolta: dato che ormai siamo amanti, perché non mi dici qualcosa di te? Sei strano, io sento come un rumore che viene dalla tua testa, come se fossi sempre distratto da qualcosa. Perché non me ne parli? In fondo siamo entrambi soli, abbiamo bisogno di qualcuno con cui confidarci.

Il commissario aveva un'espressione stanca.

– Chissà, magari un giorno parleremo. Per ora, diciamo che soffro di emicranie. E che forse do troppo spazio al lavoro per avere un'amante intelligente come te. Però adesso concentrati sull'omelette, se no i tuoi amici qua attorno penseranno che ti è passata la fame.

Bianca lo guardò ancora un istante con i suoi occhi impossibili, poi cominciò a mangiare. Ricciardi trasse un sospiro.

Nella sala tutti li scrutavano curiosi, tranne chi diceva addio all'odore del mare.

IV.

La fissò per tutto il tempo.

Senza vergogna, senza pudore. Senza riguardo per chi gli era accanto, senza timore che la cosa venisse notata. E infatti fu notata dai molti che, magari di nascosto, tenevano gli occhi su di lui.

Era entrato nel suo palco di prim'ordine con grande anticipo, quando le luci erano accese e il rosso dei drappeggi e l'oro degli stucchi brillavano di lusso e di raffinatezza. Lo accompagnavano una ragazza bionda ed elegante, straniera probabilmente, e un uomo dal volto spaventoso, pieno di cicatrici, che sembrava disegnato da un pittore moderno in vena di follie; costui lo seguiva a un passo di distanza con il compito di allontanare i curiosi. Al suo arrivo, alla base dello scalone, c'era stato perfino un piccolo tafferuglio, con un paio di fotografi che avevano fatto scattare i lampi delle loro macchine. Il tizio sfigurato aveva chiesto loro, con cortesia, di non dare fastidio, ma uno era riuscito a schivarlo e ad avvicinarsi. Senza sforzo apparente, continuando a salire le scale insieme alla bionda, lui aveva allungato un braccio facendolo ruzzolare per qualche gradino e mandandogli in pezzi l'attrezzatura. Lo sfigurato aveva aiutato il malcapitato a rialzarsi e gli aveva messo in mano banconote per un valore doppio, o quasi, rispetto al danno subito.

A quel punto, però, anche chi non si era ancora accorto

di lui lo aveva riconosciuto, e il suo nome famoso aveva preso a correre di bocca in bocca come sui fili di un telegrafo.

Quando il suo sguardo annoiato, e un po' appannato dall'alcol bevuto per trovare il coraggio di venire lí, si era messo a navigare sulla platea, i presenti avevano subito abbassato la testa per evitare di incrociarlo. Il viso non tradiva alcuna emozione, aspettativa o curiosità. La bionda alla sua destra, invece, sorrideva entusiasta come una bambina in una pasticceria. Aveva i capelli corti e un trucco forse eccessivo, ma era molto bella. Indossava un abito color avorio all'ultima moda, tagliato sbieco e con una scollatura vertiginosa sulla schiena. Anche lei era oggetto di interesse, ma solo maschile e di un tipo diverso.

Poi, a pochi minuti dall'inizio, una coppia aveva fatto il suo ingresso in platea, prendendo posto in decima fila nella metà opposta della sala. I nuovi arrivati non avevano nulla di notevole, eppure l'uomo che aveva gettato a terra il fotografo fu come colpito da una scossa elettrica. Afferrò con entrambe le mani il parapetto, si sporse e sgranò gli occhi febbrili, puntandoli su di loro, che però non se ne avvidero. Lo sfigurato gli mise una mano sulla spalla per invitarlo ad assumere un contegno; lui però non si mosse, rimanendo in quella posizione come attratto da una forza irresistibile. La bionda era disorientata, ma prima che sul suo viso calasse il velo di una profonda tristezza le luci si spensero e la rappresentazione cominciò.

Mai, durante lo spettacolo, l'uomo distolse lo sguardo dai due che, ignari, seguivano la commedia ridendo, commuovendosi e applaudendo come il resto del pubblico. Alla debole luce della scena, che lasciava intuire solo pochi tratti, l'uomo cercò di immaginarne le espressioni, studiò il loro abbigliamento. La sua bocca si increspò in una parvenza di sorriso, quasi stesse riconoscendo, un pezzo alla volta, un panorama noto e amato che non aveva piú potuto ammirare da troppi anni.

Quando le luci si riaccesero per l'intervallo, l'attenzione che la celebrità presente in teatro riservava alla coppia non poté piú passare inosservata. La curiosità crebbe a dismisura e anche i nomi dei due cominciarono a essere telegrafati. Inevitabilmente, se ne accorsero anche loro.

La donna si girò, sbattendo le palpebre, e lo vide.

Per un frammento di istante il suo volto sbiancò, come alla presenza di uno spettro; sui tratti regolari passò l'ala di un pregresso, indimenticato dolore, e si percepí il sussulto di un cuore addormentato. Subito riportò lo sguardo davanti a sé.

Il suo accompagnatore, al contrario, mantenne gli occhi sul palco, serrando le labbra e facendo guizzare la mascella, i baffi che fremevano di sdegno. Tutto attorno il volume del brusio aumentò.

Per fortuna l'intervallo ebbe termine, appena in tempo per spezzare una tensione ormai insostenibile.

Il secondo atto ebbe un pubblico distratto e ciarliero. Quali rapporti c'erano tra il personaggio sul palco e la coppia in platea? Perché quella reazione da parte dei due? E perché lui continuava a guardarli?

Non li conosci? Lui è Irace, quello del negozio di tessuti. E lei è la moglie. Gente normale, non si è mai detto niente su di loro. No, nessun pettegolezzo. Certo che lei è una qualsiasi; carina, sí, ma mica come quella ragazza là, la bionda. L'avrà scambiata per qualcun'altra? Che vorrà allora? Niente, non vedi che è ubriaco? Dicono che beve assai, che beve in continuazione. E sí, dalle parti loro è normale, non lo noti mai al cinematografo? Stanno sempre con un bicchiere in mano. Però fammi capire, quella bionda è la moglie? No, non si è mai sposato. Pare sia la segretaria. Sí, figurati, quando mai quelli che fanno quel mestiere tengono la segretaria? Sarà l'amante. Io, se avessi un'amante cosí, non metterei il naso fuori di casa. Comunque, amante o no, non la considera neppure. Gli occhi li tiene addosso a Irace e alla moglie. Chissà perché.

Chissà perché.

Quando la recita finí, l'uomo si alzò di scatto e lasciò il palco, seguito dalla donna e dallo sfigurato. Il pubblico defluí rapidamente dalla sala limitando le chiamate in scena degli attori, che manifestarono il proprio confuso disappunto, e il foyer si riempí all'inverosimile nella speranza di un imprevisto, ma graditissimo, prolungamento di serata.

L'attesa non fu delusa.

I coniugi Irace uscirono dalla platea tra gli ultimi, ritrovandosi centinaia di occhi addosso. La donna era pallidissima, stretta al braccio del marito, un tipo alto e grosso, di una cinquantina d'anni, dall'aria spavalda e chiaramente abituato a comandare. Non capiva bene che cosa stesse succedendo, però non era disposto a farsi travolgere dagli eventi.

Dall'altra parte del ridotto l'uomo che li aveva osservati per l'intera rappresentazione era immobile, in attesa. Il suo compagno dal volto orribile gli serrava il gomito sinistro con una mano, come per fargli percepire un sostegno; ma anche, forse, per fermarlo se fosse stato necessario. La bionda era in disparte di fianco alla porta, con una smorfia malinconica sul bel volto. Nell'aria c'era uno stranissimo silenzio.

L'uomo del palco aveva i lineamenti alterati da un'assurda, incomprensibile gioia. Sembrava pazzo. La pelle del volto era coperta da un sottile velo di sudore; gli occhi neri luccicavano di esaltazione, come accesi da una febbre interiore. Le labbra erano aperte in un sorriso estatico. Sulla fronte i capelli gli pendevano disordinati.

Aprí la bocca e urlò, incurante della folla:

– Non mi vedi? Sono io! Io! Sono tornato, te lo avevo promesso. Sono tornato.

Tutti si voltarono verso la coppia. La donna teneva lo sguardo basso, facendo finta di nulla, e cercava di trascinare il marito verso l'uscita. Solo che dovevano passare per forza accanto all'uomo che urlava e adesso tentava pure di avvicinarsi, trattenuto con forza dall'amico.

Irace non poteva piú fingere di non aver compreso che l'uomo stava parlando proprio a sua moglie. Tossí per schiarirsi la voce e disse:

– Con chi ce l'avete, signore? Ci dev'essere un errore, magari ci scambiate con altri. Io non vi conosco.

L'uomo continuò senza degnarlo di uno sguardo:

– Non mi hai sentito, ieri notte? Ero io. Lo so che mi hai sentito, Cetti'. Ero io, e cantavo per te.

Si diffuse nell'aria un rumore sordo, simile a quello di uno sciame d'insetti: ognuno, senza staccare gli occhi da quanto stava accadendo, commentava col vicino.

La donna incassò lievemente la testa nelle spalle, quasi fosse stata sorpresa da un tuono. Cercò di allontanare il marito, ma quello rimase ben saldo sulle proprie gambe. Serrò la mandibola ed estrasse dal panciotto un monocolo che inforcò come per vedere meglio un insetto.

Dopo un lungo attimo, si udí la sua voce, bassa e cupa.

– Ah. Eravate voi. Mi sembrava di avervi già visto... E tu, – aggiunse, rivolto alla moglie, – mi avevi detto che non avevi idea di chi fosse a cantare la serenata.

L'uomo che aveva scatenato quel trambusto avanzò di un passo, frenato dall'amico che strinse la presa sul gomito:

– Io, io! Proprio io, e chi se no? Sono tornato, Cetti'.

Sono tornato, e nessuno ci può piú dividere, lo sai. Ti ricordi che abbiamo giurato?

La donna alzò gli occhi. Ma non li rivolse su di lui, né sul marito. Li puntò davanti a sé. E rispose, calma:

– Io non ho giurato niente, se non la fedeltà a mio marito. Costanti', voglio andare a casa, adesso. Qui non ho niente da fare.

Il suo era stato quasi un sussurro, a malapena percettibile, eppure tutti avevano inteso perfettamente. Gli occhi dei presenti si spostarono sul destinatario di quelle parole definitive, che balbettò:

– Ma... Non puoi parlare cosí, Cetti'. Tu lo sai chi sono io... E lo sai chi...

Irace lasciò il braccio della moglie e fece un passo.

– Adesso la dovete finire. Mia moglie vi ha detto in modo chiaro che non la dovete disturbare, e lo stesso vi dico io. Se non volete che vi faccia arrestare, chiedete subito scusa.

L'uomo si girò verso di lui con un movimento lento, come se per la prima volta si fosse reso conto della sua presenza.

– Stai zitto. Taci. Tu non sei nessuno. Taci!

Un rossore cupo salí dal collo verso il viso del commerciante, che strabuzzò gli occhi e con un ruggito si scagliò in avanti.

– Canaglia!

Chi si trovava tra loro si scansò, finendo sui vicini. Cettina lanciò un grido e cercò di trattenere il marito, ma fu respinta e andò in terra. L'altro non parve accorgersi dell'assalto che stava subendo, ma solo del fatto che la donna era caduta. Gridò a sua volta e fece per chinarsi ad aiutarla, ma fu colpito al viso da un ceffone che gli fece perdere l'equilibrio. Si rimise in piedi di scatto e si lanciò su Irace, che lo sfidava.

Lo sfigurato, però, si frappose fra i due e immobilizzò l'amico in una morsa. Gli parlava in inglese, con tono supplichevole, mentre lui continuava a urlare, la bava alla bocca e gli occhi fuori dalle orbite.

– Ti ammazzo! Vigliacco maledetto, io ti ammazzo! Lei è mia, capisci? È mia, è sempre stata mia. Chiunque si metta tra noi lo ammazzo, a costo di morire pure io.

Irace, un sorriso folle in faccia, replicò:

– E dài, vieni, miserabile figlio di nessuno, vieni. Ti credi che mi metto paura? Di delinquenti meglio di te me ne mangio tre al giorno. Vieni, vieni!

Alcuni, riscossi dallo stupore, si erano staccati dalla calca e ora contenevano il marito offeso. Uno di loro, dimostrando di conoscerlo, gli diceva:

– Cavalie', lasciate stare. Non è gente per voi, sono persone di fuori. Basta. Non vi compromettete.

Cettina si era alzata. In lacrime, mordendosi il labbro inferiore, si appressò al marito e gli toccò il braccio.

– Costantino, andiamocene. Io me ne voglio andare.

Poi, con passo malfermo ma deciso, attraversò la folla e uscí, senza guardare nessuno.

Irace si scrollò di dosso chi lo tratteneva, si lisciò il bavero del soprabito per rassettarlo e la seguí.

Al di sopra della stretta che lo bloccava, il rivale gli urlò dietro:

– Ti ammazzo, hai capito? Io ti ammazzo!

La ragazza bionda, nel suo angolo, prese a singhiozzare.

V.

Quella notte aveva trovato un angolo libero in fondo al lungo locale che ospitava le cuccette. Doveva cambiare posto ogni volta, per non essere individuato dai due marinai che, a cadenze irregolari, scendevano a cercare i clandestini.

Dopo un paio di giorni dalla partenza ne aveva visto prendere uno. Si era tradito da solo, perché quando aveva scorto gli uomini in divisa si era alzato di scatto e aveva provato ad allontanarsi confondendosi tra la folla, ma aveva sbagliato direzione e in breve si era trovato con le spalle al muro, senza via di fuga. Un rapido controllo dei documenti, uno scambio di battute ed era stato portato via.

Gli avevano parlato di una cella, su un altro ponte, che poteva ospitare una decina di persone; quelli che finivano lí sarebbero stati rispediti indietro. Qualcuno, con ironia, diceva che di certo era meglio della stalla orribile in cui erano stipati loro.

Vincenzo credeva di essere preparato. Il suo amico, quello che lo aveva portato a bordo al termine delle operazioni di imbarco, dopo il tramonto, lo aveva avvertito che non sarebbe stato facile. Però lui non si aspettava una cosa del genere.

La terza classe sembrava un girone infernale. La gente era ammassata ovunque con le masserizie che aveva avuto il permesso di portarsi dietro; due, tre passeggeri per ogni branda. Oltre a quelli che si erano indebitati o avevano venduto tutto per pagarsi il biglietto, c'erano i molti che avevano passato del denaro sottobanco a un marinaio, un agente o un millantatore che in qualche modo li aveva fatti salire. Se non altro, Vincenzo era tra i pochi fortunati che non aveva sborsato nulla.

Però il rischio di essere scoperti era concreto, quindi doveva riposare con un occhio solo, attento a ogni minimo rumore, a ogni movimento anomalo che rivelasse la presenza dei sorveglianti.

Il mare si faceva sentire. La nave sobbalzava tra le onde e il vento tagliente di ottobre consentiva appena pochi minuti d'aria, la mattina presto, quando i dormitori venivano svuotati per spargere la segatura e i disinfettanti sul pavimento invaso dal vomito e dalle deiezioni della notte. Non c'era un solo attimo in cui i pianti dei bambini e i lamenti dei vecchi tacessero. Una donna anziana che si era sentita male era stata portata nell'ufficio del medico di bordo e nessuno l'aveva vista piú. La mattina successiva un marinaio era venuto a chiamare la figlia e il genero, che lo avevano seguito per poi ripresentarsi in lacrime. Nessuno aveva avuto il coraggio di chiedere loro niente. E del resto non era difficile immaginare che cosa fosse accaduto.

Raggomitolato sul pagliolo sopra una coperta lercia, Vincenzo si chiedeva quante, tra le centinaia di persone che dividevano con lui quel viaggio disperato, fossero partite con l'idea che fosse per sempre. La realtà, pensava, era che le famiglie, quelle con bambini, fagotti, materassi e gabbie con le galline, non avevano lasciato niente dietro di sé, a parte un basso, che di certo era stato già occupato da altri, e un vago ricordo nei vicini. Che il futuro, per loro, era quella notte. Vivevano alla giornata, a sostenerle c'era la convinzione che nulla, nella terra delle promesse e delle illusioni, poteva essere peggio della miseria atroce da cui erano scappate.

E pensava, Vincenzo, che di sopra, seduta a tavole imbandite e allietata dal suono dell'orchestra, c'era gente che viaggiava per diletto o per affari; ricchi per i quali il mondo non cambiava piú di tanto, in Europa o in America.

Poi c'erano quelli come lui. Li riconosceva da come si affacciavano dal parapetto nei pochi momenti che trascorrevano in coperta, gli occhi perduti sul mare nella direzione opposta a quella in cui stavano navigando. Uomini soli, per la maggior parte, spinti dal bisogno di mettere distanza tra sé e qualche oscuro passato, o dalla volontà di riscatto, senza alcun desiderio se non quello di tornare per riprendersi la propria vita.

Sí, io ritornerò, si ripeteva, cercando di non sentire l'odore acre che lo circondava e di non scivolare fuori dal cantuccio che si era conquistato a causa del beccheggio della nave. Io tornerò.

Troverò un lavoro. Poi ne troverò un altro, e un altro ancora. Guadagnerò dei soldi, li metterò da parte, a costo di non mangiare. E tornerò. L'ho giurato. Mi riprenderò la mia vita.

Come sempre si rifugiò con la mente nel volto di Cettina. Gli parve di sentire sulla punta delle dita la pelle della sua guancia, come quella volta che all'improvviso, nel mezzo di una conversazione, non aveva resistito e l'aveva accarezzata. Rammentò la sorpresa nei suoi occhi, il batticuore che tradiva il suo respiro, il suo sorriso imbarazzato.

Vincenzo era sicuro che il suo destino e quello di Cettina fossero lo stesso destino. Lo aveva intuito nel preciso istante in cui l'aveva vista mentre usciva dalla bottega del padre sul corso. Da allora, ogni giorno, si era messo in attesa là davanti, un po' nascosto, solo per guardarla camminare duecento metri fino al portone di casa. Ci aveva messo due mesi prima di trovare una scusa per conoscerla, e altri sei ne aveva dovuti attendere per rimanere un attimo solo con lei. Non era stato facile, perché il fratello e il cugino le giravano sempre intorno.

Non voleva perderla, Cettina. Però, se fosse rimasto in città, col lavoro che non c'era, a vivere di espedienti e di miseria, non avrebbe mai potuto presentarsi dai genitori per chiedere loro il permesso di sposarla.

Ora, in quella specie di stiva maleodorante, schiacciato tra un vecchio che dormiva a bocca aperta e una parete di ferro, Vincenzo comprendeva con chiarezza che la guerra non c'entrava niente con la sua partenza. Non se n'era andato per timore che lo inviassero al fronte, ma per sfuggire alla mancanza di speranze. L'America era una puntata al lotto, un'illusione di fortuna.

Aveva mille paure legate a ciò che lo aspettava. Come si sarebbe fatto capire? Da chi sarebbe andato, una volta arrivato in porto? E se lo avessero scoperto come clandestino e messo in galera?

La paura piú grande, però, che gli schiacciava il cuore sotto un peso immenso, era quella di fallire. L'angoscia di essere costretto a tornare sconfitto. Di ritrovarsi di nuovo in strada a fissare quel negozio con la consapevolezza che non ci sarebbe mai entrato, né da cliente né tantomeno da proprietario.

Quali speranze poteva avere senza qualcuno che lo aiutasse, che gli desse ospitalità, o anche solo una mano a imparare come muoversi? Era stata una follia, la sua. Era partito, abbandonando tutto ciò che amava, per inseguire un miraggio. Eppure, se fosse restato, di questo era certo, non avrebbe concluso nulla. Non sapeva fare il delinquente, non era disposto a rinunciare all'onestà che sua madre gli aveva insegnato, ma neanche aveva capacità particolari. Non era un artigiano dalle mani raffinate, né un cuoco, né un meccanico. Non era neppure un artista; non sapeva suonare o dipingere, anche se gli piaceva cantare per Cettina, la quale, ridendo, gli diceva che aveva una bella voce. Però aveva forza, salute e determinazione. Col suo corpo magro e nervoso, con le sue mani robuste e callose, al porto poteva scaricare e caricare le navi per sedici ore al giorno, sobbarcandosi una mole di lavoro che sarebbe andata bene per due uomini.

Ecco, in America avrebbe trovato un'occupazione umile, di fatica ottusa e cieca e sorda. Si sarebbe spezzato la schiena e le braccia. E in qualche modo avrebbe messo da parte la somma sufficiente per aprire a casa, una volta tornato, un'attività redditizia e onesta. Magari proprio di fronte alla rivendita di tessuti del padre di Cettina, cosí lei, diventata sua moglie, avrebbe potuto seguire entrambi i commerci. E sarebbe stata felice, Cettina. Ogni sera l'avrebbe vista sorridere, incantata, mentre lui le cantava le sue canzoni.

Sarebbe tornato, se non ricco, almeno in grado di offrirle qualcosa. Nella condizione di guardare in faccia, senza essere costretto ad abbassare gli occhi, la famiglia nella quale voleva entrare.

Sarebbe tornato, certo. Non era come quella gente lí attorno, carica di sogni e leggera di passato, che non voleva ricordare nulla per non dover piangere. Lui, al contrario, avrebbe pianto un po' ogni giorno, anche una lacrima sola. Perché se piangi, rifletteva, significa che non hai dimenticato.

Te l'ho giurato, Cetti'. Io torno. E tu pure me lo giuri, vero, che mi aspetti? Non può essere che pensi di vivere una vita senza di me. Io lo so che abbiamo lo stesso destino. Non c'è niente da fare. Io e te abbiamo lo stesso destino.

L'uomo accanto a lui si svegliò di soprassalto e cominciò a vomitare.

Io torno, Cetti'.

Io torno.

VI.

Al brigadiere Raffaele Maione, in fondo, il turno di notte non dispiaceva.

Ora, poi, che una metà della prole, inclusa la piccola Benedetta, andata a vivere con la sua famiglia da quasi un anno, era a letto con la febbre, a casa si riposava poco e male, tra sciroppi e impacchi e bicchieri d'acqua da portare all'uno o all'altra: papà, papà, venite, ho sete. Non che gli pesasse, lui era padre fuori e dentro, fino al midollo, e se un figlio aveva un'esigenza era il primo a saltare giú dal letto per dare una mano, ma era anche un poliziotto, e qualche ora di sonno la doveva pur fare. Dormire a metà per paura di non sentire una richiesta di aiuto non era il massimo.

«A me, – diceva Maione, – toglietе tutto tranne il sonno. Posso stare senza mangiare e senza bere per una giornata intera, appostato nell'androne di un palazzo. Posso stare senza fare i miei bisogni, trattenendoli per ore e ore. Posso stare in piedi, senza sedermi, per un tempo indefinito. Ma tenetemi sveglio di notte e mi ridurrete a una *mappina*, a uno straccio. Mi viene un cerchio alla testa, divento irritabile e scontroso, e ho reazioni esagerate. Lasciatemi dormire, che è meglio».

Ragion per cui, se non aveva brigato per far sí che gli fosse attribuita *'a nuttata*, come la chiamavano per brevità, non aveva fatto neppure nulla per evitarla, sebbene il suo rango di brigadiere anziano («e quanto mi dà fastidio 'sta definizione, commissa'», diceva a Ricciardi scuotendo il testone) gli garantisse la precedenza nella scelta dei turni. Lí in questura, almeno due ore sulla scomoda branda dell'ufficio sarebbe riuscito a godersele in relativa tranquillità, magari dopo aver minacciato di morte il piantone, se lo avesse chiamato per meno di un omicidio plurimo.

Attorno a mezzanotte compí un ultimo giro per controllare i posti di guardia. In particolare voleva essere certo che tutto fosse in ordine all'ingresso principale, dove, com'è ovvio, non era consentito alcun rilassamento. Si augurò quindi che, di turno con lui, ci fosse gente in gamba.

Aprí la porta, e la sua speranza fu subito, bruscamente, frustrata. In servizio c'era infatti Amitrano.

Compito fondamentale di un brigadiere, riteneva Maione, era istruire il personale. Chi lavorava in questura aveva l'incombenza di mantenere l'ordine pubblico, e nulla poteva esserci di piú importante. Per essere una brava guardia occorreva possedere un insieme di doti fondamentali in perfetto equilibrio fra loro: sensibilità, intelligenza, onestà, senso del dovere, spirito di servizio. E, in una città come quella, una buona dose di elasticità mentale e di prontezza. Amitrano era un fulgido esempio negativo di tutto questo.

Onesto era onesto, per carità. Ed era pure un gran lavoratore, uno che non si spaventava se era necessario fermarsi in ufficio un paio d'ore in piú. Il problema, però, era che la guardia Amitrano Giuseppe, di anni ventiquattro, in forza da tre, era un cretino. Il suo sacro terrore nei confronti di Maione lo spingeva a cercare di compiacerlo, con la conseguenza che spesso finiva per combinare pasticci rendendosi anche ridicolo. Per esempio, quando il brigadiere entrò nella stanzetta da cui si sorvegliava il portone d'ingresso stava leggendo un quotidiano, semisdraiato sulla sedia e con i piedi sul tavolo. E poiché nemmeno si accorse dell'arrivo del superiore, continuò imperterrito a compitare le parole con le labbra, gli occhi spalancati per la concentrazione.

Maione diede un colpo di tosse, e l'effetto fu spettacolare: Amitrano cercò di balzare in piedi, ma rovesciò la sedia e cadde rovinosamente sul pavimento. Il giornale svolazzò e gli atterrò sulla faccia. Lui se lo tolse di dosso accartocciandolo, provò a sollevarsi e scivolò di nuovo, imprecando a mezza voce. Infine riuscí a tirarsi su, si lisciò l'uniforme e si tastò la testa, scoprendo di non avere il berretto d'ordinanza. Si guardò attorno disperato, lo vide sul tavolo; fece per afferrarlo, ma gli scappò dalla mano tremante. Lo raccolse, imprecando ancora. Lo calzò al contrario. Si produsse in un perfetto attenti, battendo i tacchi e portando la mano alla visiera, che non trovò. Imprecò una terza volta e sistemò il copricapo. Salutò di nuovo, e disse:

– Buonasera, brigadie'. Qui tutto in ordine.

Maione era restato a osservarlo per tutta quella danza, scuotendo lentamente il capo, le braccia conserte.

– Amitra', tu non sei una guardia. Tu sei la schifezza delle schifezze delle guardie. Ma è questo il modo di stare di sorveglianza all'ingresso, si può sapere? E se invece di me arrivava il questore e ti trovava sdraiato sul tavolo?

Amitrano, rosso come un pomodoro maturo, abbozzò una difesa.

– Brigadie', io non è che stavo sdraiato sul tavolo, sul tavolo avevo solo appoggiato i piedi perché tengo le caviglie gonfie. Dovete sapere che abito un poco lontano. Tengo la bicicletta, ma oggi l'ho portata a riparare perché si sente un rumore alla catena, quindi ho camminato per non so quanti chilometri e...

Maione urlò:

– E secondo te me ne frega qualcosa che hai fatto la strada a piedi? Taci, e pensa a presentarti come si deve, hai capito? Chi arriva qua, a te vede per primo. Il fatto positivo è che poi può solo essere meglio.

Amitrano abbozzò un timido sorriso.

– Quindi qualcosa di buono c'è, brigadie'?

Maione lo fissò, trasecolato.

– Di buono c'è solo che per stavolta non ti strangolo, Amitra'. A quest'ora sarebbe troppo difficile trovare un sostituto. Ma si può sapere che stavi leggendo di cosí interessante, che nemmeno mi hai sentito entrare?

Amitrano sperò di placare il brigadiere facendo leva sulla sua curiosità.

– C'è un articolo che parla di Sannino, il pugile. Sapete, il campione del mondo, quello che ha ammazzato un negro nell'ultimo combattimento. Pare che è tornato col piroscafo. Lo volevano intervistare, ma lui non ha rilasciato dichiarazioni. Però ci sta una fotografia, se la volete vedere...

Si abbassò per cercare il giornale, finito sotto al tavolo. Maione lo fermò.

– Per carità, lascia perdere. Stammi a sentire, piuttosto: io vado a stendermi un po' nell'ufficio mio. Vieni a chiamarmi solo se succede qualcosa di grave. Ma dev'essere qualcosa di davvero grave, hai capito, Amitra'? Perché quando uno mi sveglia io ho la tentazione immediata di ucciderlo, e allora, se devi correre questo rischio, corrilo per un motivo serio. È chiaro?

Amitrano batté per l'ennesima volta i tacchi.

– Signorsí, brigadie'. Solo per qualcosa di grave. Dormite sereno, che qua ci penso io.

Maione era sconfortato.

– Eh. Mo' che me lo hai detto sí, che dormo sereno. Vedi di non far succedere niente, Amitra'. Sappi che pure se viene la rivoluzione, io me la piglierò con te.

Considerato il livello del personale in servizio, Raffaele pensò di limitarsi a togliere gli stivali e a mettere la giacca dell'uniforme su una gruccia. Meglio essere pronti, in caso di necessità. Appena appoggiata la testa sul cuscino, e dopo aver rivolto l'ultimo pensiero razionale alla scomodità di quel giaciglio per un brigadiere di centoventi chili, cadde in un sonno cosí profondo che quasi subito cominciò a sognare.

Il sogno, anzi l'incubo, era strano. C'era lui, coricato appunto sul letto, e c'era pure Amitrano, in piedi, che lo scuoteva per un braccio. Tutto era cosí vero che gli salí un'inquietudine dapprima lieve, poi sempre piú pesante, finché di scatto non aprí gli occhi. E scoprí che quanto credeva di immaginare era l'amara realtà.

A pochi centimetri dal suo viso c'era la faccia avvilita della guardia. Maione annaspò con la mano alla ricerca dell'orologio da tasca, poggiato sul tavolino lí accanto: erano passati quindici minuti da quando si era disteso.

Amitrano continuava a scuoterlo. Dalla gola di Maione salí un rombo, come di un tuono lontano.

– Amitra', che stai facendo?

Quello parve sollevato.

– Ah, siete sveglio, brigadie'.

Con tono pericolosamente tranquillo, Maione replicò:

– Scusami, Amitrano, non si vede?

Amitrano assunse un tono colloquiale.

– No, perché dovete sapere che mio padre dorme con gli occhi aperti, quindi non si capisce mai se sta sveglio o no. Siccome piú o meno tiene l'età vostra, ho pensato: magari pure il brigadiere dorme nella stessa maniera. E allora ho pensato: lo scuoto finché non mi risponde. Con mio padre, che pure è anziano, facciamo cosí. Ho sbagliato?

La mano destra di Maione scattò, abbrancando la guardia poco sopra il polso.

– Ho tanta pena di tuo padre, Amitra'. È un pover'uomo colpito dalla grave disgrazia di un figlio deficiente. E riguardo all'essere anziani, si deve sempre vedere se tu ci arrivi a quest'età. Quelli come te vengono ammazzati prima. Il punto è: per quale motivo mi hai svegliato? Te lo chiedo con calma, vedi? Però se non mi rispondi subito, io la calma la perdo.

Cercando di divincolarsi dalla stretta, Amitrano balbettò:

– M-ma brigadie', v-voi mi avete ordinato d-d-di chiamarvi se...

– ... Se succedeva qualcosa di grave, sí. Allora dimmi che hanno fatto saltare il Municipio, che hanno ammazzato sua eccellenza il prefetto, che è scoppiata la guerra e ci stanno bombardando dal porto. Una di queste tre cose. Dimmela, prima che ti stacco il braccio.

L'altro, rosso in viso e impedito a parlare per il dolore, fece un cenno a qualcuno che si trovava alle sue spalle. E comparve un bambino di sette o otto anni, piuttosto spaventato dalla scena alla quale aveva assistito.

Maione si tirò a sedere e si rivolse alla guardia, senza mollargli il braccio.

– E chi è questo, Amitra'? Spiegami. Ma fai presto, che è meglio per te.

Il poveretto rispose in un fiato:

– È venuto alla porta. Mi ha detto che doveva parlare con voi, e io gli ho chiesto: è una cosa grave? Perché se non è una cosa grave, non posso chiamarlo. Lui mi ha risposto: sí, è una cosa grave. E io gli ho detto: allora accompagnami, cosí glielo dici tu al brigadiere, che altrimenti si arrabbia con me.

Maione lasciò andare Amitrano e si alzò in tutta la sua statura, torreggiando sul bambino.

– Tu chi sei? Che ci fai in giro a quest'ora? Chi ti manda? Perché hai chiesto di me? E che cosa è successo di tanto grave?

Il piccolo, che indossava un paio di calzoni di almeno due taglie maggiori della sua, arretrò fissandolo in viso, poi rispose:

– Brigadie', ha detto Bambinella che dovete andare subito da lei. Che è una cosa urgentissima. Si tratta di vita o di morte.

Terminato l'inquietante messaggio, si infilò nella porta lasciata aperta da Amitrano e corse via.

Maione serrò la bocca con uno scatto e si girò verso il sottoposto.

– E tu per questo mi hai svegliato? Per uno scugnizzo che porta un messaggio di un *femminiello* pazzo? Non potevi aspettare domani mattina?

Amitrano, che non aveva smesso di massaggiarsi il braccio nel vano tentativo di riattivare la circolazione, piagnucolò:

– Io che ne potevo sapere, brigadie'? Ho chiesto se era una cosa grave e quello mi ha risposto di sí. E voi avevate detto che...

Maione si stava già vestendo.

– Amitra', sparisci da davanti ai piedi miei, se no li vedi questi stivali? Sí? E li vedrà pure meglio il tuo sedere. Io vado a sentire che è successo a Bambinella. Sarò di ritorno il prima possibile. Se capita qualcosa, sveglia Cozzolino, che abita qui di fronte. Io per stanotte non voglio piú trovarmelo davanti, il tuo brutto muso.

VII.

Dopo cena il cavalier Giulio Colombo aveva l'abitudine di ritagliarsi mezz'ora per sé.

Il negozio di cappelli e guanti lo assorbiva per tante ore al giorno: i clienti volevano sempre un suo consiglio, poi c'erano la cassa, i rapporti con i fornitori, gli ordini da completare e i libri contabili da tenere aggiornati. Né voleva trascurare il suo lavoro piú importante, quello di marito e padre, cosí quando rientrava a casa e fino al termine del pasto serale si dedicava a seguire i ragazzi, a vezzeggiare il primo nipotino, regalatogli dalla secondogenita Susanna, che viveva con loro insieme al marito, ad ascoltare le perenni lamentele di sua moglie Maria in merito alla casa, al comportamento di questo o di quello, alla disponibilità di denaro e, da un po' di tempo, soprattutto in merito a Enrica, la piú grande dei loro cinque figli, ancora zitella alla veneranda età di venticinque anni. Ventiquattro, puntualizzava lui di solito, cercando di aggiungere un po' di ironia alla discussione, ma non avrebbe potuto farlo ancora a lungo, giacché mancavano ormai pochi giorni al compleanno della ragazza.

In ogni caso, perfino Maria gli riconosceva il diritto a quel tempo limitato che trascorreva leggendo il giornale, ascoltando la radio a basso volume e fumando un sigaro in compagnia di un bicchiere di cognac. Se lo regalava subito prima di andare a letto, per ritrovare sé stesso e i propri pensieri, per seguire qualcuno degli interessi che il commercio lo aveva costretto ad abbandonare, come la storia, la filosofia, la politica.

A dire il vero, non è che ci fosse proprio da stare allegri, leggendo le notizie. Giulio ne discuteva spesso con Marco, il genero, che lo aiutava in negozio come commesso ed era un sostenitore entusiasta del Partito fascista: i segnali che arrivavano dall'economia contrastavano in maniera netta con l'ottimismo euforico che serpeggiava tra la gente, alimentato dai roboanti discorsi diffusi per le strade della città attraverso gli altoparlanti esterni dei negozi di radio. Ma a parte osservare, un vecchio liberale come lui non poteva fare molto. L'aria stava diventando pesante per quelli, ormai erano pochi, che avevano il coraggio di esprimere un manifesto dissenso, e il cavaliere preferiva non esporsi per non causare problemi alla sua famiglia con un comportamento incauto.

Mentre rifletteva, sorseggiando il liquore, qualcuno bussò piano alla porta del suo studio. Prima ancora di dire avanti, Colombo sorrise. Solo una persona, in casa, si sentiva autorizzata a interrompere la famosa mezz'ora di papà; l'unica che poteva contare sulla sua benevolenza in ogni istante, senza eccezioni.

Enrica comparve sulla soglia.

– Vi disturbo?

Ancora una volta Giulio notò quanto la figlia maggiore gli somigliasse.

– Vieni, vieni, tesoro. Stavo per andare a dormire. Allora, come stai? Hai deciso che regalo vuoi per il compleanno?

Enrica si sedette sulla poltrona libera, lo sguardo dolce dietro gli occhiali.

– Davvero, papà, non mi serve niente. E poi lo sapete che ci penserà la mamma, aggiungendo qualche capo al corredo.

Ormai il corredo di Enrica era diventato una piccola leggenda familiare. Maria non perdeva occasione di citarlo come metafora degli anni che avanzavano e del fidanzamento che non arrivava. «Saremo costretti ad affittare un deposito, prima o poi, – diceva. – Hai piú lenzuola di un collegio».

– Faremo una piccola festa pomeridiana, no? – disse Giulio. – E... verrà qualcuno, oltre la famiglia?

Non era una domanda buttata lí senza importanza, come poteva sembrare. Da piú di un mese, almeno un giorno alla settimana, era ospite di casa Colombo un ufficiale tedesco di nome Manfred, che Enrica aveva conosciuto l'estate precedente a Ischia. Una volta per il caffè, una volta per un saluto pomeridiano, qualche sera per cena su invito di Maria: a poco a poco la presenza di quell'uomo alto e biondo, simpatico e cortese, con il caratteristico accento un po' gutturale che condiva un perfetto italiano, era diventata un'abitudine. I piú piccoli, di nascosto, chiedevano a Enrica: ma quando arriva il tuo fidanzato?

Il punto era che Manfred non era il fidanzato di Enrica, anche se sembrava molto intenzionato a diventarlo, con giubilo e soddisfazione di Maria, della sorella Susanna e di gran parte del vicinato. Giulio però, che amava profondamente quella figlia cosí simile a lui nell'inclinazione al silenzio e alla speculazione, percepiva che qualcosa non andava. La ragazza non sembrava affatto ansiosa di ricevere una dichiarazione formale.

Il cavalier Colombo era a conoscenza del sentimento che Enrica provava per Ricciardi, il commissario di pubblica sicurezza che abitava nel palazzo di fianco al loro. Glielo aveva rivelato lei stessa tempo prima, e lui aveva perfino provato a intercedere. Non era stato facile andare da uno sconosciuto a offrirgli il cuore della propria figlia perché prendesse un'iniziativa, se ne aveva l'intenzione. Per trovare il coraggio aveva dovuto superare le molte barriere erette dall'educazione, dal carattere e dall'orgoglio. Nel corso del breve colloquio che avevano avuto, tuttavia, aveva intuito qualcosa. Abituato com'era dalla sua attività a comprendere i gusti e i pensieri delle persone, si era accorto che dietro il silenzio del giovane non c'erano l'imbarazzo per un sentimento non corrisposto o una misantropia consolidata, né tantomeno una vocazione al celibato dovuta a chissà quale oscuro motivo. Ricciardi, Giulio ne era certo, era portatore di un dolore immenso, come pervaso da una sofferenza che non aveva intenzione di dividere con nessuno. Poche parole e qualche sguardo gli erano stati sufficienti per convincersi che quell'uomo triste e travagliato non voleva infliggere sé stesso a Enrica.

La ragazza lo scosse dalle riflessioni rispondendo alla sua domanda:

– Proprio di questo volevo parlarvi, papà. Manfred, il maggiore von Brauchitsch, ci terrebbe a venire alla festa. Mi ha detto che... Insomma, credo intenda parlare con voi.

Giulio prese una boccata dal sigaro.

– E tu che ne pensi? Insomma... vorresti che lo facesse?

Enrica rivolse lo sguardo nel vuoto e tacque per un momento, che per il padre fu piú eloquente di molte parole, poi disse:

– Immagino di sí, papà. Ormai è chiaro che... Penso che non ci siano alternative, no? La mamma, lo sapete, ne sarebbe felice.

Giulio scrollò la testa.

– Il punto, qui, non è la felicità della mamma. È la tua. Lo sai, io posso sempre inventarmi qualcosa, rispondere che non ho intenzione di vederti andar via, che il tuo legame con la famiglia è troppo forte per immaginarti in Germania ad allevare figli lontano da noi. Posso dire che preferirei aspettare, per vedere il vostro rapporto consolidarsi. Che magari sarebbe meglio se vi frequentaste ancora per qualche mese in modo da...

Enrica lo interruppe:

– E a che servirebbe, papà? A me Manfred piace. Quale ragazza potrebbe desiderare di meglio, anche se non fosse nella mia condizione di... se non fosse cosí adulta e senza prospettive di una famiglia all'orizzonte? Tanto vale dire di sí e fare tutti contenti.

Giulio batté il pugno sulla poltrona.

– Ma non lo capisci che non si affronta cosí un matrimonio? Già quando ci si sposa amandosi follemente, con tutto il cuore, si finisce tante volte con il non parlarsi piú e con il covare risentimenti. Figuriamoci se si comincia con un «tanto vale». Non posso accettare che...

Enrica gli posò una mano sul braccio.

– Papà, papà. Caro papà. Voi mi leggete dentro, e sapete che la scelta è tra un uomo che mi vuole bene, che aspira a costruire con me la sua famiglia, e la solitudine. Mi consigliereste davvero quest'ultima soluzione?

Il cavaliere rifletté a lungo. Poi disse:

– Eri piccolissima la prima volta che ti domandai: cosa vuoi fare da grande? Tu mi desti un bacio e mi rispondesti: da grande voglio fare la mamma. Ogni volta che dovevi ricevere un regalo, mi chiedevi una bambola e l'aggiungevi alle altre come se fossero tante figlie. Sei sempre stata per i tuoi fratelli una seconda madre. Quando è nato Corrado, il tuo nipotino, lo hai tenuto in braccio prima ancora di Susanna, e anche adesso, che ormai ha due anni, se piange si calma unicamente con te. Hai voluto studiare da maestra, e io ti vedo serena e completa solo nelle ore in cui dài lezione, qui a casa.

Enrica era perplessa.

– Non capisco dove volete arrivare...

– Sono certo che Manfred è una brava persona, e che in futuro potresti volergli molto bene. Ma sono altrettanto certo che il tuo cuore non è con lui. Ti conosco, non sei una donna che cade facilmente vittima di un'infatuazione, che crede di essere innamorata e all'improvviso scopre di non provare piú nulla. So quanto sia difficile rinunciare alla felicità per accontentarsi, nella migliore delle ipotesi, della serenità. Ma so anche, ne sono piú che sicuro, che tu, dalla vita, voglia anzitutto dei figli. Una casa, sí, e anche un marito, ma soprattutto dei figli. Sei nata per questo.

La ragazza era disorientata.

– Quindi che dovrei fare?

Giulio le sorrise, con un po' di tristezza, e ripensò agli occhi verdi di Ricciardi che lo avevano fissato al di là di un tavolino del *Gambrinus* il giorno del loro incontro. Non erano occhi di padre, quelli. Allungò una mano e accarezzò il viso di Enrica.

– Devi riflettere, tesoro mio. Devi capire se il tuo grande amore desidera dalla vita le stesse cose che desideri tu e cui tu non sei disposta a rinunciare. Poi, solo poi, potrai fare le tue scelte. In ogni caso, qualunque sarà la decisione, qui c'è il tuo papà. Io ti proteggerò e ti aiuterò sempre. A costo di fare i conti con quella tigre di tua madre, che cercherà di sbranarmi se mi metto di traverso ai suoi progetti.

Con gli occhi pieni di lacrime, Enrica si alzò, baciò il padre e uscí dallo studio.

VIII.

Naturalmente, cominciò a piovere.

Era una cosa normale, essendo passata la metà di ottobre, Maione lo sapeva, ma dovendo percorrere tutta la salita fino a San Nicola da Tolentino con un bel vento gelido che scendeva dalla collina verso il mare, aveva sperato non ci si mettesse pure l'acqua a schiaffeggiarlo.

Aveva dimenticato nell'armadietto della questura l'enorme ombrello che, per prudenza, portava su e giú tra casa e ufficio, e quando erano scese le prime gocce era già troppo distante per tornare indietro a prenderlo. In ogni caso il vento lo avrebbe rotto, e in piú lui aveva fretta. Si rassegnò quindi a bagnarsi. Almeno, pensò, l'acqua fredda mi terrà sveglio.

Non avrebbe dovuto muoversi dalla branda. Bambinella era portato al melodramma, di sicuro non c'era nulla che non avrebbe potuto aspettare l'indomani. Quasi di sicuro. Perché il fatto di passare informazioni circostanziate e precisissime alla polizia esponeva il *femminiello* al pericolo di subire una vendetta. Insomma, era meglio andare a vedere cos'era questa questione di vita o di morte. Dopotutto, a essere precisi, Bambinella le informazioni le passava solo a lui, quindi era del tutto naturale che a lui si fosse rivolto trovandosi in difficoltà.

Sí, non poteva sottrarsi a quella richiesta di aiuto, anche se probabilmente stava prendendo acqua e freddo per nulla. Lo preoccupava, però, l'idea di aver lasciato la questura nelle mani di quel deficiente di Amitrano e del dormiente Cozzolino, sempre che quest'ultimo, per una volta, avesse deciso di trascorrere la notte a casa, invece che in qualche bordello di terz'ordine. Il pensiero gli diede i brividi, e affrettò il passo.

Di notte, e con quel tempo, i Quartieri Spagnoli assumevano un'atmosfera spettrale. Le lampade che pendevano al centro della strada ondeggiavano al vento, gettando attorno fasci di luce casuali e illuminando, di volta in volta, un portone, un muro, un'edicola contenente una Madonna con il cuore trafitto da spade. I cani randagi se ne stavano accucciati nei pochi angoli coperti, in cerca di un po' d'asciutto. Piccoli rivoli sui lati del vicolo portavano a valle rifiuti di ogni genere.

Maione considerò che, se fosse accaduto qualcosa di importante, la pioggia non avrebbe impedito il consueto assembramento di curiosi. Invece presso il portone dell'ultimo palazzo in fondo alla strada non c'era nessuno. Aprí il pesante battente di legno, al solito accostato ma non chiuso a chiave, accese la fioca lampadina e diede un'occhiata alle scale che si inerpicavano ripide e sconnesse. Le salí con cautela, provando come sempre l'impressione di essere osservato, e come sempre giunse in cima con l'affanno. Non dovette bussare, perché la porta era aperta.

Entrò; la corrente fece sbattere un'imposta. Maione tese le orecchie e udí una specie di rantolo soffocato. Estrasse la pistola d'ordinanza, si accertò che fosse carica e tolse la sicura. Tenendola in pugno, il dito sul grilletto, si addentrò nel salottino arredato in stile cinese di pessimo gusto. Conosceva la dislocazione del mobilio, quindi non correva il rischio di fare rumore inciampando. Si fermò sulla soglia della stanza da letto; il respiro affannato proveniva da lí.

Nella penombra, intravide una massa scura che si agitava. Puntò la pistola e intimò:

– Fermo! Alza le mani e identificati, polizia!

La massa scura ebbe un sussulto e il rantolo si trasformò in un grido in falsetto. Il poliziotto allungò una mano sulla parete e girò l'interruttore; il lampadario al centro del soffitto emise una luce soffusa, rosa come la stoffa di cui era fatto.

Sul letto, con la coperta tirata fino al mento, c'era Bambinella. Il viso del *femminiello*, sempre attento a proporre un'immagine vezzosa e curata di sé, era irriconoscibile. Il trucco era colato lungo gli zigomi in due linee spesse, che spiccavano sulla pelle livida e si perdevano nella barba di due giorni, nera e ispida. Gli occhi, gonfi e arrossati, avevano perso la luminosità languida e nel contempo allegra che li caratterizzava. I lunghi capelli, sfuggiti al nastro che avrebbe dovuto raccoglierli, pendevano disordinati sul collo.

Ogni particolare, nella porzione di volto che Bambinella non nascondeva, esprimeva un abisso di disperazione.

– Per carità, brigadie', spegnete la luce. Non mi voglio far vedere combinata cosí. E magari usatela, quella rivoltella. Almeno mi levate il pensiero.

Maione, a bocca aperta per la sorpresa, ripose con calma la pistola nella fondina.

– Bambine', si può sapere che succede?

– Niente succede, brigadie'. Voglio solo morire.

– E tu, in piena notte, mi hai chiamato per questo? No, Bambine', ti sbagli: tu non vuoi morire, tu *devi* morire. E ti ammazzo io; finora mi sono limitato alle minacce, ma ora è la volta buona che lo faccio.

Il *femminiello* era scomparso interamente sotto la coperta, pareva un fantasma rosa a fiori blu. Che rispose con una voce simile a un lamento cavernoso:

– Perdonatemi. Volevo salutare un caro amico prima di lasciare questa terra. Perché se riesco a trovare il coraggio, ho deciso di tagliarmi le vene. Userò il rasoio con cui per una vita ho combattuto contro 'sti maledetti peli che mi crescono ovunque. Cosí, almeno con loro, alla fine vinco io.

Maione guardò fuori dalla finestra; vento e pioggia infuriavano.

– E non ho capito, un gesto tanto meraviglioso non lo puoi fare domani mattina, che magari esce il sole e dopo qualche ora di sonno stiamo tutti piú tranquilli? Per forza mo', di notte e con questo tempo da lupi, ti devi ammazzare?

Bambinella emise un gemito.

– Brigadie', non capite che quando non c'è piú niente da fare non si può attendere? Ma con quale coscienza me ne andavo senza avervi salutato per l'ultima volta. Voi, lo sapete, siete l'unico amico che tengo.

Maione allargò le braccia, rassegnato, e prese una sedia.

– D'accordo, Bambine', ho capito. Raccontami per quale motivo vuoi ammazzarti. Vediamo se l'unico amico che hai può fare qualcosa per te, tanto ormai sono sveglio e l'acqua me la sono presa. Però stai attento a non dirla a nessuno, 'sta storia dell'amicizia, o ti stacco la testa dal collo.

Bambinella abbassò un po' la coperta e mostrò gli occhi stremati dal pianto.

– Davvero fareste qualcosa per me? No, perché voi siete il solo che può provarci.

Maione sorrise, ironico.

– Chissà perché ci avrei giurato. Me lo sentivo che una soluzione c'era. Se no, chissà, domani qualcuno mi portava la notizia della tua morte e una volta tanto cominciavo bene la giornata. Sentiamo.

Bambinella prese un fazzoletto, si ripulí alla meglio il viso; poi tirò fuori uno specchio dal cassetto del comodino, gli lanciò un'occhiata fugace e subito lo ripose con una smorfia.

– Madonna, e come sto combinata. Giuratemi, brigadie', che vi dimenticherete la mia faccia come la vedete adesso. Che ricorderete la mia bellezza, la mia grazia, la mia femminilità, la mia…

– Bambine', io cerco di dimenticarmi la tua faccia ogni momento della vita. Ti do cinque minuti per raccontarmi che problema tieni, dopo mi alzo, ti sparo e me ne vado, cosí siamo a posto.

– Va bene, va bene. Allora, voi sapete che non esercito piú la professione da quasi due mesi. Qualche soldo da parte ce l'avevo e non tengo problemi, grazie a Dio, pure se i miei ex clienti insistono e mi tolgono l'anima: è una processione continua, dicono che come faccio io i…

Maione ruggí, letteralmente.

– Bambine', vai avanti, se no i cinque minuti passano. Vedi come te lo dico: passano i cinque minuti e passi pure tu. Non ti dilungare in descrizioni.

Bambinella annuí.

– Avete ragione, scusatemi. Insomma, non esercito piú perché mi sono innamorata. Quando una è innamorata, non riesce a fare certe cose. Voi uomini siete piú animaleschi, ne siete capaci, ma noi donne no.

Il poliziotto sospirò, estrasse di nuovo la pistola e cominciò a giocherellarci.

– Animaleschi. Noi uomini. Voi donne. Quasi quasi i cinque minuti diventano tre.

Bambinella si affrettò.

– Per carità, con le dovute eccezioni. Lo so che voi siete un marito fedele, ma in genere gli uomini sono cosí. Comunque mi sono innamorata, e lui pure, per fortuna, si è innamorato di me. È un uomo meraviglioso, brigadie'.

Non potete immaginare che dolcezza, che delicatezza di sentimenti tiene il cuore suo.

Maione era davvero spazientito.

– E ora ti ha lasciato. È questo che vuoi dirmi? Fammi capire: sono venuto fin qua sopra perché avevi bisogno di conforto per le tue pene d'amore? Dammi una ragione per cui non dovrei spararti mo' mo'.

Bambinella assunse un'espressione altera, resa ancora piú grottesca dal trucco colato.

– Brigadie', Bambinella non la lascia nessuno, se non vuole lei. Fidatevi. Non è questo.

– E allora si può sapere che è successo?

– È successo che il fidanzato mio lo devono ammazzare. Per forza.

Maione si fece attento.

– Come sarebbe lo devono ammazzare? Chi lo deve ammazzare? E chi è questo fidanzato tuo?

Bambinella tirò rumorosamente su col naso e distolse lo sguardo.

– Gustavo, si chiama. Donadio Gustavo.

– Non mi è nuovo. Dimmi tu perché mi dice qualcosa, Bambine', non mi far perdere tempo.

Il *femminiello*, mantenendo lo sguardo rivolto altrove, mormorò:

– Tiene qualche piccolo precedente. Furtarelli, piccole rapine. È specializzato, cioè *era* specializzato, nell'entrare dentro le botteghe attraverso...

Il poliziotto si batté la fronte.

– Gustavo 'a Zoccola. Detto cosí perché conosce le fogne della città meglio di quelli che fanno la manutenzione. Gustavo 'a Zoccola, come no. Lo abbiamo preso in un negozio di gioielli al Rettifilo, qualche anno fa. Credevo stesse in galera.

Bambinella replicò in tono orgoglioso:

– Tre anni fa lo avete preso. E solo perché erano caduti due calcinacci e avevano *appilato* lo scarico del gabinetto del negozio, se no vi scappava ancora. In ogni caso è uscito da otto mesi, e vi posso assicurare che adesso campa onestamente. Anzi, è proprio quello il problema.

Il brigadiere scosse il capo.

– Vai avanti.

– Per non correre il rischio di tornare in prigione, dove in verità non si è trovato bene per niente, perché ci stanno troppi delinquenti, si è messo nel commercio. Siccome conosce il settore dei gioielli, compra orologi, collane, anelli di provenienza un poco incerta e li rivende ai negozi.

Maione non credeva alle proprie orecchie.

– Cioè, fa il ricettatore. E tu cosí me lo dici? Proprio a me?

Bambinella gli indirizzò un cenno vago con la mano.

– E va be', brigadie', mo' stiamo parlando di cose piú gravi: che ci sta di male se uno fa girare l'economia. Mica Gustavo lo chiede, se sono rubati o no. Magari uno se li vuole togliere, il periodo è difficile; lui lo aiuta e ci ricava un piccolo vantaggio. Il problema è che questo servizio, nel quartiere suo, lo fanno già i Lombardi.

Maione li conosceva bene, una famiglia di delinquenti che governava l'attività criminale in una delle aree piú popolari della città. Era gente pericolosissima e molto attenta a tenersi nella zona d'ombra, quella in cui era piú difficile entrare: prostituzione, gioco d'azzardo e, appunto, ricettazione. La faccenda era abbastanza seria.

– Quindi Gustavo 'a Zoccola si è messo contro Pasquale Lombardi, Pascalone 'o Lione. Brutto nemico, sí. E che dovrei fare, io?

Bambinella ricominciò a piagnucolare.

– Lo hanno chiamato per dopodomani in una masseria ai Ponti Rossi, e lui ci vuole andare. Io lo so bene, brigadie', nessuno è mai tornato da questi confronti. Non lo lasciano nemmeno parlare, gli aprono la pancia col coltello e lo seppelliscono là. Sapeste in quanti sono spariti cosí.

Maione rifletteva.

– Vuoi che lo arresti? Tu mi dici dove tiene la roba, io organizzo una perquisizione e...

Bambinella l'interruppe.

– No, no. Quello se torna in galera si ammazza. E se non si ammazza una volta fuori riprende. Saremmo punto e a capo.

– Allora che dovrei fare?

Bambinella cambiò tono. La sua voce si ispessí e diventò profonda, come se arrivasse da un altro mondo. Mentre parlava, gli occhi liquidi e neri guardavano nel vuoto.

– Gustavo è sposato. Tiene due creature. La moglie, quando è andato in galera, gli ha voltato la faccia; non vuole che i bambini crescano con un padre galeotto. Io non farei cosí, ma non posso darle torto. Dopo che è uscito se n'è andato a stare per conto suo, però soffre assai per i piccoli, perché lei non glieli fa vedere.

– E io che c'entro?

Bambinella si voltò verso di lui.

– Vi prego, brigadie', parlate con Gustavo, convincetelo a non andare a quell'appuntamento. E se non ci riuscite, convincete 'o Lione a non ucciderlo. Poi, se nemmeno lui vi dà ascolto... se nemmeno lui vi dà ascolto dobbiamo trovare un'altra soluzione.

Maione balzò in piedi.

– Ma sei pazzo, Bambine'? Come ti permetti pure di pensarla, una cosa cosí? Io sono un brigadiere della pubblica sicurezza, lo sai o no? Mica posso fare l'ambasciatore in mezzo ai criminali. No, no e no! Non se ne parla.

Il *femminiello* tacque. Poi si alzò dal letto, stringendosi la coperta attorno al corpo come un peplo, e si avvicinò al poliziotto.

– Io vi ho sempre aiutato, brigadie'. Sia quando me lo avete chiesto sia quando non me lo avete chiesto. Ho vegliato sulle cose vostre e vi ho impedito di commettere alcune fesserie che, probabilmente, vi avrebbero inguaiato e rovinato la vita. L'ho fatto e lo farò ancora, e sapete perché? Perché io e voi siamo amici. Gli amici si dànno una mano. Gli amici non pigliano solamente, se ci sta da dare, dànno. Mo', se voi non mi volete aiutare, va bene, vuol dire che mi sono sbagliata. Peccato.

Maione rimase immobile, con la rivoltella in mano, gli occhi fissi in quelli del *femminiello*. Infine sospirò.

– D'accordo, Bambine'. Lo faccio. Lo faccio per salvare una vita; lo faccio perché questi Lombardi fanno paura e gli si deve mettere un freno. E lo faccio perché effettivamente tu mi hai sempre dato una mano e mai mi hai chiesto niente. Ma nessuno dovrà saperlo, siamo intesi? Nessuno. Io i delinquenti devo metterli in galera, non posso andare a chiedergli favori col cappello in mano. Questa cosa è contraria a ogni principio, e se la faccio è solo perché... perché...

Il viso di Bambinella si illuminò di un sorriso e tornò a essere dolce, nonostante il trucco sfatto e la barba e i capelli in disordine.

– Lo sappiamo io e voi perché lo fate, brigadie'. Solo io e voi.

IX.

Uno per metterti in ginocchio.

Perché è da là che devi guardare la mia faccia, l'ultima cosa che vedrai da vivo: la faccia di chi sta per mettere termine alla tua esistenza. Dal basso in alto, come è giusto per quel verme schifoso che sei. Dal basso in alto, tu che non hai umiltà, tu cosí pieno di inutile, immotivata boria. Dal basso in alto, riconoscendo chi ti è superiore, chi ha tanti piú diritti di te.

Uno per averla guardata.

Per averla contaminata con i tuoi piccoli, viscidi, freddi occhi, privi d'anima e di tenerezza. Per ogni volta che ne hai sfiorato le forme, seguendo la linea del corpo sotto i vestiti, e te ne sei sentito proprietario, immaginando senza avere ragione che fosse tua. Tua, che sei arrivato tanto tempo dopo. Tua, che non hai mai pianto o sofferto per lei. Tua, come fosse un accessorio, un arredo di ciò che avevi comprato coi tuoi soldi.

Uno per averla toccata.

E tanti in piú dovrebbero essere, se penso che le tue mani senza sensibilità, le tue dita senza tremito hanno violato e contaminato la sua pelle divina, la sua infinita dolcezza. Tanti in piú dovrebbero essere, se penso che quando, di notte, la mia mente volava tra le stelle per raggiungerla e vegliare sul suo sonno, tu allungavi il tuo lurido braccio per sollecitare ciò a cui ritenevi di avere diritto. E non ce l'avevi, perché lei è mia, è sempre stata mia.

Uno per averla baciata.

Per ogni volta che la tua sudicia bocca ha osato sfiorare quella di lei, ignorandone la paura e passando sopra il sentimento; perché non poteva esserci alcun amore nella sua remissività, nel suo venire a te come una vittima sacrificale. Per aver succhiato il nettare da un fiore immenso e bellissimo, da quell'insetto lercio e senza ali che sei. Per averne preso il bene senza tener conto del male. Perché si ama nel male, nelle difficoltà e nelle sofferenze, ma tu questo non lo sai e, a questo punto, non lo saprai mai.

Uno per aver dormito nel suo letto.

Prendendo quello che a te non era destinato, che non meritavi, che mai avresti dovuto avere. Mentre ti guardo morire non posso pensare a te dentro di lei, a te che sei nulla dentro lei che è tutto. Non avresti neanche potuto sperare una cosa simile in un mondo giusto, in un mondo che ripaga l'amore con l'amore.

Uno per tutto il tempo della mia sofferenza.

Per ogni sogno vano e agitato che mi faceva svegliare di soprassalto col cuscino madido di lacrime. Per ogni pensiero infuocato che lasciava nella mia mente una scia di dolore come una cometa dannata, il cui destino è cadere nel buio senza speranza. Per ogni battito accelerato, per ogni parola scritta e cancellata, per ogni nota di canzone che avrei cantato. Per ogni sospiro lontano, affidato al mare e alle nuvole. Per ogni lettera mai spedita, per ogni risposta mai ricevuta.

Uno per il futuro che non ho avuto.

Perché sei tu che mi hai tolto ogni possibilità, rubando i figli che sarebbero venuti, maschi e femmine, col suo sorriso e la sua dolcezza. Perché sei tu, con la tua immonda presenza, che hai allontanato i nostri cuori. Perché sei tu che non hai permesso che ci unissimo e andassimo via, lontano da qui e da questi giorni di orrore, per diventare un uomo e una donna nuovi.

Uno per il futuro che forse avremo.

Perché solo senza di te può realizzarsi una follia. Perché se c'è una possibilità che ogni cosa nasca, che un seme gettato oggi dia un fiore in primavera, che questa pioggia lavi il dolore e se lo porti via, passa dal tuo sangue e dalla tua morte. Perché per me non ci sarà pace né bellezza, non ci sarà gioia, se tu non affoghi nel tuo stesso respiro, abbandonando una vita che nessuno rimpiangerà.

Uno, alla fine, perché si capisca chi è stato.

Una firma. L'esecuzione di una sentenza. Perché non ci siano dubbi né incertezze. Il marchio di fabbrica, il colpo di grazia. Uno, alla fine, per non tornare indietro.

Uno, alla fine, per perderlo. Per perderti.

X.

Maione procedeva in silenzio, tenendo l'enorme ombrello alto sulla testa nel tentativo di riparare anche Ricciardi che, al solito, camminava con le mani nelle tasche del soprabito e a testa scoperta, come se invece di essere nel mese di ottobre, sotto una pioggerellina gelida che entrava nelle ossa attraverso i vestiti, fosse stato sul lungomare in primavera, durante una bella giornata baciata dal sole.

Tanto, rifletté il brigadiere, per il commissario sole o pioggia non fa differenza. È sempre dietro a chissà quale pensiero. Sempre silenzioso.

Anche lui, d'altronde, era di malumore. Dopo il colloquio notturno con quel pazzo di Bambinella era rientrato in questura e finalmente si era sdraiato, ma nonostante la stanchezza era stato là a rivoltarsi come una cotoletta per un'ora almeno. Non sapeva cosa fare. Non gli piaceva l'idea di mettersi a trattare con due criminali per evitare che uno uccidesse l'altro, e però sentiva di avere degli obblighi morali verso il *femminiello*, che spesso l'aveva aiutato a risolvere situazioni difficili e gli aveva sempre dimostrato amicizia, anche in faccende assai private.

Questo lo disturbava piú di tutto: aver dovuto ammettere con sé stesso di essere amico di Bambinella. Uno che esercitava la prostituzione, che aveva contatti continui con un sottobosco di delinquenti, che sbeffeggiava con la sua stessa esistenza una morale che lui, Maione, cercava di salvaguardare e insegnare ai propri figli. Eppure sí, erano amici loro due. Molto piú di quanto avrebbe voluto riconoscere. E gli amici, si sa, devono aiutarsi nel momento del bisogno.

Aveva appena preso sonno quando si era sentito scuotere di nuovo. Solo un ritardo nei suoi tempi di reazione aveva salvato la vita ad Amitrano che, parlando d'un fiato, era riuscito a farsi ascoltare. Stavolta il motivo per svegliarlo c'era, grave e reale.

Un morto.

Qualcuno aveva trovato un cadavere in un vicolo vicino al porto, dalle parti di Porta di Massa. Come di consueto, il messaggio era stato affidato a uno scugnizzo, e questo si era volatilizzato prima che ci fosse il modo di chiedergli qualche informazione in piú.

Maione si era alzato con la testa che gli girava per la stanchezza; si era vestito in fretta, aveva chiamato le guardie Camarda e Cesarano, intente a russare sulle loro sedie, e si era avviato, proponendosi di mandare qualcuno ad avvisare un funzionario piú tardi, in orario d'ufficio. Sotto sotto, in realtà, la sua speranza era quella di incrociare Ricciardi, l'unico che avesse l'abitudine di arrivare in anticipo in questura. E il suo desiderio era stato esaudito, perché se lo era trovato di fronte proprio sul portone.

Un breve conciliabolo, un paio di secche informazioni e si erano messi in cammino; Ricciardi e Maione davanti, le guardie un passo dietro.

Le strade della città andavano lentamente popolandosi, ma solo di chi non poteva proprio fare a meno di uscire: un lunedí piovoso e freddo di metà ottobre era un ottimo motivo per rimandare gli impegni, se possibile. Si incontravano operai in bicicletta, diretti alle fabbriche e ai cantieri, che pedalavano tristi con i pantaloni chiusi alle caviglie da mollette, la giacca lucida per la pioggia e l'usura, il berretto calzato fino alle orecchie da cui scendevano rivoli gelidi. Studenti di scuole lontane, con le gambe arrossate dal freddo che spuntavano dai calzoni corti. Venditrici di latte e latticini che barcollavano sotto il peso di enormi ceste tenute in bilico sulla testa, coperte da tele cerate per non far bagnare la merce. Pigri cavalli che trascinavano carretti carichi di generi d'ogni tipo, i cui padroni erano impegnati ad accaparrarsi gli angoli migliori dove esercitare il commercio ambulante. La pioggia non faceva sconti a nessuno.

Maione, avanzando accorto nel tentativo di scansare le pozzanghere, si domandava che cosa ci fosse di peggio di un morto ammazzato di lunedí mattina, quando il turno era quasi finito, pioveva e lui, di fatto, non dormiva da quasi ventiquattr'ore. Senza contare la presenza nella sua vita di gente come Bambinella e Amitrano. E si domandava anche perché un uomo come il commissario si recasse al lavoro almeno due ore prima del dovuto al posto di dormire, lui che ne aveva la facoltà.

Ricciardi, invece, rifletteva su quanto strana fosse diventata la sua vita nell'ultimo periodo. Dopo la morte di Rosa, l'amatissima tata che gli aveva fatto da madre, il senso di solitudine da cui era pervaso aveva raggiunto profondità fin lí sconosciute, eppure, per contrasto, la sua esistenza non era mai stata cosí affollata, anche da presenze nuove.

Gli venne in mente il volto di Bianca, la sua espressione malinconica, celata sotto l'allegria che ostentava come un abito nuovo quando recitavano la loro parte a beneficio della buona società. Provava un sentimento strano per lei. Le era grato, certo, e lo era al duca Marangolo, che lo aveva incontrato solo un paio di volte e ciò nonostante aveva deciso di toglierlo dai guai, sebbene non gli dovesse nulla. Ma non era tutto lí. A essere sincero con sé stesso, la frequentazione di quella donna bellissima e dall'intelligenza ironica non gli dispiaceva affatto. Schivo e riservato com'era, non avrebbe potuto immaginare una compagnia piú piacevole per andare a teatro o a cena in qualche ristorante alla moda, cose che in cuor suo detestava.

Gli venne in mente Livia, la bellissima vedova Vezzi, che aveva cercato in tutti i modi di trascinarlo nella mondanità cittadina e che lui aveva respinto cosí tante volte. Livia, che era la causa del problema di cui Bianca era stata la soluzione. Livia, che aveva lasciato in lacrime a casa sua, disperata per l'ennesimo rifiuto. Livia, nei confronti della quale non riusciva a provare risentimento, ma al contrario un latente senso di colpa. Livia, che aveva intravisto nel foyer del San Carlo qualche settimana prima, felina ed elegante come sempre, però dimagrita e con un velo di smarrimento negli occhi. Livia, che aveva evitato il suo sguardo ridendo un po' troppo forte alla battuta di uno dei devoti accompagnatori da cui era circondata.

E gli venne in mente Enrica, naturalmente. Gli venne in mente come accade con le persone per le quali si nutre un sentimento immenso, sfaccettato, ricco di colori e carico di angoscia. Gli venne in mente il suo volto dolce e al tempo stesso adirato senza un motivo logico, che sotto un sole pomeridiano cosí distante da quella pioggia autunnale gli chiedeva il senso di tutto il mare che si stendeva davanti a loro. Gli venne in mente quando ricamava nella sua stanza, e di tanto in tanto sollevava il sorriso verso la finestra, consapevole, forse, che lui era là, dall'altro lato della via, a spiarla dietro le tende. Gli venne in mente mentre lo fissava a occhi spalancati, presa alla sprovvista all'angolo della strada, con lui che pronunciava frasi incoerenti e disperate. Lui, che non sapeva parlare a una donna, che non aveva idea da dove cominciare una normale conversazione con quella ragazza gentile e borghese, cui forse sarebbe bastato poco, pochissimo. Lui, che era la malattia capace di rovinarla, che l'amava da morire e non poteva dirglielo, eppure non desiderava altro se non la sua presenza per salvarsi da una vita destinata alla follia. Lui, che ascoltava il dolore dei morti e che non capiva i vivi.

Meglio concentrarsi sul lavoro, la vecchia zavorra dolorosa nella quale era abituato a rifugiarsi. Meglio esplorare le abiette traiettorie criminali, meandri oscuri nei quali era possibile perdersi e smettere di pensare. Scacciando cosí dalla memoria quell'uomo dai capelli biondi che baciava Enrica, la sua Enrica, sotto un chiaro di luna estivo nel verde odoroso di un'isola che risuonava di cicale.

Camminavano sotto la pioggia, Ricciardi e Maione. Camminavano in silenzio, ognuno col proprio fardello sul cuore.

Perfino un cadavere, di lunedí mattina e con quel tempo, tutto sommato poteva aiutarli a dimenticare. Almeno per un po'.

XI.

Il corpo giaceva rannicchiato a ridosso di un muro in un vicolo stretto e buio. La pioggia lo lambiva appena, poiché era riparato dalla tettoia che sormontava l'ingresso di un magazzino. Attorno, non piú di una decina di persone, in silenzio e col berretto in mano, la testa bagnata per non rinunciare al rispetto dovuto alla morte.

Maione si guardò in giro.

– Allora? Chi l'ha trovato?

Un ometto di mezza età, in abiti da lavoro, avanzò di un passo uscendo dal piccolo assembramento.

– Io, brigadie'. Sono il proprietario del deposito, sono arrivato per aprire e l'ho trovato sulla soglia. Credevo fosse uno che si era addormentato, capita che si mettano qua sotto, però stava vestito troppo bene. Allora ho provato a toccarlo e non si è mosso. E ho mandato *'nu guaglione* a chiamarvi.

Maione lo scrutò.

– Qual è il vostro nome?

L'ometto si mise sull'attenti.

– Palumbo Giorgio, a servirvi.

– State comodo. Ditemi, avete notato qualche altra cosa? Qualcosa di strano, di non ordinario? Voi abitate da queste parti?

– 'Gnorsí. Abito qua sopra, con mia moglie e i tre figli che sono rimasti; gli altri due se ne sono andati per la strada loro. No, non abbiamo visto né sentito niente. Ci stava solo lui, là a terra. Scusatemi, brigadie', ma... Insomma, quando ve lo portate? No, perché io dovrei lavorare. Trattiamo legname per i cantieri, sapete, e se qualcuno viene e ci trova chiusi ci siamo giocati la giornata.

Maione lo squadrò corrucciato.

– Palu', voi tenete i figli, avete detto. Magari 'sto poveretto li teneva pure lui. Ci vuole il tempo che ci vuole, non stiamo ai comodi vostri.

L'ometto arretrò, a disagio, mormorando:

– No, figuratevi, è che noi pure dobbiamo campare. E a quel poveretto là il tempo non serve piú. Ma fate quello che dovete. Io mi metto qua, a vostra disposizione.

Maione grugní, e con un cenno ordinò a Camarda di allontanare di qualche metro il gruppetto di curiosi. Poi si avvicinò a Ricciardi, che era rimasto all'ingresso del vicolo. Disse:

– Prego, commissa'. Accomodatevi.

La procedura non scritta alla quale si attenevano i due era la seguente: Maione liberava il campo e Ricciardi era il primo che, da solo, si accostava al cadavere. Il brigadiere non aveva mai chiesto spiegazioni riguardo a quella strana abitudine, ma sapeva che per il superiore era fondamentale, e vi si atteneva con scrupolo.

Ricciardi avanzò sentendo crescere la tensione nel petto. Capitava ogni volta. Un conto era essere colpito dal Fatto mentre camminava per strada, all'improvviso, o nella sala di un ristorante, come la sera precedente, con Bianca; in simili casi poteva provare a distogliere lo sguardo, allontanarsi, o cercare di distrarsi. Altro era andarlo a cercare. Avvicinarsi, fronteggiare l'immagine di un cadavere che vomita parole insulse dalla bocca contorta per la morte violenta.

Ma con il lavoro che si era scelto, non poteva evitarlo.

Si accovacciò.

Il cadavere era di un uomo grande e grosso, riverso di lato, le braccia strette al petto e le ginocchia contro il ventre. Il vestito che indossava era di buona fattura, e il soprabito, aperto, pareva nuovo e costoso, anche se sporco di fango. Poteva avere una cinquantina d'anni, forse meno. Il volto era tumefatto e la tempia destra recava una strana depressione. Era rasato di fresco, e aveva i baffi.

Dal taschino del gilet spuntava la catena d'oro di un orologio su cui si rifletteva la luce grigia della mattina, che avanzava a fatica tra la pioggia. Non una rapina, pensò Ricciardi. O almeno, non completata.

Socchiuse gli occhi. Avvertí la presenza alla sua destra, a non piú di qualche metro. Prima di guardare voleva sentire l'emozione arrivargli addosso. Abbassò le difese e si concentrò, come per ascoltare una musica sommessa, un bisbiglio.

Sorpresa, come sempre. E dolore fisico forte, perpetuato, crescente. Non era durato poco, anche se in quei momenti la percezione del tempo cambia, si dilata. Risentimento, odio, voglia frustrata di ricambiare la sofferenza: si era reso conto di ciò che stava accadendo. Paura, senso di impotenza quando aveva capito che l'assassino non si sarebbe fermato. Caduta verso il buio, oblio. Nostalgia per l'aria, per la terra: un brandello di consapevolezza, l'ultimo alito della vita che smetteva di animare il corpo.

Il solito insieme di frammenti, di immagini vaghe, prive di contorni.

Niente di diverso. Niente di nuovo.

Si alzò. I suoi occhi percorsero i centimetri che separavano il corpo dall'immagine traslucida che solo lui poteva distinguere. Il morto era in ginocchio, le braccia lungo i fianchi, rivolto verso la stretta via quasi stesse tenendo un comizio a immaginari spettatori. Aveva il volto gonfio, informe, come truccato per uno spettacolo da circo; la bocca spaccata e sanguinante. Digrignando i denti spezzati, ripeteva: *tu, di nuovo tu, tu, di nuovo tu, un'altra volta tu, di nuovo tu.*

Il cappotto era bagnato. In terra, proprio accanto, c'era un elegante cappello scuro. Ricciardi ruotò lo sguardo e vide lo stesso cappello qualche metro piú in là, vicino al marciapiede.

Si avvicinò a Maione, che era rimasto in silenzio sotto l'ombrello, un po' discosto.

– Lo hanno trascinato per qualche metro, ci sono i segni dello spostamento. Dev'essere successo all'imbocco del vicolo, quindi è possibile che chi abita qui non abbia sentito niente. Bisogna stabilire l'ora. Il medico legale è stato chiamato? E il fotografo?

Il brigadiere annuí.

– Certo, commissa'. Il fotografo sta arrivando, e ho mandato Amitrano ai Pellegrini, sperando che ci sia il dottor Modo. Se volete comincio un poco a domandare in giro, cosí ci troviamo avanti col lavoro.

Prima che Ricciardi potesse rispondere, un'allegra voce baritonale si alzò alle loro spalle:

– *Ed io pensavo ad un sogno lontano, a una stanzetta d'un ultimo piano, quando d'inverno al mio cuor si stringeva. Come pioveva, come pioveva!*

Maione scosse il capo.

– Commissa', siamo fortunati. Ci tocca proprio il dottor Bruno Modo, il famoso cantante.

L'uomo appena arrivato reggeva in una mano un ombrello nero che aveva conosciuto tempi migliori e nell'altra la borsa di cuoio tipica dei medici. Portava il soprabito stretto in vita dalla cintura e il colletto della camicia aperto; la cravatta, scura, aveva il nodo allentato. Il cappello non nascondeva del tutto la chioma bianchissima e disordinata. Disse:

– E certo che uno si mette a cantare, brigadie'. Altrimenti come lo trova il coraggio di girare per i vicoli del porto, in una bella mattinata come questa?

Ricciardi lo accolse con un cenno del capo.

– Contavamo sul tuo buonumore per rallegrarci un po'. Lo spettacolo non è stato granché, finora.

Modo si era già chinato sul cadavere.

– Mh-mh, sí, devo ammetterlo –. Si rialzò. – Mi sembra di capire che la sanità pubblica è molto piú veloce della pubblica sicurezza: il vostro artistico fotografo non ci onora ancora, e ciò significa, immagino, che non posso procedere alla mia ispezione sommaria. Bene, buongiorno a tutti, allora, ci vediamo piú tardi.

Maione gli si avvicinò, preoccupato.

– E no, dotto', non scherziamo! Noi da qua non ci possiamo muovere finché non completiamo tutto. Se voi ve ne andate poi dobbiamo aspettare che tornate e ci facciamo *purpetielli* affogati. Abbiate un poco di pietà.

L'altro replicò serafico:

– Brigadiere carissimo, mica è colpa mia se il fotografo vostro se ne sta beato sotto le coperte. Io tengo da fare, non posso rimanere qua a chiacchierare con voi.

Ricciardi intervenne, tranquillo:

– Ma prego, vai pure. Accomodati. Inoltrerò di persona la richiesta d'urgenza dell'esame necroscopico, e mi assicurerò che ti arrivi un attimo prima della fine del turno, cosí non sarai costretto a lasciare il tuo amato luogo di lavoro. Lo faccio per te, naturalmente. Per vegliare sulla tua salute. Magari eviterai di prenderti la sifilide in uno di quei posti dove passi il tempo libero.

Modo lo guardò inviperito.

– Tu certo non corri questo rischio, se ben ricordo la distanza che mantieni dai piaceri della carne. Ma dico io, che ho fatto di male per essere costretto a sopportare due come voi?

Prima che i poliziotti potessero rispondergli, irruppe trafelato sulla scena il fotografo, carico di strumenti.

– Eccomi qua, scusate il ritardo. Subito faccio.

Maione sorrise al dottore, sussurrando:

– *Come stai?, le chiesi a un tratto. Bene, grazie, disse, e tu?*

Modo lo guardò storto, poi rispose:

– *Non c'è male, e poi distratto: Guarda che acqua viene giú!*

Ricciardi scrollò la testa.

– Notevole. Davvero notevole il vostro umore. Di lunedí mattina, con la pioggia e un morto davanti. Bravi.

Maione allargò le braccia.

– Commissa', pure il dottore però tiene ragione: se uno non si fa venire un sorriso, e chi ce la fa per tutta la settimana?

Quando il fotografo ebbe terminato, Modo tornò a studiare il cadavere mentre Cesarano lo riparava con l'ombrello. Dopodiché si pulí le mani in un fazzoletto e si avvicinò a Ricciardi.

– Un quadro ecchimotico diffuso, volto tumefatto, un ematoma in regione temporale provocato da un colpo molto forte. Al tatto mi pare ci sia una frattura del femore destro, e sento pure qualcosa al torace; costole rotte, probabilmente. Sarò piú preciso dopo l'esame, ma in linea di massima credo l'abbiano ucciso di botte: non vedo ferite d'arma da fuoco o da taglio.

Ricciardi rimase un attimo in silenzio, poi, mentre Maione si avvicinava al cadavere per perquisirne gli abiti, disse:

– Ascolta, Bruno, se potessi…

– ... effettuare presto l'esame ci faresti un favore. Dove l'ho già sentita questa canzone? Non riesco a ricordare. I necrofori sono arrivati, ho sentito il furgone. Torno in ospedale e comincio subito.

– Hai un'idea dell'ora in cui potrebbe essere avvenuto il decesso?

Il dottore si strinse nelle spalle.

– Guarda, la pioggia e la temperatura notturna implicherebbero un raffreddamento veloce, invece non mi pare che il cadavere sia gelato. Per me è successo non piú di due, tre ore fa.

Ricciardi era attentissimo.

– Quindi non stanotte o ieri sera?

– No, no, lo escludo. Dovessi tirare a indovinare direi tra le sei e le sette di stamattina. Ti darò presto una conferma.

Il dottore salutò Ricciardi e si avviò verso la strada principale. Prima di sparire in fondo al vicolo, però, si voltò verso Maione.

– Brigadie', buona giornata. E dormite un po' di piú, tenete le occhiaie. Io pure ce le ho, ma modestamente sono dovute ad altro –. Quindi si mise a canticchiare. – *Che m'importa se mi bagno, tanto a casa io debbo andar...*

E Maione, di rimando:

– Che ne sapete voi per quale motivo tengo le occhiaie, dotto'? *Ho l'ombrello, t'accompagno. Grazie, non ti...*

Il poliziotto interruppe di colpo la strofa per emettere un lungo fischio sommesso mentre si chinava a raccogliere qualcosa.

Si alzò e andò da Ricciardi.

– Guardate un po' che ho trovato, commissa'.

In mano aveva un rotolo di banconote. Una somma enorme.

XII.

Vincenzo ripensava spesso alla paura di un anno prima, quando aveva nuotato verso la nuova terra.

Ricordava il vuoto durante il salto dal ponte basso e i tonfi degli altri che si erano buttati; ricordava l'acqua fredda che lo avvolgeva, il suono del proprio respiro; ricordava la sensazione di pesantezza, i vestiti che lo tiravano a fondo.

Il suo amico gli aveva detto, con espressione seria e addolorata, che sarebbe potuto morire. Che di sicuro ne morivano tanti, anche se nessuno lo sapeva con certezza, perché chi arrivava in quel modo scompariva comunque, se non nelle onde nere, per le strade larghe e senza fine, con un nome e una vita diversi. Affidarsi all'incertezza della burocrazia, però, non aveva senso. Lo avrebbero sottoposto a mille controlli, messo in quarantena, interrogato. E alla fine del calvario, nella migliore delle ipotesi, ci sarebbero stati il carcere o il rimpatrio. La sconfitta, insomma.

L'unica possibilità era tentare quel tuffo col respiro in gola e nulla a parte i vestiti che aveva indosso. Con un po' di fortuna sarebbe sopravvissuto. Forse non sarebbe stato ucciso dal mare, dal freddo, dalle eliche delle barche che di notte attraversavano la baia senza sosta o dal fucile di qualche sorvegliante. Il suo amico si era raccomandato: non smettere mai di nuotare, cosí vinci il freddo. E non cercare di raggiungere subito la riva. Fatti forza, vai il piú lontano possibile.

Vincenzo era forte, era determinato, era giovane, era disperato, era povero, era innamorato. Vincenzo voleva vivere. Vincenzo non era arrivato fin là per affogare in mare. Se no avrebbe scelto l'abbraccio dell'acqua di Mergellina, vicino a un certo scoglio sul quale aveva baciato Cettina, tremando per l'emozione. Vincenzo non era andato in America per morire.

Non aveva piú saputo nulla dei quattro che si erano lanciati con lui. Sperava che ce l'avessero fatta e avessero proseguito il loro viaggio, magari verso il Canada, dove pareva fosse piú facile stabilirsi e iniziare una nuova vita.

Vincenzo non la voleva, una nuova vita. Voleva la sua. E in fretta, per riprendersi Cettina e il proprio futuro. Non avrebbe lasciato quella città: era lí che i bastimenti attraccavano, ed era da lí che salpavano per tornare a casa. Doveva solo trovare un lavoro e guadagnare i soldi che gli servivano per risalire sulla stessa nave con cui era arrivato, stavolta viaggiando da uomo e non da bestia.

Un anno dopo, Vincenzo di lavori ne aveva trovati tre.

La mattina all'alba andava al porto a scaricare le merci. A pranzo lavava i piatti in un ristorante. La sera faceva le pulizie in una palestra. Lavori da italiani, forniti da italiani, con paga da italiani.

Per campare gli serviva poco. Dormiva in una stanza vicino al molo mercantile insieme ad altri nelle sue stesse condizioni, troppi forse; neppure sapeva chi fossero, i suoi compagni. Stavano ammassati, ma almeno si tenevano caldo. Mangiava una volta al giorno, nella cucina dove faceva lo sguattero e dove la moglie del proprietario lo trattava come fosse un altro figlio, in aggiunta agli otto che già aveva. Conservava le banconote, ben stese e in ordine, in un vecchio libro svuotato delle pagine; ogni dieci biglietti verdi, via un foglio bianco pieno di parole. I fatti che prendevano il posto dei sogni.

La palestra si trovava all'angolo tra la Novantanovesima e Broadway. Ci voleva parecchio per arrivarci, tanto là ci voleva parecchio per arrivare ovunque. Vincenzo faceva la strada di corsa, il passo metodico e attento, gli occhi fissi davanti a sé, il ritmo del respiro accordato con quello del sangue nelle orecchie, disegnando le curve nel modo migliore. Vincenzo correva e si guadagnava la stanchezza che gli serviva per cadere in un sonno senza sogni: un giorno in meno prima di rivederti, Cettina, amore mio.

Il tizio che gestiva la palestra era italiano, però era nato là. Si chiamava Giacinto Biasin, per tutti Jack della Novantanovesima; il suo nome era impronunciabile per gli americani. Suo padre e sua madre non si erano buttati nell'acqua nera e fredda; avevano aspettato pazienti, sull'isola in cui venivano radunati gli emigranti, che tutto fosse in regola. Non avevano dovuto spendere denaro per procurarsi i documenti, non avevano dovuto accettare il primo lavoro che gli era stato offerto; lí c'erano altri del paese loro, un posto sotto le montagne nel nord dell'Italia dove adesso si combatteva.

A vederlo, Jack metteva paura. Aveva il viso sfigurato, perché quando era piccolo si era incendiato il materasso su cui stava dormendo vicino alla stufa. Ma era un tipo testardo ed era sopravvissuto, inciampando nella boxe per riempire il tempo lasciato libero dalle ragazze che scappavano appena lui si avvicinava. Non aveva trovato gloria sul ring: troppo dolce il suo carattere, troppo gentile la sua natura. L'idea di poter far male gli ritardava il colpo. Però studiava, si preparava, era attento: aveva l'anima dell'allenatore anche quando ancora combatteva. Smise presto, e un po' coi soldi suoi, un po' con l'aiuto del padre, che importava olio d'oliva dall'Italia, aveva messo su quel posto frequentato da giovani in cerca di gloria: ebrei, neri, italiani e pure qualche irlandese.

Vincenzo lo aveva conosciuto nel ristorante in cui lavorava. All'uomo quel ragazzo cosí determinato e ossuto era piaciuto; al ragazzo quell'uomo sfigurato e cortese aveva ispirato fiducia. Una ventina d'anni di differenza, ma l'identica voglia di guardare avanti.

«Se la sera non hai altro da fare», aveva detto uno. «Ma certo», aveva risposto l'altro.

Arrivava sempre un po' prima, Vincenzo. Prendeva la ramazza, il secchio dell'acqua, la segatura e aspettava che i pugili finissero per mettere in ordine. Intanto assisteva agli allenamenti e ascoltava Jack urlare indicazioni e consigli attorno al quadrato. Non sembrava lui, in quei frangenti. Diventava autoritario, impetuoso, perfino volgare, ma gli atleti in calzoncini e guantoni accettavano tutto senza protestare.

Erano in tanti a frequentare quel luogo, nessuno, però, sembrava avere le qualità per sfondare. Jack scuoteva il testone, dava pugni sul pavimento della pedana, mimava i colpi che avrebbe voluto vedere e si disperava in un curioso inglese dall'accento veneto. Il lunedí Vincenzo ascoltava i commenti sugli incontri del fine settimana e, a quanto capiva, di rado le cose andavano secondo le attese.

L'unico che riusciva a emergere in qualche modo era un immigrato russo, un certo Starkevic. Un tipo enorme, un po' lento forse, ma potente. Jack ci lavorava molto, cercando di sgrezzarlo e di renderlo piú mobile; si capiva che legava a lui le sue speranze di successo e di buona pubblicità. Spesso, quando tutti se n'erano ormai andati, lo tratteneva ancora un paio d'ore a studiare nuove soluzioni di difesa e d'attacco.

Una sera Jack stava cercando, senza risultati, di far entrare nella testa di Starkevic che la guardia doveva essere adattata in base alla statura e all'aggressività dell'avversario. Per aiutarlo a capire ciò che intendeva pensò che sarebbe stato utile mettergli davanti qualcuno, tanto per simulare i movimenti, e si guardò attorno: la palestra era deserta. Alla fine i suoi occhi si posarono su Vincenzo, appoggiato al manico della scopa.

– Tu! Vieni qui, – gli disse lanciandogli un paio di guantoni. – Mi serve un manichino per spiegare a questo testone in che modo deve mettersi. Tranquillo, nessuno colpirà nessuno.

Il ragazzo ebbe un attimo di incertezza, incredulo che il principale stesse parlando proprio a lui. Al secondo richiamo, calzò i guantoni e salí titubante sulla pedana.

Jack spiegò a Starkevic come avrebbe dovuto regolarsi e gli indicò la maniera di portare i colpi. Poi si girò verso Vincenzo e si accorse che aveva assunto una posizione perfetta. La gamba sinistra in avanti, leggermente piegata sul piede ben in asse; la destra indietro con il piede rivolto all'esterno. Il busto un po' ruotato per non offrire bersaglio e il pugno sinistro alzato verso il russo, in modo che il gomito si trovasse all'altezza del cuore; il destro a copertura del viso, con avambraccio e gomito che schermavano eventuali colpi allo stomaco.

L'allenatore lo squadrò dall'alto in basso due volte, non trovando un solo difetto. Poi gli domandò:

– Dove hai imparato?

Vincenzo, senza distogliere lo sguardo da Starkevic, rispose:

– Qua. A forza di sentirvi gridare.

Jack rise, le mani sui fianchi e il mento all'indietro:

– Hai capito il *paisano mio*, io parlavo e lui ascoltava.

Allora vediamo se hai davvero capito tutto. Ivan, porta un gancio destro. Piano, però, che se lo rompi poi chi lo pulisce il ring?

Il bestione, un po' infastidito dal fatto che il ragazzo avesse appreso senza sforzo cose che a lui erano costate mesi di fatica, piegò il braccio ad angolo retto ed eseguí il colpo compiendo una lieve rotazione del corpo. Vincenzo rispose con una schivata all'indietro, spostando il tronco e muovendosi agile sulle gambe. L'altro andò a vuoto e perse l'equilibrio, scoprendo il lato destro del volto.

Il braccio sinistro di Vincenzo scattò con una frustata, e il pugno centrò allo zigomo Starkevic, che cadde sulle ginocchia e cominciò a scuotere la testa per snebbiarla. Vincenzo si rimise in guardia, saltellando sulla punta delle scarpe scalcagnate, l'espressione concentrata. Tutto era durato non piú di qualche secondo.

Ferito nell'orgoglio, il russo si rialzò e si lanciò sul giovane con un ruggito, roteando le braccia scomposto. Prima che Jack potesse frapporsi tra loro, l'italiano incrociò l'azione con un montante al mento seguito da un gancio sinistro. Starkevic si accasciò al tappeto come un sacco vuoto.

Vincenzo si slacciò i guantoni, guardando di sottecchi il proprietario della palestra; era certo di aver perso il lavoro e stava riflettendo su come trovarne un altro.

Invece, con sua sorpresa, Jack gli mise una mano sulle spalle e disse:

– Noi dobbiamo parlare, *paisà*. Dobbiamo parlare.

XIII.

Sotto la pioggia insistente Ricciardi e Maione cercavano, senza molto successo, di ricostruire la dinamica dell'omicidio. Al di là del fatto che il corpo era di sicuro stato trascinato per qualche metro, nulla emergeva dall'esame del terreno; l'acqua, peraltro, non aiutava.

Maione, grattandosi la fronte, disse:

– Commissa', il vicolo qua è abbastanza laterale. Secondo me l'assassino ha voluto togliere il cadavere dalla vista di qualche eventuale passante per ritardarne il ritrovamento.

Ricciardi fissava l'angolo con la strada dal quale il morto, in ginocchio, continuava a salmodiare: *tu, di nuovo tu, tu, di nuovo tu, un'altra volta tu, di nuovo tu.*

– E non si attira l'attenzione picchiando uno fino ad ammazzarlo? – disse. – Ci vuole tempo, sai, Raffaele. Parecchio tempo.

Il brigadiere allargò le braccia.

– Magari l'assassino non pensava di ammazzarlo, voleva solo dargli una lezione. Magari è stato un semplice litigio, e quando si è accorto che l'aveva ucciso lo ha nascosto per avere piú tempo per scappare.

Ricciardi annuí, pensoso.

– Sí. Può essere. Come hai detto che si chiamava?

Maione cercò un po' di luce e lesse il documento contenuto nel portafogli della vittima.

– Irace Costantino, nato in città il diciotto aprile dell'ottocentosettantanove. Cinquantatre anni.

Il commissario si sforzò di spostare lo sguardo sull'uomo a terra.

– Ben vestito, orologio d'oro nel taschino, rasato, i baffi curati. Il cappotto nuovo. E soprattutto…

Maione completò:

– … settantaduemila e dispari lire addosso. Tantissimi soldi.

– Appunto. Tenuti nella tasca del cappotto. Un po' strano per uno che si aggira tra i vicoli vicini al porto alle sei, sei e mezza di mattina, se il dottore ha indovinato l'ora del decesso. Sappiamo tutti com'è qui quando non c'è luce.

Maione fece cenno ai necrofori di prendere il corpo.

– E infatti bene non gli è andata, no, commissa'?

Ricciardi sospirò.

– Già, non gli è andata bene. Ma non è stato rapinato. Almeno non dei soldi, dell'orologio e dell'anello d'oro; e nemmeno del cappotto.

Maione disse:

– Forse l'aggressore non ha fatto in tempo. Forse l'ha spostato nel vicolo proprio per ripulirlo, poi è arrivato qualcuno e ha dovuto lasciare l'opera a metà.

Il commissario fece una smorfia.

– Non credo. Vuoi derubare uno, lo ammazzi, lo porti nel vicolo e scappi senza prendergli niente? Non mi pare plausibile. In ogni caso, ora dobbiamo metterci in moto. Dove hai detto che abitava, questo Irace?

Il palazzo al quale corrispondeva l'indirizzo scritto sui documenti non si trovava tanto distante: circa un chilometro dal luogo dell'omicidio, vicino a piazza San Domenico Maggiore. Come Ricciardi e Maione si aspettavano, era uno stabile signorile, con un portiere in livrea in piedi nei pressi del portone.

Il brigadiere gli si accostò e domandò a che piano abitasse la famiglia Irace. L'uomo, dardeggiando attorno uno sguardo diffidente, declamò:

– Noi non diamo informazioni sugli inquilini. Noi siamo riservatissimi. Per quale motivo lo volete sapere?

Maione guardò trasecolato Ricciardi, poi si controllò l'uniforme per essere sicuro di averla indossata. Infine replicò:

– Il motivo non vi riguarda. E quanto alla riservatezza, se vi porto subito subito in galera, vi assicuro che troverete una compagnia che la voglia di riservatezza ve la fa passare. Parola mia. Stamattina però mi sento buono e vi do una seconda possibilità: dove sta di casa, la famiglia Irace?

Il portiere fece un passo indietro, come temendo che Maione volesse aggredirlo.

– Prego, brigadie', al secondo piano, la porta che vi viene di fronte quando arrivate dalle scale. Che faccio, vi annuncio?

Il poliziotto lo fissò in cagnesco.

– No, non v'incomodate. Andiamo da soli. Camarda, Cesarano, rimanete qui.

Mentre salivano le scale, Ricciardi si rivolse a Maione.

– Stai bene, Raffaele? Perché sei stato un po' aggressivo, col portiere. Qualcosa non va?

Il brigadiere rispose evitando gli occhi del superiore.

– No, commissa', quando mai? Sono solo un poco stanco; ci ho le creature con la febbre e non mi fanno dormire. Tutto qua.

– Eri al termine del turno quando è arrivata la chiamata, è così? Scusami, non ci ho pensato. Mi dispiace. Adesso sentiamo la famiglia del morto e te ne vai a casa.

L'altro scosse la testa.

– Ma che dite, commissa'? Con un'indagine per omicidio in corso? Non se ne parla, io resto e...

Ricciardi lo interruppe con un gesto della mano.

– Brigadiere Maione, obbedisci agli ordini. Finiamo qui e torni dalla tua famiglia. L'indagine la continuiamo noi, dopo ti diamo gli elementi e tu la risolvi. D'accordo?

Il brigadiere sorrise.

– Come comandate, commissa'. Tanto lo so che poi devo fare sempre tutto io.

Ad aprire la porta venne una graziosa cameriera in divisa, che li introdusse in un arioso salotto. La pioggia picchiettava contro le alte finestre, dalle quali si intravedeva la sagoma distorta della grande chiesa di San Domenico. Nella piazza, al di là di qualche carrozza in attesa di clienti, con i cocchieri addormentati sotto la tettoia, non c'era nessuno.

Una voce destò i due poliziotti dalla contemplazione di quel grigio lunedí mattina.

– Buongiorno. Sono la signora Irace. Cosa posso fare per voi?

Ricciardi e Maione si voltarono e si trovarono di fronte a una donna che, senza fare rumore, era arrivata sulla soglia della stanza. Indossava un abito da casa allacciato sul davanti, in cotone pesante blu con fiori gialli, e una giacca di lana leggera. Dimostrava una trentina d'anni.

Non era molto alta, ma bella, con lineamenti delicati, i capelli corti e arricciati secondo la moda, un corpo morbido e compatto al tempo stesso. Aveva, però, un velo di tristezza nello sguardo arrossato. Ricciardi si chiese quale ne fosse la ragione.

– Buongiorno, signora. Sono il commissario Ricciardi della pubblica sicurezza, questo è il brigadiere Maione. Temo di dovervi dare una brutta notizia.

Quella barcollò visibilmente, senza togliere gli occhi dal volto di Ricciardi. Maione fece due rapidi passi e la prese per un braccio, sostenendola.

– Prego, signo', è meglio se vi accomodate, – sussurrò, aiutandola a sedersi su una poltroncina.

Ricciardi attese un attimo, poi disse:

– Siete la moglie di Costantino Irace, immagino.

Lei annuí, mordendosi il labbro. Sebbene i suoi occhi fossero asciutti, trasse un fazzoletto dalla tasca del vestito e lo strinse nel pugno.

Il commissario riprese:

– Mi spiace informarvi che vostro marito è stato rinvenuto cadavere in un vicoletto nella zona di Porta di Massa.

La donna spalancò la bocca. Si guardò attorno, come per ricordare dove si trovasse, o forse per cercare conforto negli oggetti familiari che la circondavano. Quindi si schiarí la voce.

– Si... si è sentito male? Ha avuto... Il cuore?

– No, signora. Crediamo che sia stato ucciso. Ci saranno degli esami per accertarlo in modo definitivo, però...

– Dov'è adesso? In ospedale? Io... avete detto che... Vorrei salutarlo. Non posso...

Ricciardi e Maione sapevano perfettamente cosa passava in quel momento nell'anima e nella testa della Irace. Avevano assistito tante volte a scene simili. C'era in lei il desiderio impossibile di tornare indietro di qualche attimo, a quando era ancora impegnata a organizzare la propria giornata secondo la consueta routine, compiendo gli stessi gesti, pronunciando le stesse parole.

Possibile che non esista una soluzione?, stava pensando la donna. Possibile che io non possa fare niente? Solo un minuto fa, un misero giro di lancette dell'orologio a pendolo che ticchetta alle mie spalle, i miei problemi erano cosa preparare per cena o che vestito mettere per andare a teatro. E ora la mia vita è cambiata per sempre. Davanti alla sua mente si materializzavano scenari foschi e tragici.

I due poliziotti, senza bisogno di accordarsi neanche con lo sguardo, le concessero qualche minuto per elaborare la situazione.

Mentre erano lí, in silenzio, un uomo grassoccio e sudato, in veste da camera e coi radi capelli in disordine fece irruzione nella sala.

– Cetti', ma che è successo? Mi ha chiamato il portiere e mi ha detto che ci sta la poli... Ah, siete qua. Allora è vero. Che volete?

Maione rispose in tono un po' brusco:

– Sentite, noi siamo qua per la signora. Voi, piuttosto, chi siete? E a che titolo fate questa domanda.

La signora Irace sollevò la testa verso l'uomo sudato, guardandolo come se volesse condividere con lui un'assurdità.

– Guido, mi stanno dicendo che... Insomma, che Costantino... Mio marito...

L'altro si portò al suo fianco e le mise una mano sulla spalla. Strinse le labbra, fissando Ricciardi e Maione.

– Sono l'avvocato Capone, il cugino della signora. Per favore, vorrei sapere cosa è accaduto.

Maione fece scorrere gli occhi sulla vestaglia a righe blu e rosse, sui capelli smorti, che di solito dovevano essere pettinati di lato in modo da formare un riporto, sulla pancetta prominente. Un avvocato. Solo questo ci mancava.

Fu ancora la donna a parlare.

– Morto. Costantino è morto. E dicono che... che l'hanno... Dio mio...

Portò il fazzoletto al viso e cominciò a piangere. Prima piano, poi sempre piú forte. In breve fu scossa dai singhiozzi.

L'avvocato sembrò perdere un po' della sua sicurezza.
– Siete certi che si tratti di lui? Ieri abbiamo cenato insieme. Io abito al piano di sopra e...
Ricciardi rispose a voce bassa:
– I documenti erano i suoi. Qualcuno dovrà effettuare il riconoscimento, ma purtroppo non ci sono molti dubbi. È successo alle prime ore dell'alba, vicino al porto. Voi, signora, avete per caso idea del perché si trovasse là?
La donna cercò di farsi forza.
– Lui... Noi siamo commercianti. Mio marito... abbiamo un negozio di tessuti, Irace & Taliercio, non so se lo conoscete, stiamo a corso Umberto... Sapevo solo che doveva uscire... «Non ti alzare, Cetti', – mi ha detto... – io devo scendere presto»... Non posso crederci...
Riprese a piangere in modo violento. Capone intervenne con decisione:
– Come potete vedere, in questo momento mia cugina non è in grado di rispondere alle vostre domande. Lasciate che si calmi, per cortesia. Verremo da voi tra poco. Va bene?
Ricciardi annuí.
– Capisco. Mi troverete nel mio ufficio in questura, signora. Vi ricordo il mio nome, sono il commissario Ricciardi. Sto al secondo piano. Prima però sarebbe meglio che passaste all'ospedale dei Pellegrini, dove...
L'avvocato non lo lasciò finire la frase.
– Sí, di questo mi occuperò io stesso. Sono in grado di riconoscere mio cugino e non voglio che Cettina soffra piú del necessario. Naturalmente intendo accompagnarla da voi in qualità di parente e di avvocato. Di solito mi occupo di questioni commerciali, ma date le circostanze...
– Sta bene. Mi raccomando di non tardare. Il tempo è un fattore cruciale nelle indagini. Abbiamo bisogno di informazioni.

L'uomo abbassò lo sguardo sulla schiena della donna. La sua espressione tradiva un profondo turbamento, ma anche rabbia.

– Avrete tutte le informazioni che vi servono, – disse. – Non dubitate.

XIV.

Sulla via del ritorno, Maione aveva provato a insistere con Ricciardi per restare in ufficio almeno fino a quando non fossero passati la signora Irace con Capone. Il commissario, però, era stato irremovibile: doveva tornare a casa per riposarsi un po'.

Il brigadiere avvertiva un dolore alle tempie che lo costringeva a tenere gli occhi semichiusi ed era percorso da brividi frequenti, sinistro presagio di qualche linea di febbre. Era ben consapevole che sarebbe dovuto filare a letto, sotto le coperte, col conforto di un po' di brodo preparato dalla sua Lucia; e sapeva anche che, come sempre accadeva quando si ammalava, avrebbe goduto nel ridursi a un lamentoso piagnucolone oggetto delle cure di tutta la famiglia.

Però, mentre camminava con l'enorme ombrello aperto sulla testa, nella sua mente s'insinuò il pensiero di Bambinella. Ed era un pensiero fastidioso, perché se le cose stavano come il *femminiello* gliele aveva prospettate, la faccenda era urgente. Molto urgente.

Conosceva i Lombardi, quelli che avevano preso di mira Gustavo 'a Zoccola. Gente feroce, che non tollerava ostacoli alle proprie attività. Erano partiti dal basso e in pochi anni si erano espansi in ogni tipo di traffico illecito. Offrivano protezione da loro stessi, e se qualcuno si rifiutava di pagare gli facevano capire con brutalità che era meglio adeguarsi. Il capofamiglia, Pasquale, detto non a caso 'o Lione, il leone, era una belva assetata di sangue.

La polizia aveva provato piú volte a sfondare il muro d'omertà che la paura aveva eretto intorno a loro. E qualcosa era filtrato tra le pieghe delle confessioni di pesci piccoli finiti nelle mani della giustizia, ma non era mai stato sufficiente a incastrare 'o Lione e i suoi sette, terribili figli. Se il fidanzato di Bambinella li aveva intralciati in qualche modo, correva il serissimo rischio di sparire dalla circolazione per sempre. Sparire proprio, poiché delle presunte vittime dei Lombardi non si trovavano mai nemmeno i resti.

Dunque non c'era tempo da perdere. Quei criminali agivano velocemente e senza preavviso, anticipando le eventuali contromisure che i loro nemici potevano prendere per evitarne la furia.

Mentre si arrampicava per la salita, cercando di scansare il ruscello di acqua che gli scorreva incontro, Maione fu scosso da un nuovo brivido, dovuto piú a certe riflessioni che ad altro. Sapeva dove abitava Gustavo 'a Zoccola, Bambinella gliel'aveva detto prima di lasciarlo andar via. Fargli una visita non avrebbe comportato una deviazione eccessiva. Tanto, concluse, non sarebbe riuscito ad addormentarsi con quel pensiero molesto conficcato nella testa febbricitante. Guardò l'ora: quasi le undici.

Allungò il passo.

La piazzetta indicata dal *femminiello* si trovava alla fine di un breve vicolo, di fianco alla strada che portava da via Toledo al corso Vittorio Emanuele. Nel cercare il numero civico Maione non si avvide di una pozzanghera che pareva innocua e invece celava una profonda buca nel terreno, cosí affondò fino a mezza coscia nel fango, correndo anche il rischio di farsi male. Stava ancora imprecando quando, proprio accanto a lui, un portone si aprí e un uomo di bassa statura, magrissimo, ne scivolò fuori tentando di avviarsi in direzione opposta alla sua.

Il brigadiere, che intanto aveva chiuso l'ombrello, allungò repentino una mano, l'abbrancò per la collottola, lo costrinse a voltarsi e lo sollevò senza difficoltà di qualche centimetro dal suolo, prendendolo per il bavero. Per un attimo l'altro continuò a mulinare le gambe a mezz'aria, finché non si immobilizzò trovandosi con la faccia a pochi centimetri da quella del poliziotto, che si mise a studiarlo con interesse scientifico, come se stesse contemplando un esemplare raro del mondo animale. Aveva lineamenti affilati, un grosso naso, perfettamente triangolare, e grandi orecchie a sventola che, insieme al resto, gli conferivano l'aspetto di un enorme topo. Sebbene fosse in chiare difficoltà respiratorie, fingeva di guardarsi attorno con noncuranza.

Maione rimase qualche secondo in silenzio, perplesso, poi, rivolto al naso che gli riempiva l'intero campo visivo, disse:

– Scusate, non vi voglio importunare. Sapete per caso dove sta di casa un certo Donadio Gustavo, detto confidenzialmente dagli amici di Poggioreale 'a Zoccola?

L'ometto aprí la bocca e tossí per far intendere che in quelle condizioni non era in grado di parlare. Ma appena il poliziotto lo depose a terra, non troppo delicatamente a essere sinceri, si rianimò come per magia e tentò uno scatto. Maione, però, se l'aspettava; allungò di nuovo la mano, stavolta afferrandolo per l'orecchio destro, che peraltro forniva una comoda presa.

– Ah-ah, e non facciamo i cattivi bambini. Uno ti rivolge una domanda cortese e tu, per tutta risposta, te ne vai senza salutare? Devo darti una bella sculacciata qua in mezzo alla strada?

Gemendo per il dolore, l'altro balbettò:

– N-no, brigadie', p-per favore, l'orecchio no, c-che è sensibile…

– Me lo immagino. Grosso com'è sono certo che gli piacciono pure le poesie. Ma dimmi, ci ha un nome il proprietario di questo orecchio?

Il padiglione del poveraccio era ormai di un bel rosso scuro.

– B-basta, brigadie'. Sono io Donadio Gustavo, proprio io… Ma già mi avevate riconosciuto.

– E per quale motivo te ne stavi scappando appena mi hai visto?

Donadio piagnucolava.

– Figuratevi, brigadie', io mica stavo scappando. È che tengo un affare importante e vado di fretta. Non ci possiamo parlare un'altra volta? Magari vengo io a trovarvi in questura e…

Maione scoppiò in una risata.

– Ti ci vedo in questura, a te. Col cappello in mano che chiedi: Per favore, sapete dove sta l'ufficio del brigadiere Maione? No, perché io conosco solo la strada della cella di sicurezza. Meglio che parliamo qua, caro Zoccola. Che poi la sai una cosa? Io mi credevo che ti chiamavano cosí per il fatto delle visite alle botteghe attraverso le fogne, ma vedo che a forza di praticare certi ambienti sei diventato tale e quale a un topo. Meriteresti che ti lasciassi ammazzare.

Gustavo spalancò gli occhi e si guardò attorno, terrorizzato.

– Brigadie', per carità, abbassate la voce. Qua le mura tengono le orecchie grandi peggio delle mie. Venite, andiamo dentro cosí possiamo parlare.

Con qualche difficoltà, siccome per prudenza e per evitargli tentazioni Maione continuava a tenerlo ben saldo, Gustavo condusse il brigadiere all'interno del palazzo dal quale era uscito. Si ritrovarono in un cortiletto umido e buio, dal quale partiva un'unica rampa di strette scale sconnesse. Non c'era anima viva.

– Brigadie', – disse Donadio, – qua non posso andare da nessuna parte. Mi restituite l'orecchio, adesso?

Con un po' di riluttanza, Maione mollò la presa.

– Stai attento che se fai qualche scherzo te ne tolgo una metà. Tanto te ne resta a sufficienza, hai capito?

Massaggiandosi, Gustavo annuí.

– Sí, va bene. Ma chi vi ha detto questa cosa che mi vogliono ammazzare?

Maione si abbassò a guardarlo negli occhi.

– Non importa chi me lo ha detto. Io voglio sapere se è vero. E vedi di rispondere bene, se no lo sai che ti succede.

D'istinto Donadio si portò entrambe le mani ai lati del capo.

– È stata Bambinella, vero? E figurati se quella poi si faceva i fatti suoi, per una volta. Ci scommettevo che cercava di risolvere la questione a modo suo.

Maione emise un brontolio basso.

– Zoccola, se qualcuno vuole bene a qualcun altro desidera proteggerlo, no? Che ti aspettavi, che quel poveretto se ne stava là a vederti sparire dalla circolazione?

Gustavo sorrise, triste.

– No, avete ragione, brigadie'. E Bambinella... lo so che mi vuole aiutare, credetemi: ma stavolta non può farci niente. Non ci può fare niente nessuno.

– Questo lascialo decidere a me. Raccontami che è successo.

Gustavo assunse un'aria diffidente.

– Brigadie', io ve lo dico solo se mi assicurate sulla vostra parola d'onore che vi sto parlando in borghese e non in divisa. Perché altrimenti non posso, lo sapete.

Maione allargò le braccia.

– E no, adesso esageri. Ma come, dovrei dare la parola d'onore a un delinquente?

– O cosí o niente, brigadie'. Io non sono un infame. Ho un nome, io.

Maione diede un pugno al muro.

– Ma che nome e nome. Una cattiva fama non è un nome. E comunque va bene, ho promesso e devo mantenere. Parla, sono uno qualsiasi e non un brigadiere.

L'ometto strinse gli occhi.

– Parola d'onore?

Maione sospirò.

– Parola d'onore.

Gustavo parve soddisfatto.

– Allora, brigadie', la questione è semplice. Ho rivenduto a un paio di orefici degli oggettini che avevo comprato da alcuni amici conosciuti a Poggioreale nel periodo... quando ero in vacanza. Mo', in coscienza, che sono sicuro della loro provenienza non ve lo posso dire, però era roba buona.

Maione si diede uno schiaffo sulla faccia.

– Ma vedi un po' che devo sentire. Vai avanti, va.

– Insomma, un paio di mesi fa viene da me uno che non conoscevo, un tizio magro, vestito bene. Mi dice: «Sei tu Gustavo 'a Zoccola?» «A servirvi», rispondo io. Allora lui dice: «Vedi che gli affari tuoi nella zona degli orefici e del mercato non li puoi fare». «E chi lo dice?», ribatto io. E lui: «Mettiamola cosí, lo dice un leone».

Sul viso del poliziotto comparve una smorfia.

– Mo' si è fatto pure gli ambasciatori, quel delinquente di Lombardi.

Donadio impallidí, arretrando di un passo.

– No, brigadie', per carità, non lo pronunciate quel nome. A me ogni volta che lo sento mi viene una mossa di viscere.

– E allora perché ti sei messo in questo guaio, si può sapere? Non potevi fare come ti hanno consigliato?

– Ci ho provato, brigadie', ma in questa città gli oggetti d'oro girano solo nel borgo degli orefici: io dove andavo a piazzarli? Non li voleva nessuno, nelle altre botteghe. E allora ho pensato che uno o due sarebbero passati inosservati. Invece...

– ... Invece non è stato cosí. E siccome tu eri già stato avvisato...

Gustavo fece cenno di sí col capo. Era sconsolato.

– Mi hanno mandato a chiamare. È per dopodomani. Io spero che mi vogliano dare un secondo avvertimento, certe volte lo fanno. Pensavo di trovare un accordo, magari gli offro una percentuale sul guadagno, ma il mestiere mio, leone o no, devo poterlo esercitare.

Maione lo fissò negli occhi.

– Donadio, non l'hai capito che ti faranno la pelle e ti faranno sparire? Te ne devi rendere conto. Scappa, nasconditi.

Gustavo sostenne lo sguardo.

– No, brigadie', ormai mi sono spinto troppo avanti. E tanto mi troverebbero. Io devo provvedere ai miei figli, anche se mia moglie non me li fa vedere. Hanno bisogno di me. E se non trovandomi piú se la prendessero con loro? Voi li tenete, i figli. Lo sapete. E pure Bambinella... mi dispiacerebbe se avesse dei guai. Ci devo andare per forza.

Maione rifletté. Non aveva considerato la possibilità di ritorsioni sulla famiglia.

– Come pensi di convincerli?

L'altro si strinse nelle spalle magre.

– Io sono bravo con le parole, e comunque un tentativo lo devo fare. Non c'è altra soluzione. Se dovesse andare male... la gente come me finisce in questo modo, brigadie'. Non sono il primo, non sarò l'ultimo. Forse ha ragione mia moglie, per i nostri figli sarà meglio cosí. Magari se lo scorderanno, il padre, e col tempo sarà come se non fossi mai nemmeno nato.

Il poliziotto, suo malgrado, si sentí stringere il cuore.

– A Bambinella non ci pensi? Ti vuole bene davvero. Stanotte, quando mi ha mandato a chiamare, era disperato...

Il poveretto fissò l'ombra umida del cortile.

– Scarti, brigadie'. Io e Bambinella siamo scarti. Pagnotte uscite male, avete presente? Quelle che i forni buttano via o dànno a chi non può pagare. La gente come noi si incontra e si fa un po' di compagnia. Per volersi bene davvero si deve anche stare bene, e quelli come noi bene non stanno mai. Per paura che le fanno qualcosa non ci sto andando piú, ve l'ha detto? Meglio cosí pure per lei.

Che strano, pensava Maione, ritrovarsi in un cortile miserabile a offrire il proprio aiuto a un delinquente. Eppure era dolorosa l'idea di non poter salvare quel tipo bizzarro, con un soprannome e un viso da topo. Senza un perché, gli venne un forte desiderio di andare a vedere se ai suoi bambini era passata la febbre.

Si rivolse un'ultima volta a Donadio.

– Ma... io posso fare qualcosa? Se posso, dimmelo.

Gustavo gli sorrise; adesso sembrava molto giovane.

– No, brigadie', niente. Vi ringrazio. Anzi, sí, una cosa

potete farla. Tra un po' di tempo, quando sarà finito tutto, dite a Bambinella che pure io le volevo bene. E, se non è troppo, assicuratevi che ai figli miei non gli fanno niente. Non mi serve altro, ve lo assicuro.

Maione uscí in strada, sotto l'acqua, l'ombrello chiuso nella mano.

E si chiese se era pioggia quella che sentiva scorrere sulla faccia.

Se era solo pioggia.

XV.

L'autunno aveva riflessi evidenti sul Fatto. A lungo Ricciardi si era convinto che, per qualche strano fenomeno connesso al tempo atmosferico, la sua sensibilità aumentasse con l'arrivo delle piogge; poi aveva smesso di cercare relazioni misurabili tra la realtà e quella che si era abituato a considerare una forma di follia, una dannazione che lo costringeva a tenersi in disparte dal resto degli esseri umani.

Ogni tanto gli era capitato di incontrare persone che si comportavano come se avessero, seppur in misura minore, la sua stessa facoltà. Ma si trattava sempre di minorati, uomini e donne che sarebbero stati incapaci di raccontare la propria esperienza. Il commissario capiva che riconoscevano qualcosa solo perché salutavano o rivolgevano bavosi sorrisi in direzione di immagini che pensava di vedere solo lui.

I simulacri di quei cadaveri feriti, storpiati, straziati esistevano davvero. Per quanto sbiadissero nel tempo, per quanto dopo un po' si dissolvessero nell'aria come un tanfo di decomposizione, erano percepibili. E lui li percepiva avvertendone tutta la sofferenza, sentendo la malinconia per la vita che avevano abbandonato, il dolore per il distacco da ciò che avevano avuto di piú caro. Li vedeva in forma di corpo e sangue e ossa e carne martoriata, ascoltava le loro parole e i loro lamenti, i loro pensieri, finché non sparivano per andare chissà dove; in forma di anima, dicevano i preti, nel nulla, sostenevano gli atei.

L'autunno aveva una popolazione di morti maggiore rispetto alle altre stagioni. Forse perché, ragionava Ricciardi fissando la piazza lucida di pioggia dalla finestra dell'ufficio, dava a chi voleva morire una piccola spinta gentile, offriva un tocco lieve a chi danzava in bilico sul margine della vita. Ed era proprio ciò che si mostrava ai suoi occhi in quel momento a stimolargli la riflessione.

Su una panchina, in mezzo ai lecci percossi dall'acqua, c'era la sagoma di un vecchio in abito chiaro e, cosa ancora piú incongrua, asciutto, che perdeva un rivolo di sangue dall'enorme foro di uscita di un proiettile sulla tempia sinistra; da ormai una settimana raccomandava la propria anima alla madre che stava per raggiungere. Debiti, o forse solitudine, si disse il commissario.

All'angolo con una delle vie principali, invece, baluginava quella di una giovane donna con la schiena piegata al contrario e il cranio sfondato per la caduta da uno dei piani alti del palazzo. Il commissario aveva ancora in testa la frase che le aveva sentito ripetere senza sosta, come se la stesse sussurrando nell'orecchio proprio a lui: *il mio bambino bello, il mio bambino bello.* Era in servizio quando era successo. Il *bambino bello* era morto di difterite e la madre non aveva sopportato il peso della perdita.

L'autunno è cosí, si disse Ricciardi. Tutto è piú gravoso. E, in fondo, la morte si propone come una buona via d'uscita.

Un leggero bussare lo scosse. Si voltò e disse:

– Avanti.

Alla porta si affacciò la guardia scelta Ponte, in servizio presso gli uffici. Era un uomo di bassa statura, mellifluo e untuoso, tra quelli convinti che Ricciardi avesse poteri occulti e portasse male, ragione per cui evitava in ogni modo di guardarlo negli occhi. Il commissario lo trovava parecchio irritante, anche perché, per qualche oscuro motivo, era il favorito del vicequestore Garzo, che lui riteneva un perfetto idiota.

Come al solito l'omuncolo parlò al ritratto del re, appeso al muro sopra la poltrona di Ricciardi.

– Commissa', scusatemi, non vi vorrei disturbare.

– E allora non farlo, Ponte, – gli rispose Ricciardi.

La guardia non apprezzò l'ironia e si rivolse a Mussolini, incorniciato mezzo metro piú in là del sovrano.

– No, è che qua ci stanno due che dicono che li state aspettando. Li faccio passare?

Ricciardi decise di rendergliela difficile.

– Dipende. In effetti attendo gente, ma non so se si tratta di questi. Quindi, se sono loro, sí, falli passare, se non sono loro, no, altrimenti potrei essere occupato quando arrivano quelli con cui ho appuntamento. Ti pare?

Ponte cominciava a sudare.

– Certamente, commissa', figuratevi, – replicò incerto al calamaio appoggiato sulla scrivania. – Tenete ragione. Solo: come faccio io a sapere se sono le persone che state aspettando oppure no?

Ricciardi trattenne un feroce sorriso.

– Basta chiedere il nome. Io il nome di chi sto aspettando lo conosco, mentre non è detto che conosca il nome di chi non sto aspettando.

L'altro si passò una mano sugli occhi, come per scacciare un incipiente mal di testa, e domandò consiglio al fermacarte ricavato da una scheggia di granata.

– Allora glielo posso chiedere, no, commissa'? E ve lo dico, cosí voi capite chi sono. Va bene?

La voce della guardia si era fatta un po' piú stridula del solito. Se Maione fosse stato presente si sarebbe divertito molto.

– Ecco, bravo, Ponte. Complimenti per l'intuito, io non ci avrei mai pensato. Procedi cosí.

Il poliziotto corrugò la fronte, assalito dal sospetto che il superiore lo stesse prendendo in giro, poi disse al tavolino:

– Permettete, allora. Provvedo subito.

Dopo un attimo bussò di nuovo. Ricciardi, perfido, non gli rispose, costringendolo a riprovarci per ben due volte con forza crescente. Alla fine gli disse di entrare, e quello annunciò allo schienale delle sedie:

– La signora Irace e l'avvocato Capone, commissa'. Sono loro che aspettate?

Ricciardi sospirò, pensando ai vertici raggiungibili dall'imbecillità umana.

– Sí, Ponte, sono loro. Falli entrare, per piacere.

La donna che varcò la soglia dell'ufficio era molto diversa da quella che Ricciardi aveva conosciuto appena un paio d'ore prima; ma era una metamorfosi alla quale il commissario era abituato.

Era vestita di nero, con un abito lungo quasi fino alle caviglie e un cappellino con un leggero velo che le copriva gli occhi; le scarpe asciutte e le poche gocce sulle spalle del soprabito lasciavano intuire che era arrivata in auto. Il volto era composto, fermo in un'espressione impenetrabile che pareva scolpita nella pietra, ma il colorito terreo e gli occhi segnati tradivano la sofferenza.

La signora Irace aveva compreso di essere diventata vedova.

L'avvocato Capone si era vestito, sbarbato e sistemato con cura i capelli per nascondere la calvizie. Teneva in mano il cappello e appariva cupo. Il suo atteggiamento contrastava con la figura arrotondata e il viso grassoccio, ai quali sarebbe venuto normale associare una giovialità che l'uomo non sembrava invece possedere.

Invitati da Ricciardi, i due si accomodarono.

Fu Capone a parlare per primo.

– Commissario, sono stato all'ospedale dei Pellegrini. È lui. Mio cugino. Anzi, il marito di mia cugina, per essere precisi. Non ci sono dubbi.

– Lo avete riconosciuto voi? – domandò Ricciardi. – Voglio dire, siete andato da solo?

– Sí. Ho inteso risparmiare a Cettina questo strazio. Ma se voi ritenete necessario che...

– No, no. Sono d'accordo, se si può evitare è meglio.

Capone si passò una mano sul volto, lanciando un'occhiata alla donna, impassibile al suo fianco.

– Certo che... Insomma, non è stato facile nemmeno per me, devo ammettere. Uno cena allegramente con una persona, la saluta, dice buonanotte e... l'indomani se la ritrova ridotta in quel modo. Capirete, no? Io tratto cause civili, commerciali, affari: non mi succede spesso di trovarmi di fronte a... a cose simili.

Ricciardi rilevò che l'avvocato aveva perso tutta la sicurezza esibita in precedenza; adesso pareva piuttosto uno che avrebbe fatto volentieri a meno di trovarsi lí.

Si rivolse alla Irace.

– Signora, devo farvi alcune domande. Credetemi, comprendo benissimo il momento che state attraversando, ma è vitale che ricordiate con precisione tutti i particolari, anche quelli apparentemente senza importanza. Ve la sentite?

Lei alzò la testa scoprendo due profonde rughe agli angoli della bocca; Ricciardi rifletté che nulla cambia una fisionomia come un recente dolore.

– Vi ringrazio per la sensibilità, commissario. Se ho buona memoria, quando siete venuto a casa mia avete detto che per le indagini è importante avere presto un quadro completo degli avvenimenti. Quindi preferisco rispondere ora; poi, se dovesse venirmi in mente altro...

Capone l'interruppe, con dolcezza:

– Cetti', non ti devi stancare, però. Me l'hai promesso.

Lei gli indirizzò una breve occhiata e un sorriso tirato.

– Statti tranquillo, Guido. Ce la posso fare. Dite, commissario. Dite pure.

Ricciardi cominciò.

– D'accordo, allora. Avete accennato al fatto che vostro marito vi aveva avvertito che sarebbe uscito molto presto, stamattina. Sapete per quale motivo? E a che ora usciva, di solito?

La donna si passò una mano sulla guancia.

– Mio marito era un uomo molto metodico. Usciva verso le otto per andare a predisporre l'apertura del negozio, dove lo raggiungeva mio fratello minore, che è... che era suo socio. Stamattina, però, si era recato al porto per concludere l'acquisto di una grossa partita di pettinato in lana.

– E come mai cosí presto? – domandò Ricciardi. – Non poteva regolare l'affare piú tardi, magari presso il negozio?

La Irace negò col capo.

– No, no. Voleva anticipare le mosse della concorrenza. Le navi con la merce arrivano dall'Inghilterra o dalla Scozia, e chi si presenta per primo prende tutto. Se poi, come faceva sempre lui, si paga in contanti, si ottiene pure un prezzo migliore.

– Capisco. Quindi aveva con sé una grossa somma di denaro, giusto?

– Sí. Non so quanto, perché non mi occupo di queste cose. Ma certamente sí.

Ricciardi si sporse in avanti.

– Voi pensate che il motivo dell'aggressione sia stato un tentativo di rapina, quindi?

L'avvocato sbuffò.

– No che non lo pensiamo.

La donna emise un sospiro.

– In realtà non si può escludere. Lo hanno derubato?

Ricciardi appoggiò di nuovo la schiena alla poltrona.

– No, signora. La grossa somma è stata ritrovata, e appena il magistrato lo disporrà vi sarà restituita insieme con gli oggetti personali. Ma perché non avete pensato a una rapina? Un vicolo vicino al porto di mattina, cosí presto che praticamente era ancora scuro, tutti quei soldi addosso... Verrebbe naturale.

Capone intervenne:

– Non quando un uomo è stato appena minacciato di morte in pubblico, davanti a decine di persone.

Ricciardi era sorpreso.

– Davvero? Dove, e da chi?

La Irace aveva abbassato gli occhi. Disse:

– Ieri, prima di cenare a casa con Guido e mio fratello, Costantino e io siamo stati a teatro. A fine spettacolo c'è stato... Un uomo ha tentato di...

L'avvocato le posò con dolcezza una mano sul braccio.

– Posso, Cetti'? Se permetti ce lo dico io.

La donna annuí e quello riprese:

– Commissario, noi sappiamo benissimo chi è stato a uccidere mio cugino. Lo sappiamo perché l'assassino ha giurato che l'avrebbe fatto, e a quanto ho potuto vedere del cadavere, non ci sono dubbi. Negli ultimi giorni mia cugina è stata letteralmente perseguitata da quell'uomo, che due notti fa è andato addirittura sotto la finestra sua a cantare una serenata. Ed era ubriaco, come pure a teatro.

Ricciardi osservava i due cugini. Lei continuava a tenere gli occhi bassi e scuoteva piano la testa, come se volesse convincersi che era tutto un incubo. Capone invece si mordeva il labbro inferiore.

– E chi sarebbe, quest'uomo? Lo conoscete?

– Certo che sí. Lo conosciamo. E sappiamo che è capace di fare quello che certamente ha fatto.

– Sembrate molto sicuro.

Una specie di ghigno attraversò il volto dell'avvocato.

– Se c'era bisogno di una conferma, ce l'avete data voi quando avete detto che mio cugino non è stato rapinato. Quando avete detto che non gli hanno tolto i soldi.

Ricciardi uní la punta della dita.

– Volete dirmi il nome di questa persona?

Capone si voltò verso la cugina, in attesa.

La donna rimase zitta, come non avvedendosi che ci si aspettava fosse lei a rispondere.

Poi alzò la testa e, con un tono aspro e deciso, disse:

– Si chiama Sannino. Vincenzo Sannino.

Ricciardi era sorpreso. Perfino lui aveva sentito quel nome.

In tono sommesso, l'avvocato aggiunse:

– Sí, lui. Proprio lui. Il pugile vigliacco.

E finalmente Cettina Irace cominciò a piangere.

XVI.

Vinnie sentiva il respiro pulsargli nelle orecchie, accentuando il dolore, e rifletteva su quanto potessero essere brevi quindici anni.

Socchiuse gli occhi, passando in rassegna le singole fitte, urla attraverso le quali il suo corpo reclamava attenzione, riposo, tregua.

La caviglia, una storia vecchia. Risaliva all'inizio, quando era rimasto in piedi, cercando l'equilibrio sull'altro piede, dopo una slogatura che rischiava di fregarlo con Rhomer. Sebbene fosse appena un diciottenne, aveva già imparato che quella lotta di sangue e saliva, di sudore e pugni, era in realtà, innanzitutto, una partita a scacchi in attesa di un errore. E l'errore dell'avversario era arrivato, puntuale, al decimo round. Vedendolo zoppicare il tedesco si era sentito tranquillo e si era scoperto dal lato sbagliato. Bum. A terra, tedesco. Dormi bene. Ma il fastidio alla caviglia era rimasto, sottile, a rammentargli il valore della pazienza.

Anche il polso destro era un ricordo del passato: Van Bistrooy. Aveva vent'anni. Se l'era rotto alla terza ripresa ed era dovuto arrivare fino alla dodicesima, colpendo e difendendosi con una mano sola; con l'altra, al massimo, poteva fare delle finte. Si era ritrovato a combattere, oltre che contro l'avversario, con la sensazione di svenire ogni volta che il sinistro d'incontro del monumentale olandese lo toccava, inconsapevole, dal lato della frattura: tante *palummelle* davanti agli occhi e il tappeto che diventava un invitante, accogliente posto dove chiudere gli occhi e mettersi a sognare. Invece aveva vinto ancora, con il suo meraviglioso gancio sinistro che era diventato leggenda. La finta era servita. Van Bistrooy aveva abboccato.

Gli altri dolori erano piú recenti. Col tempo aveva appreso a schivare, evitare, differire e dissimulare. Adesso, per fargli male, ci voleva un avversario bravo, molto bravo.

Non ce n'erano poi tanti, in definitiva, ma quei pochi bisognava studiarli per bene. Jack su questo punto era categorico: Vinnie possedeva il colpo del k.o., però era anche fra i piú leggeri della categoria. Era veloce ma, se lo chiudevano nell'angolo, a lungo andare cedeva. Doveva uscirne per forza e riprendere a danzare sulle punte come una maledetta ballerina.

Jack, Jack, pensò Vinnie seduto sul suo sgabello, le braccia appoggiate alle corde, la spugna intrisa d'acqua che lo svegliava, il respiro che si andava calmando, cosa sarebbe successo se quella sera tu non mi avessi messo a fare il manichino sul ring?

Negli anni aveva imparato a gustarsi quel momento in cui, mentre attorno succedeva il finimondo, lui si allontanava per qualche secondo con la testa. Per chissà quale strano motivo la concentrazione, il dolore, la stanchezza gli consentivano di lasciare il proprio corpo e il luogo della sfida e di partire per una dimensione intima e assoluta, fuori dal tempo e dallo spazio. L'attimo si dilatava diventando infinito e lui poteva pensare a sé stesso e alla vita come non riusciva a fare altrove.

Il rumore era fortissimo, martellante e indistinto. I suoi occhi corsero sul consueto panorama: la folla rombante, la concitazione dei cronisti che sembravano non riprendere mai fiato mentre urlavano nei microfoni, gli scommettitori che rettificavano le previsioni, i giornalisti che prendevano freneticamente appunti continuando a fumare. L'avversario nell'angolo opposto, lucido di sudore e nero come l'inferno, un occhio semichiuso e l'altro fiammeggiante, la bocca aperta a ingoiare aria mentre il suo allenatore lo incoraggiava urlando.

Niente. Non c'era niente che contasse.

Niente.

Sentiva Jack armeggiare col suo bicipite sinistro. Come se lustrasse un'arma in trincea prima dell'assalto. Non avevano bisogno di parlare, lui e Jack. La strategia la concordavano prima, durante il lungo processo di fasciatura delle mani. Dopo non c'era nessun incoraggiamento. Nessuno sguardo perduto nel vuoto.

Che cosa era successo, in quei quindici anni? Nulla. Tutto si era mosso su un piano inclinato, tutto era venuto in conseguenza alla sera in cui il ragazzo delle pulizie era salito sul quadrato. Il passo vero, quello non scontato, quello su cui nessuno, neppure lui, avrebbe puntato un centesimo di dollaro, era stato proprio l'essere chiamato a fare il manichino perché Starkevic, il russo su cui Jack riponeva speranze assurde e che ora forse faceva il buttafuori in qualche bar sulla Ventisettesima, imparasse a stare in guardia. Il resto era stato facile.

Perché, pensò in una frazione di secondo l'uomo che era stato Vincenzo, il ragazzo che aveva nuotato per riprendersi il proprio futuro, e che ora era Vinnie «The Snake» Sannino, campione del mondo dei pesi mediomassimi, a lui la boxe veniva naturale. Come respirare. Come mangiare e bere.

Come sognare Cettina.

Un match dopo l'altro. La palestra. Il quartiere. La città. Lo Stato. Il Paese. Il continente. Tutti giú come birilli al bowling; ognuno con un punto debole da sfruttare al momento giusto. Lui, The Snake, il Serpente, scattava e colpiva non appena trovava lo spiraglio. E lo spiraglio, prima o poi, si apriva sempre.

Però, siccome il Serpente era in parte anche Vincenzo, ancora, non c'era stato mai un giorno in cui avesse smesso di pensare che sarebbe tornato a casa. E i tempi erano quasi maturi. Lo aveva detto tante volte, a Jack, che lo avrebbe portato in cima, ma che dopo aveva altri progetti. E ogni volta l'allenatore lo guardava strano. Sotto sotto, Vinnie ne era convinto, non ci credeva. Quando mai un campione del mondo molla tutto cosí? Quando mai un campione del mondo si ritira per andare a fare il commerciante con la pancia, il gilet e le dita nelle tasche?

Invece, per Vincenzo, il periodo da quando era partito a quando sarebbe tornato era solo un intervallo. Da non prolungare nemmeno di un attimo, funzionale soltanto a mettere da parte i soldi che gli occorrevano per comprare il negozio del padre di Cettina e regalarlo a lei. Che sarebbe diventata sua moglie.

Certo, da anni le lettere che le spediva non ricevevano piú risposta. Era naturale che fosse arrabbiata con lui per il prolungarsi della sua assenza. Ma non aveva dubbi che lo stesse aspettando. Che passata la sorpresa avrebbe riso, con quella risata meravigliosa che apriva il cuore e lo illuminava, e gli sarebbe corsa incontro felice.

Si era fatto un po' di calcoli: per accumulare quanto gli serviva avrebbe dovuto difendere il titolo almeno tre volte.

Quella era la prima.

Incrociò gli occhi di Penny, come sempre in seconda fila. Ricordò quando aveva iniziato ad accompagnarlo. Era andata a intervistarlo, poi se l'era ritrovata sotto casa, poi in palestra, poi nel suo appartamento, infine nel letto. Gliel'aveva detto subito che era innamorato di un'altra, che sua moglie, la madre dei suoi figli, sarebbe stata Cettina, che Cettina si sarebbe occupata di preparargli da mangiare e di curarlo, e che lui avrebbe curato Cettina. Che era come se fosse già sposato, perché quando era Vincenzo e non Vinnie The Snake, prima della nuotata nel freddo mare straniero, prima di arrivare stremato su quella riva di sterpaglie e rifiuti, aveva giurato alla sua Cettina che sarebbe tornato da lei. Penny aveva sorriso, si era stretta nelle spalle e aveva risposto: va bene. Cosí lui e Jack l'avevano assunta, perché una brava giornalista poteva servire; era lei che parlava al telefono con i tanti che li contattavano, lei che teneva la corrispondenza con gli ammiratori del grande pugile italiano.

Anche in patria, gli avevano raccontato, era diventato famoso. Il modello del maschio forte, invincibile e sorridente. Chissà se Cettina aveva visto qualche sua fotografia sui giornali, di quelle che gli facevano con i guantoni e in guardia, la faccia cattiva.

Eppure, pensava Vinnie mentre aspettava di cominciare la ripresa che avrebbe messo fine all'incontro, lui non era né un maschio invincibile né tantomeno uno con la faccia cattiva. Lui voleva solo guadagnare i soldi sufficienti a riprendersi la sua vita. Altri due incontri, Cetti', al massimo tre. Poi arrivo.

Il gong suonò e Vinnie si alzò leggero. Jack annuí. Avevano concordato di lavorare l'avversario ai fianchi, colpendolo solo ogni tanto al volto, ma piano, per rallentarlo nei movimenti. Rose, si chiamava quel negro. Un mancino. Enorme, forte e svelto, ma non molto furbo; con il nome di un fiore. Be', caro Rose, Vinnie The Snake sta per darti il suo morso letale.

Sesta ripresa. Jack aveva calcolato che a quel punto il negro sarebbe stato stanco e avrebbe provato a chiuderla.

Ecco il jab destro che avevamo previsto, Jack. Ed ecco il mio colpo d'incontro, un destro al plesso solare portato con uno spostamento in diagonale sulla gamba sinistra; una piccola fitta alla caviglia, tutto bene, sono i ricordi che vengono a galla.

Combinazione a due mani: ci siamo.

Un gancio sinistro corto, al fegato. Il negro si inclina, diventa sghembo e abbassa le braccia scoprendo la faccia.

È il momento.

Un montante destro alla mascella. L'occhio aperto diventa vacuo, i lineamenti si rilassano. È andato, urla Jack dall'angolo. È andato.

Ma il Serpente deve dare il colpo finale. Deve mettere la sua firma. Il negro si sta afflosciando sulle ginocchia, è finito, il fiore è stato reciso, però il gancio sinistro parte lo stesso. Le combinazioni aperte vanno chiuse. Poi non si sa mai, magari si rialza e mi costringe ad altre quattro, cinque riprese dall'esito imprevedibile. Meglio essere sicuri. Meglio un ultimo pugno.

Sulla tempia, secco, forte.

Il negro cade. L'arbitro nemmeno conta, si volta verso l'angolo di Rose e fa cenno al medico di salire.

Vinnie alza le braccia, la folla urla, i radiocronisti urlano, i giornalisti urlano. Jack, dove sei, Jack? Perché non mi abbracci? Un incontro in meno, Cetti', sto venendo da te.

Tutti guardano l'avversario a terra.

Era l'ultimo colpo.

Quello di sicurezza, no? Quello che serve a stare tranquilli.

L'ultimo colpo.

La mia firma.

XVII.

Neanche mezz'ora dopo che la Irace e l'avvocato Capone erano andati via, Ricciardi sentí bussare alla porta dell'ufficio. Dallo spiraglio spuntò la testa di Maione.

– Che faccio, commissa', ve lo porto un poco di caffè?

– Raffaele, perché sei qua? Ti avevo dato un ordine.

Maione sorrise, furbo.

– Commissa', voi mi avete ordinato di andare a casa, non di rimanerci. Io ci sono andato, mi sono lavato, mi sono fatto la barba e sono tornato di corsa. Per carità, quella pare un ospedale, casa mia. I bambini che piagnucolano, Lucia e le figlie piú grandi che corrono da un letto all'altro: credetemi, sto meglio qua. E poi il pensiero di quel poveretto morto a terra non se ne andava dalla testa. Che è successo nel frattempo?

Ricciardi lo informò in merito al colloquio che aveva avuto con la vedova e il cugino. Maione ascoltò, assorto, infine mormorò:

– Sannino. La faccenda si fa seria. Voi lo sapete chi è, vero, commissa'?

La risposta di Ricciardi fu un po' incerta.

– Mi pare sia un pugile, no? Uno bravo, un campione. Ne ho letto da qualche parte. E ricordo che una volta trasmettevano una cronaca con gli altoparlanti a largo Carità; c'era un sacco di gente. Credevo stesse in America, però.

Maione alzò gli occhi al soffitto, sconsolato.

– Ho capito, è meglio che vi ragguaglio un poco. Sannino è di qui. È emigrato in America anni fa ed è diventato campione del mondo, categoria mediomassimi; non ha mai perso. Lo chiamano il Serpente, perché colpisce all'improvviso, proprio come quei rettili velenosi, avete presente? Non vi dico il regime: il maschio italiano invincibile, la forza latina... Lo hanno trasformato in una specie di ambasciatore sportivo. Ne ha parlato pure il duce: un esempio per tutti eccetera. Poi, un anno fa piú o meno, doveva difendere il titolo contro un negro. Lo ha mandato al tappeto con un colpo alla tempia e quello, non ricordo come si chiamava, non si è svegliato piú. Dopo un mese è morto.

Ricciardi si era fatto attento.

– Be', è stato durante l'incontro. Un incidente, insomma. Succede, nel pugilato.

Maione assentí.

– Sí, commissa'. Però da allora Sannino ha smesso di combattere. È rimasto, come vi devo dire?, impressionato assai. E da eroe è diventato una specie di vergogna nazionale. Ma come?, ha detto Mussolini o chi per lui: tu vinci, sei fortissimo, sei tanto forte che addirittura ammazzi un avversario, che peraltro è solo un negro, e voi sapete come la pensano questi, e ti ritiri? Allora sei un vigliacco, sei. Cosí è andato in disgrazia.

– Continuo a non comprendere. Va bene, non ha combattuto piú, ha fatto questa scelta. Ma perché se ne discute ancora?

– Se ne discute perché la gente è divisa, commissa'. Ci sta chi dice che ha fatto bene e chi dice che se ne doveva fregare e continuare a combattere, magari ammazzando altri avversari. Lo sapete come funziona la pubblica opinione, no? Ma la cosa rilevante, per noi, è che Sannino è tornato piú o meno da una decina di giorni. La notizia è uscita su tutti i giornali.

Ricciardi rifletteva.

– Be', a quanto pare il pugile che non è piú un pugile si è messo a cantare serenate e ha minacciato di morte Irace. Dobbiamo scoprire perché.

– Quindi andiamo a prendere Sannino e lo interroghiamo, commissa'? – domandò Maione.

– Non subito, Raffaele. Procediamo per gradi. Prima raccogliamo maggiori informazioni sull'affare che ha portato la vittima nella zona del porto di mattina presto. Voglio capire come funziona questo mestiere del commerciante di tessuti e voglio vedere il negozio. Facciamo una chiacchierata con chi lavorava con lui. E appena possibile sentiamo che ci dice il dottore dell'esame sul cadavere.

La popolazione della città non teneva in gran conto, almeno per quanto riguardava le strade piú note, la toponomastica ufficiale. Una volta che aveva battezzato una via con un nome, si rifiutava di riconoscergliene un altro, anche se attribuito dopo pompose cerimonie con scoperture di targhe e concerti di bande. Ragion per cui corso Umberto I, la lunga via che correva parallela al mare, un po' all'interno, legando i grandi palazzi del centro alla stazione dei treni, era per tutti il Rettifilo, e cosí si sarebbe chiamata per sempre, re o non re.

Una specie di piccola, beffarda resistenza alle imposizioni dei tanti dominatori che si erano susseguiti.

Il premiato negozio di tessuti Irace & Taliercio era collocato in un'ottima posizione, nella parte iniziale dell'arteria, quasi di fronte alla sede dell'Università. Aveva un bell'ingresso e tre ampie vetrine, davanti alle quali ogni giorno si soffermavano coppie e signore incantate dalle morbide stoffe esposte con maestria.

Dato ciò che era accaduto, Ricciardi e Maione si aspettavano che l'esercizio fosse stato chiuso in tutta fretta; erano convinti che, nel migliore dei casi, per parlare con un commesso avrebbero dovuto bussare alla serranda, magari abbassata a metà. Invece era aperto, e per di piú preso d'assalto da una piccola folla che sperava di carpire informazioni in merito all'assassinio.

Il brigadiere si fece strada, sfruttando la divisa. La gente lo lasciò passare, ma nessuno se ne andò: la curiosità era forte. All'interno, dietro al lungo banco, c'erano quattro persone, due uomini e due donne. Uno degli uomini si avvicinò, pallido e visibilmente agitato. Sia Ricciardi sia Maione notarono che somigliava alla vedova Irace.

Si presentò.

– Buongiorno. Sono Michelangelo Taliercio, proprietario del negozio.

Maione si toccò la visiera del berretto.

– Brigadiere Maione, della questura. Questo è il commissario Ricciardi, il mio superiore.

Scese il silenzio. Ricciardi disse:

– Credevo che il proprietario fosse il signor Irace.

Maione gli lanciò una mezza occhiata sorpresa: a volte il commissario esagerava con la durezza.

Taliercio arrossí, poi rispose:

– Siamo soci. O meglio… lo eravamo.

Ricciardi annuí.

– Già. Ci aspettavamo di trovare il negozio chiuso, abbiamo solo provato a passare.

– In genere era Costantino ad aprire, ma oggi aveva una commissione da fare, perciò sono venuto io. Quando è arrivata la notizia stavamo già tutti qua, ed è stata subito una processione di clienti che volevano sapere. Non abbiamo piú potuto andarcene.

Il commissario si guardò attorno; ad assistere alla conversazione c'era un vero e proprio pubblico, come a uno spettacolo di prosa.

– Non c'è un posto dove possiamo parlare in privato?

L'uomo seguí lo sguardo di Ricciardi e rispose:

– Sí, certo. Prego, accomodatevi.

Guidò i poliziotti in un ufficio sul retro, al quale si accedeva da una porta tra due scaffali alle spalle del bancone. All'interno c'era una scrivania con il piano ingombro di ritagli di stoffa, registri e libri contabili, fatture e documenti, oltre a forbici e aghi di ogni misura.

Taliercio cercò goffamente di mettere un po' d'ordine.

– Scusate, commissario. Non ci aspettavamo visite, stamattina. Non ci aspettavamo proprio niente, per la verità.

Maione lo squadrò. Non poteva avere piú di trent'anni, anche se mal portati. Il volto era segnato dalle rughe, aveva le occhiaie, i capelli erano pettinati all'indietro con la brillantina. Indossava una giacca sportiva marrone con la martingala e un paio di pantaloni di una tinta appena piú chiara. La camicia aveva il colletto inamidato, che però sembrava un po' sgualcito, sotto la cravatta larga, a righe, fermata da una spilla d'oro.

Il brigadiere domandò:

– Come vi è arrivata la notizia?

– Un'ora fa è venuto il figlio del portiere di mia sorella. Sarei corso subito da lei, ma vedete quanta gente c'è, non era pensabile lasciare il negozio in mano ai commessi. Per carità, è gente fidata, ma potete immaginare: se uno si allontana, in questa situazione, qua è tutto un piglia piglia.

Taliercio, rifletté Ricciardi, era uno di quegli uomini che pensano ad alta voce.

– Prima avete accennato al fatto che vostro cognato aveva un impegno, stamattina. Avete idea di che cosa si trattasse?

– Sicuro, commissario. Costantino doveva andare al porto per incontrare un mediatore con cui abbiamo trattato una partita di pettinato di lana, un acquisto piuttosto grosso.

– Sí, vostra sorella ci ha anticipato qualcosa, ma vorremmo avere maggiori dettagli.

Taliercio sospirò.

– Cettina sarà straziata. La vita non è stata generosa, con lei. Ditemi, comunque. Che volete sapere, esattamente?

– Quando avete visto vostro cognato per l'ultima volta?

– Ieri sera. Sono stato a cena a casa sua.

– Avete parlato di quello che doveva fare? Era nervoso o...

Taliercio scosse il capo, con un sorriso triste.

– Mio cognato? Come si vede che non lo conoscevate. Lui è... era uno spavaldo, non teneva paura di niente e di nessuno. E l'accordo che doveva siglare stamattina era importantissimo. Ci avrebbe messo a posto per almeno due stagioni invernali a un prezzo bassissimo. Avremmo spazzato via la concorrenza. Lui pensava a questo. Figuriamoci se era spaventato.

Maione tossicchiò.

– E però ci hanno detto che proprio ieri, a teatro, aveva ricevuto delle minacce.

Taliercio indurí l'espressione.

– Sí, me l'hanno raccontato. E sapevo già del ritorno di quell'infame di Sannino. Ma Costantino si è fatto una risata, diceva che se se lo ritrovava davanti ai piedi lo pigliava a calci.

Ricciardi intervenne.

– Eppure sono volate parole grosse, e in pubblico. Vostro cugino ci ha raccontato che...

Taliercio fece una smorfia.

– Mio cugino ha sempre paura di qualcosa o di qualcuno. È un avvocato, non per nulla. E ci tiene assai a me e mia sorella, siamo cresciuti insieme. Ma mio cognato non era preoccupato di Sannino, ve lo posso garantire. Diceva che era pure ubriaco e a stento si manteneva in piedi. Mia sorella mi ha anche raccontato della serenata, la notte prima. A voi ve l'ha detto? E chi si mette a cantare una serenata, al giorno d'oggi? Costantino se la rideva.

Ricciardi scambiò uno sguardo con Maione.

– Torniamo all'affare per cui era andato al porto.

Taliercio si concentrò.

– Eravamo venuti a sapere di questo lotto di merce, roba di altissima qualità che arriva dalla Scozia. In genere ci si accorda con la gente del posto prima ancora delle tosature; ognuno tiene i suoi fornitori e le quote di mercato sono pressoché fisse. Ma questa è una produzione nuova, che per entrare sulle piazze propone prezzi piú bassi. Abbiamo incontrato il mediatore, l'uomo che la rappresenta in Italia, e lo abbiamo convinto a cederci centocinquanta pezze. Costantino andava a chiudere per evitare intromissioni dell'ultimo minuto.

Maione aveva tirato fuori un taccuino.

– Chi è questo mediatore? Dove lo troviamo?

– Martuscelli, si chiama. Martuscelli Nicola. Ha l'ufficio vicino al molo quindici.

Ricciardi chiese:

– Ed è normale che ci si vada portandosi dietro tanto contante? A quell'ora di mattina non è prudente girare con certe somme addosso.

– Di solito si regola tutto attraverso una banca, quando si formalizza il contratto. Anche perché la mediazione viene pagata direttamente, mentre il resto dei soldi va al produttore all'estero. Ma ve l'ho detto, questa era una transazione particolare: bisognava agire in fretta. Costantino era determinato, e lavorava a modo suo. Io gli avevo proposto di accompagnarlo, però non ha voluto. Ha detto che il negozio doveva aprire come sempre, altrimenti i concorrenti avrebbero intuito che c'era qualcosa in ballo. Non potete immaginare: il commercio è una battaglia.

Maione era meravigliato.

– Addirittura? E quale concorrente vi tiene cosí d'occhio da accorgersi se aprite in ritardo?

Taliercio indicò verso la porta, come se fuori ci fosse qualcuno a origliare.

– Ci sta un esercizio grande poco piú in là, sempre sul Rettifilo: Merolla. Prima lavorava piú di noi, poi ci siamo messi davanti a lui, e con questa merce che abbiamo preso forse lo costringeremo a chiudere. State sicuro, brigadie', ci tengono d'occhio eccome.

Ricciardi domandò:

– Avete cominciato insieme, voi e vostro cognato?

– No, no. Il negozio l'ha aperto mio nonno, quasi cinquant'anni fa. È della mia famiglia da allora; nel campo è uno dei piú vecchi, qui. Costantino trattava frutta e ortaggi all'ingrosso. Solo che dodici anni fa mio padre è morto all'improvviso, e in conseguenza di questa disgrazia abbiamo avuto grosse difficoltà. Io ero troppo giovane, e c'era Merolla che faceva prezzi piú bassi. Mio cognato era interessato ed è entrato nella società quando ha sposato mia sorella. Coi metodi suoi ci siamo rimessi a posto e siamo tornati a essere la prima rivendita di tessuti della città.

– Insomma, il signor Irace ha portato capitali e intraprendenza. È corretto?

Taliercio confermò.

– Sí. E io la conoscenza del settore e la fiducia costruita in tanti anni di attività. Eravamo perfetti, insieme.

– Non siete mai entrati in contrasto?

– Noi due? No, mai. Avevamo compiti diversi. Ognuno aveva il proprio spazio e l'altro non si permetteva di invaderlo. Lui seguiva i conti e i fornitori, io le vendite e i clienti. Ve lo ripeto, eravamo perfetti.

Il commissario sembrava seguire il flusso di altri pensieri.

– Prima avete detto che vostra sorella ha avuto una vita difficile. Perché?

Taliercio rivolse lo sguardo alla parete.

– Sono cose sue personali, commissario. Non so se...

Maione lo interruppe:

– Taliercio, qui stiamo indagando su un omicidio.

L'uomo lo fissò con aria mortificata.

– Avete ragione... scusatemi. Vedete, mia sorella non ha avuto figli, e ne desiderava tanti fin da piccola. Si era sposata con mio cognato per salvare il negozio, anche se poi gli si era legata assai: gli voleva davvero bene. Ma... da ragazza ha sofferto molto. Era innamorata, e la persona che amava l'aveva lasciata. Ricordo che quando successe smise di mangiare e di dormire; eravamo sicuri che sarebbe morta, mio cugino e io. Poi, un poco alla volta, si è ripresa. E adesso... È una donna molto fragile. Speriamo che non si lasci andare.

I due poliziotti tacquero un istante, come per mettere ordine nei pensieri. Poi il commissario disse:

– Vi viene in mente qualcuno, nel giro dei tessuti, che potesse volere la morte di vostro cognato?

Taliercio scosse vigorosamente il capo.

– Scherzate, commissario? Mio cognato aveva un carattere forte, e un modo di portare avanti gli affari abbastanza, come dire, impetuoso. Ma era un uomo corretto e leale, tutto quello che faceva era alla luce del sole.

– E la concorrenza? – intervenne Maione. – Questo negozio che forse avrebbe chiuso...

Taliercio corrugò la fronte, come se le parole del brigadiere lo avessero scosso.

– Voi dite che... No, no. Non scherziamo, brigadie'. Stiamo parlando di un assassinio. Non sarebbero mai arrivati a tanto. Non ci voglio nemmeno pensare.

Ricciardi pareva soddisfatto.

– Va bene, signor Taliercio. Per ora basta cosí. Se avremo bisogno di altre informazioni, vi cercheremo.

Quello assunse un'aria imbarazzata.

– Commissario... scusatemi... non vorrei sembrarvi troppo materiale, in un momento del genere, ma quando potremo disporre della somma che mio cognato... dei soldi che aveva indosso? Era un importo elevato, e l'azienda deve concludere quell'affare assolutamente.

Maione si fece diffidente.

– E voi come lo sapete che vostro cognato non è stato rapinato?

L'uomo lo guardò sorpreso.

– Altrimenti prima non avreste parlato del denaro che aveva addosso. Poi ho sentito mia sorella al telefono, ovviamente, e mi ha detto che non c'erano segni che fosse stata una rapina. D'altra parte si sa chi è stato, no? Almeno, noi ne siamo certi. Costantino non aveva nemici escludendo...

Ricciardi lo incalzò.

– Andate avanti.

Taliercio fece scorrere uno sguardo meravigliato sui due poliziotti.

– Ma Sannino, no? Credevo che fosse chiaro per tutti. È stato Sannino ad ammazzare mio cognato.

Mentre rientravano in questura Maione disse al commissario:

– Insomma, a quanto pare il tribunale già si è pronunciato. L'assassino è il pugile.

Ricciardi camminava in silenzio, le mani nelle tasche del soprabito, incurante della pioggerellina fitta.

– E magari, invece, alle sei di mattina il campione se ne stava al calduccio nel suo letto a smaltire il vino. A questo punto, però, bisogna sentirlo. Vedi dove abita, sarà in un albergo, immagino. Però scopriamo qualcosa pure sul negozio concorrente, Merolla. Se la riuscita dell'affare li metteva in difficoltà, i titolari avevano tutto l'interesse a impedirlo.

– Sí, commissa'. E pure la pista della mancata rapina, interrotta per l'arrivo di qualche passante, non va trascurata. Dovremo parlare con il mediatore al porto. Anche per confermare le notizie di Taliercio.

– Giusto. Ma tu te la senti? Hai un colorito terreo.

Maione sbuffò.

– Commissa', credetemi, per come stanno le cose a casa mia, il lavoro è una vacanza. Se solo la smettesse di piovere...

Ricciardi alzò la testa verso il cielo.

– Dalle parti mie, in montagna, questa è una giornata di sole. Su, andiamo. Diamoci da fare.

XVIII.

Lo spirito di Rosa osservava Nelide che, in piedi sul balconcino con le mani sui fianchi, annusava l'aria dell'autunno.

A essere precisi, dire che osservava non è proprio esatto. Rosa era presente, appunto, in spirito, e si sa che gli spiriti non hanno occhi per osservare né naso per odorare. Ma la donna, pur essendo ormai defunta da alcuni mesi, non accennava a lasciare l'appartamento di Ricciardi, che aveva governato con dedizione assoluta e maniacale per tanti anni.

Non sapeva quanto sarebbe durata ancora quella specie di concessione che le permetteva di rimanere in un ambiente noto e caro, né se fosse cosí per ogni anima trapassata, e nemmeno se il motivo di tale prolungamento delle percezioni fosse proprio Nelide, la nipote che tanto le assomigliava. In effetti, era lei il suo tramite con la realtà. Non ne leggeva i pensieri, ma, come in quel momento, ne coglieva le sensazioni e le reazioni.

Con Nelide, Rosa avvertí una punta di nostalgia di casa. In montagna, pensava la ragazza, questa è una bella giornata. Una stagione se ne va e un'altra arriva. Com'è sempre stato. Com'è giusto.

Una delle cose a cui era piú difficile abituarsi, Rosa lo ricordava bene, era la diversità del clima. Le brezze determinate dall'immensa massa d'acqua che incombeva di fronte alla città, il vento caldo fuori stagione che arrivava da lontano carico di sabbia e di umori e macchiava le lenzuola stese, l'aria tiepida che spettinava i pensieri come se fossero capelli lunghi e sciolti; stranezze per una donna di montagna avvezza alla semplice alternanza di aria fredda e calda.

Nelide rientrò, rapida e decisa. Si strofinò le mani nel grembiule, guardandosi attorno. Ogni cosa era in ordine, perfettamente pulita. Rosa colse la soddisfazione della nipote e ne fu contenta. Quando l'aveva individuata quale sua erede nella cura del signorino, come lei chiamava Ricciardi, la giovane, figlia del fratello, aveva appena dieci anni, ma era già forte e testarda, instancabile, con un senso del dovere indefettibile, e per giunta diffidente, di poche parole e senza grilli per la testa. La persona ideale per prendere il suo posto.

Quel ruolo, a Rosa era ben chiaro, presentava delle complessità. Il barone di Malomonte non possedeva alcun senso pratico: era cosí privo d'interesse verso l'amministrazione dei propri beni che, fosse stato per lui, fittavoli e coloni lo avrebbero spogliato. A evitare che ciò accadesse ci aveva pensato Rosa, e ora era il turno di Nelide, che a meno di diciott'anni dimostrava la stessa autorevolezza della zia nel mettere in riga tutti. Sí, le aveva insegnato bene.

La ragazza cominciò a disporre sul tavolo di marmo della cucina il necessario per la cena. Rosa seguí la scelta degli ingredienti, cercando di intuire di che si trattasse. Olio d'oliva, preso dalla damigiana, peperoncino, aglio, sale, fagioli secchi e finocchietto, che giungevano dai poderi alla dispensa di Ricciardi tramite un carretto a due cavalli, secondo l'uso antico; due giorni di viaggio una volta a stagione.

La minestra selvatica, comprese Rosa. E la cicoria, il cardo e la bietola? Quelli si devono prendere freschi.

Nelide annuí decisa, come in risposta. Andò nella sua stanzetta, indossò il soprabito, sostituí le ampie ciabatte con un paio di scarpe e si apprestò a uscire.

Era brutta, Nelide. Sgraziata, tozza, alta quanto larga, con i lineamenti irregolari resi piú duri da un'espressione sempre arcigna. Gli occhi, piccoli e mobilissimi, erano sormontati da un largo monociglio; sul volto, in particolare sopra il labbro superiore, aveva una peluria diffusa; i capelli erano spessi e crespi a tal punto che faticava a raccoglierli.

Passò davanti allo specchio vicino alla porta d'ingresso senza degnarlo di uno sguardo; bene, sorrise tra sé lo spirito di Rosa, cosí dev'essere una brava cilentana. Scese le scale con passo pesante, facendo attenzione agli scalini sconnessi. La portinaia la salutò con un cenno del capo, al quale lei non rispose se non con una fredda occhiata; ben fatto, pensò Rosa, non dare confidenza a quella pettegola. Affrontò la pioggia sottile con noncuranza; aveva cappello e soprabito, piú di quanto le servisse, abituata com'era al nevischio che in certi giorni, forse anche in quel momento, cadeva su Fortino, il paese dal quale proveniva.

Nel breve periodo che aveva avuto per istruirla sulla geografia del quartiere, Rosa le aveva dato alcune indicazioni. Per esempio le aveva spiegato che il negozio di frutta e ortaggi affacciato sulla via caricava sui clienti gli oneri del mantenimento del locale, perciò non conveniva acquistare lí. Meglio servirsi dagli ambulanti, avevano prezzi piú bassi e merce piú fresca, che si procuravano direttamente dai contadini in provincia.

Quel giorno, per via del tempo, i banchi erano solo una mezza dozzina, ammassati in una rientranza della strada, una specie di vicolo cieco che offriva un po' di riparo. C'erano la venditrice di ricotta, con una capretta legata a una corda; un ragazzo con tre cassette di pesce fresco, un pizzaiolo con il *furno*, il recipiente di metallo in cui teneva al caldo le sue delizie; ben due caldarrostai, un ragazzino e un vecchietto che si guardavano in cagnesco e facevano a gara a chi gridava piú forte per richiamare i clienti; e infine due banchetti di frutta e verdura posti alle estremità opposte del piccolo mercato.

Davanti al primo stazionava un assembramento di massaie e ragazze che ridevano e si davano di gomito, ascoltando una bella voce baritonale intenta a chiedere in rima a una certa Mariú di parlargli d'amore. Nelide non rallentò nemmeno e si avviò verso l'altro verduraio, un panciuto signore che sonnecchiava col berretto sugli occhi davanti alla merce.

La bella voce baritonale, intravedendola passare, s'interruppe, con gran disappunto del suo pubblico, ed esclamò:

– Signori', buongiorno! E dove ve ne andate senza nemmeno fermarvi a salutare?

Le femmine assiepate si voltarono tutte insieme per scoprire a chi fossero indirizzate quelle parole, e trovandosi davanti Nelide, ebbero un moto di sorpresa.

Una disse:

– Uh, madonna santa, e chi è, mia zia Agata?

La battuta scatenò l'ilarità generale, ma la giovane non si scompose e tirò dritta. Allora la voce baritonale si fece largo nel gruppo di adoranti ascoltatrici, rivelando il bel viso bruno, i capelli ricci e i grandi occhi neri di Tanino, detto 'o Sarracino, principe degli ambulanti e sogno inconfessato di ogni ragazza nubile, e di gran parte delle donne sposate, del quartiere. Nelide rappresentava l'unica macchia nella sua altrimenti impeccabile carriera di seduttore: era gravissimo che ostentasse nei suoi confronti un disinteresse effettivo e non strategico.

Con tono vagamente offeso, insistette:

– Signori', dico a voi. Non mi avete sentito?

L'altra gli concesse un breve sguardo truce e rispose:

– Tengo che fare, non posso perdere tempo.

Tanino raddrizzò il busto.

– E che, si perde tempo con un sorriso?

Una delle presenti si rivolse all'amica che le stava accanto:

– Quella se sorride ti ammazza.

E di nuovo si alzò una risata. Nelide non parve neanche accorgersene, e a mezza voce, come tra sé e sé, disse:

– *'U munno è spartuto a metà: na metà va a fateà e nata metà passa o tiempo a te jurecà.*

Tanino sbatté le palpebre, non avendo compreso una sola sillaba. Lo spirito di Rosa, invece, annuí soddisfatto; sua nipote parlava per proverbi cilentani, e quello che aveva appena pronunciato significava: il mondo è diviso a metà, una parte va a lavorare, l'altra passa il tempo a giudicarti.

La ragazza che poco prima aveva avanzato insinuazioni sulla pericolosità del sorriso di Nelide diede di nuovo di gomito alla vicina.

– Hai sentito, Luise'? Una formula magica. È proprio una strega!

Anticipando altre risate, Tanino si voltò verso di lei e le disse:

– Mari', ma non tieni niente da fare, stamattina? La frutta te l'ho data, mo' te ne puoi tornare a faticare dalla signora tua. Sciò. Buona giornata.

Lei, che era molto carina e riteneva di essere tra le favorite del bel verduraio, arrossí offesa. Poi scoccò un'occhiataccia all'inaspettata rivale, che non la degnò di risposta, girò sui tacchi e se ne andò. Una dopo l'altra le donne si dispersero, capendo che il divertimento era finito.

Tanino, a quel punto, avanzò di un altro passo verso Nelide e sfoderò la sua voce piú seducente.

– Signori', ma perché non venite da me, se cercate la verdura migliore? Che vi ho fatto di male?

La ragazza continuò a palpare le melanzane con dita sapienti, come se non avesse sentito. Quindi alzò a mezzo la testa e grugní:

– *Senza cà truoni, cà nu lampa.*

Il fantasma di Rosa apprezzò ancora. È inutile che tuoni, perché non ci sono lampi, aveva detto Nelide. In pratica: evita di sprecare parole, tanto non serve.

Tanino allargò le braccia, esasperato.

– Signori', ma non potete esprimervi in modo normale? Io non vi capisco!

Nelide alzò gli occhi su di lui.

– Io non scendo a guardare spettacoli. Voi ballate e cantate, io devo cucinare la minestra. Se volete vendermi la verdura, fate il verduraio. Se no, andate a fare il cantante.

Per una come lei era stato un discorso lunghissimo. Il povero Tanino era a bocca spalancata. L'altro ambulante, quello col berretto, si riscosse dal sonno e lanciò attorno a sé uno sguardo appannato. Nelide gli indicò quello che le serviva, trattò brevemente sul prezzo, pagò quello che voleva senza ascoltare le proteste dell'uomo e si incamminò verso casa.

Tanino si riscosse e, rivolto alla tozza schiena della ragazza, intonò:

– *Parlami d'amore, Mariú; tutta la mia vita sei tu! Gli occhi tuoi belli brillano, fiamme di sogno scintillano…*

Nelide non si girò. Lo spirito di Rosa ne fu molto compiaciuto.

XIX.

Per Ricciardi e Maione era giunto il momento di guardare negli occhi questo Sannino che tutti ritenevano essere l'autore dell'omicidio. L'esperienza insegnava loro che spesso i parenti delle vittime si formavano convinzioni lontane dalla realtà dei fatti, ma se in questo caso avessero avuto ragione? Se l'assassino era lui, bisognava evitare che prendesse il largo solo perché loro avevano atteso a interrogarlo.

Maione, però, era certo che la libertà di movimento del sospettato fosse piuttosto limitata.

– Commissa', – disse, – Sannino è forse la persona piú famosa del momento, insieme al duce e a quell'attore del cinema, quello che canta *Parlami d'amore, Mariú*. La sua faccia la sanno tutti, esce sempre sui giornali. Dovunque va lo riconoscono.

Ricciardi era incerto.

– Sei sicuro, Raffaele? Io per esempio non ho idea di come sia fatto. Meglio incontrarlo subito, poi magari riusciamo anche a sentire il mediatore, Martuscelli. Anzi, mandiamo qualcuno a prenderlo e facciamolo venire in questura, cosí guadagniamo qualche ora. Ma hai scoperto dove abita, questo pugile?

– Certo, commissa'. Sta al *Vesuvio*. Sono bastate le solite tre telefonate: la gente ricca e famosa scende sempre ai grandi alberghi del lungomare. Volete andare con la macchina, che piove, o ci incamminiamo?

Il commissario fece una smorfia. Maione, quando guidava, era un inconsapevole pericolo pubblico. Meglio la pioggia che rischiare la morte.

– Dài, sono due gocce, – rispose. – Magari ci rinfrescano le idee.

La strada dalla questura all'*Hotel Vesuvio* era bella, bellissima, anche con quel tempo. Prima si entrava nella grande piazza e si continuava in lieve discesa verso il mare. Poi si fiancheggiava il porto, lasciandoselo sulla sinistra con le sue navi e i suoi cantieri. Camminando, gli occhi si godevano lo spettacolo di una distesa d'acqua grigia e inquieta spazzata dal vento, con l'isola che spuntava dalla foschia, di fronte al lungo dito adunco di terra con cui terminava la montagna. Ricciardi percepiva i rumori della natura e quelli della città come un tutt'uno amalgamato dall'aria salmastra e dalla pioggia che arrivava da ogni direzione, rendendo inutile qualsiasi difesa. Qua e là, signore impegnate a reggere l'ombrello controvento e uomini d'affari che andavano di fretta tenendosi il bavero chiuso attorno al collo.

Le automobili sfrecciavano alzando acqua sui passanti e ricevendo in cambio proteste e maledizioni. I cavalli cadenzavano il passo indifferente, trascinando il carico della propria esistenza da un punto all'altro di una rotta che pareva piuttosto una condanna.

Maione, a differenza del commissario, era poco incline ad apprezzare la bellezza di quello spettacolo. Non riusciva a non pensare a Gustavo 'a Zoccola, al suo destino, ai suoi figli. A Bambinella. Si chiedeva cosa avrebbe potuto fare, cosa avrebbe *dovuto* fare, per mettere riparo al guaio in cui si trovavano. E intanto la mente continuava a proporgli un'immagine all'apparenza incongrua: un bambino con i capelli rossi e le lentiggini che rideva spalancando la bocca sdentata.

Sotto la pensilina che sormontava l'ingresso dell'albergo, un giovane usciere in divisa aspettava i clienti sull'attenti, insensibile al freddo e alla pioggia che lo lambiva da un lato. Maione lo squadrò quasi con fastidio: esibiva un'aria marziale che avrebbe tanto voluto vedere nelle sue guardie, ma queste non riuscivano a proporgliene nemmeno una vaga imitazione. Il ragazzo li accompagnò da un portiere in frac che sembrava un ministro del re. L'uomo, quando capí che non si trattava di clienti, li guardò con sospetto, mentre una vaga espressione di sufficienza gli si disegnava sulla faccia.

– I signori sono attesi? Hanno per caso un appuntamento o un biglietto di convocazione? Perché altrimenti non posso disturbare il signor Sannino.

Maione non era nello spirito giusto per intavolare una trattativa diplomatica: aveva freddo, sonno e forse qualche linea di febbre; aveva i pantaloni inzuppati d'acqua e le scarpe bagnate; aveva pensieri e preoccupazioni.

Prima che Ricciardi potesse fermarlo, allungò una manona al di là del banco, afferrò l'azzimato lacchè per la camicia e lo tirò a sé.

– Sentite, pinguino: noi siamo della polizia. Non so se capite questa parola: po-li-zi-a. Non siamo fornitori vostri, né visitatori. Non siamo clienti e nemmeno vogliamo vendere qualche cosa. Siamo, ve lo ripeto, poliziotti. E io sono pure un poliziotto molto, molto nervoso. Mo', se per piacere ci mandate a chiamare questo Sannino veloce veloce, bene. Se no, quant'è vero Iddio, vi faccio scontare le colpe di tutti i vostri colleghi riservati che ho incontrato negli ultimi due anni.

Ricciardi trovò quella scenata fuori luogo, ma preferí

non intervenire, rimandando a un altro momento il proprio rimprovero al sottoposto.

– Avete capito bene? – continuò Maione. – Fate cenno di sí con la testa, allora. Ecco, bravo.

Appena il brigadiere lo lasciò andare, il poveretto scattò all'indietro rassettandosi il cravattino.

Riacquistato un minimo di compostezza, disse: – Scusatemi, brigadiere, è che da quando il signor Sannino sta qua è una processione continua di giornalisti che vogliono vederlo. Uno si è addirittura travestito da prete, ci credereste? Guardate là.

Maione e Ricciardi si voltarono nella direzione indicata dall'indice tremante dell'uomo e scorsero un gruppo di persone con macchine fotografiche al collo e taccuini in mano sull'altro lato della strada; fissavano attenti l'entrata dell'albergo cercando di ripararsi dagli spruzzi che il vento sollevava dal mare. Fra loro c'erano addirittura due donne.

Il portiere riprese:

– È un vero assedio. E miss Wright, la segretaria del nostro ospite, è stata tassativa: nessuno deve disturbarlo. Quindi non è stato per mancarvi di rispetto che...

Ricciardi lo tranquillizzò.

– Comprendiamo benissimo. Anzi, mi scuso per i modi un po' bruschi del mio collega. È che stiamo svolgendo un'indagine piuttosto delicata e non abbiamo molto tempo.

Maione abbassò per un attimo la testa, contrito, poi soggiunse:

– Insomma, lo vogliamo chiamare a 'sto Sannino o no?

Il portiere fece cenno a un fattorino e gli impartí istruzioni. Dopo qualche minuto, che Maione passò evitando con cura di incrociare lo sguardo del commissario, dalla scala giunse un rapido rumore di tacchi femminili.

La donna era alta, bionda; indossava una giacca rossa dagli angoli arrotondati e ben sciancrata per mettere in risalto il busto florido e i fianchi morbidi. Era bella e consapevole di esserlo, come testimoniavano i fieri occhi azzurri che puntò in faccia a Ricciardi, scegliendolo quale interlocutore.

– Sono Penelope Wright. Potete chiamarmi Penny. Cosa posso fare per voi?

Parlava un italiano perfetto, nonostante la forte inflessione americana. Il commissario, tuttavia, non mancò di riconoscere nella sua voce una vena di inquietudine.

Fece un breve inchino col capo e disse:

– Mi chiamo Ricciardi, sono commissario presso la questura, e questo è il mio collega, il brigadiere Maione. Avremmo necessità di rivolgere qualche domanda al signor Sannino.

La preoccupazione della donna si fece piú evidente.

– Mister Sannino sta riposando e preferirei non disturbarlo. Potete chiedere a me?

Maione si spazientí di nuovo.

– Signori', se potevamo chiedere a voi lo avevamo già fatto. Dobbiamo vedere Sannino. Proprio lui.

La Wright sbatté le lunghe ciglia. Ricciardi pensò che aveva qualcosa di simile a Bianca, anche se le mancava la sua naturale eleganza.

– Capisco. Tuttavia devo ripetere che mister Sannino sta riposando. Stanotte... non è stato bene. Ha preso sonno molto tardi. Quindi sareste molto gentili se...

Con la coda dell'occhio Ricciardi notò che i giornalisti avevano attraversato la strada e ora si accalcavano davanti alla porta di vetro, con l'usciere che faticava a contenerli.

– Signorina, – disse, – non vorremmo essere costretti ad andare dal magistrato per farci firmare una lettera di convocazione in questura. Immaginate quanto sarebbe scomodo venire fin là con... con tutto il traffico che c'è fuori.

Maione sorrise feroce, come se avesse sentito la carica delle truppe amiche. Penny gettò uno sguardo alla piccola folla che premeva all'ingresso e, con un sospiro, disse:

– Salgo a vedere se si è svegliato –. Quindi si allontanò, seguita dagli sguardi famelici dei cronisti.

Pochi minuti dopo comparve un uomo robusto e dall'andatura elastica. Il vestito, di elegante fattura, grigio scuro e a doppio petto, non celava la schiena ampia e le braccia muscolose; anche le mani erano grandi e forti. Dal colletto della camicia, fermato con una spilla d'oro, spuntava un collo grosso che conduceva a un viso sfigurato da vecchie cicatrici.

Si avvicinò ai due poliziotti e tese loro la mano:

– Jack Biasin; Jack sta per Giacinto. Sono il manager di Vinnie. Penny mi ha detto che volete parlargli: di che si tratta?

Maione si voltò verso Ricciardi; la sua faccia era il ritratto della meraviglia:

– Ma che, ci stanno pigliando in giro, commissa'? Che si deve fare, la trafila come a teatro? Biglietteria, maschera, venditore di sigari?

Ricciardi scrollò il capo:

– Va bene, ce ne andiamo, grazie lo stesso. Entro brevissimo il signor Sannino riceverà una convocazione d'urgenza in questura, recata da due guardie che avranno l'incarico di accompagnarlo –. Fece un cenno col capo. – Cosí diamo pure un po' di lavoro a quei ragazzi là fuori. Buona giornata.

Si girò per andarsene, ma fu fermato da una voce che giungeva dalle scale.

– Aspettate. Sono qui.

I giornalisti all'esterno emisero un boato; uno fece per entrare ma fu respinto da un grosso fattorino corso in aiuto del collega alla porta.

L'uomo che aveva parlato scese gli ultimi gradini e si avvicinò a Ricciardi. Era abbastanza alto, circa un metro e ottanta, con la vita stretta e le spalle larghe; un fisico simile a quello del tizio sfigurato, ma piú armonico e slanciato. Il volto era bruno, gli zigomi alti, gli occhi neri e profondi; il naso era deviato, e sotto l'occhio destro si riconosceva il segno di una vecchia cicatrice.

Ricciardi notò che indossava un abito di sartoria, ma stazzonato; i calzoni erano macchiati all'altezza delle ginocchia e la giacca marrone aveva uno strappo in corrispondenza della tasca destra. La camicia era mal abbottonata, la cravatta allentata.

– Il signor Sannino Vincenzo? Commissario Ricciardi e brigadiere Maione, della questura.

Quello annuí, spavaldo. Alle sue spalle, l'una di fianco all'altro, c'erano la Wright e Biasin. Nell'aria si percepiva uno stato di forte tensione.

– Che volete da me? – disse il pugile. Il suo accento rivelava chiaramente che era cresciuto in città.

Ricciardi non si scompose:

– Conoscete il signor Irace Costantino?

L'uomo sbatté le palpebre, ma non perse l'espressione di sfida.

– No. Non lo conosco. Ma so chi è. Perché?

Maione replicò, rude:

– Cosa significa «non lo conosco ma so chi è»?

Sannino teneva lo sguardo fisso su Ricciardi:

– Significa che l'ho visto un paio di volte. Ma non siamo mai... non siamo mai stati presentati, insomma.

La Wright gli mormorò qualche parola in inglese. Sannino la zittí con un gesto secco della mano, senza voltarsi.
Ricciardi continuò:
– Risponde al vero che ieri sera, all'uscita del teatro, avete avuto un alterco con lui?
Jack allargò le braccia:
– *Oh, come on*, un alterco…
Sannino rispose come se non l'avesse sentito:
– Sí, risponde al vero.
Maione lo incalzò:
– E lo avete minacciato di morte, è vero?
La Wright si portò la mano tremante alla bocca e chiuse gli occhi. Sannino disse:
– Sí. Sí, l'ho minacciato.
Ricciardi chiese:
– Possiamo sapere perché?
Ci fu un attimo di imbarazzato silenzio. Per la prima volta Sannino sembrava in difficoltà. Scosse il capo, abbassò lo sguardo, lo rialzò.
– Perché mi impediva di parlare con sua… con sua… con la moglie. Mi impediva di parlarle. E anche perché… perché se l'era sposata.
Dalla vetrata i giornalisti cercavano disperatamente di carpire la conversazione leggendo le labbra.
Ricciardi assunse un tono piú formale.
– Signor Sannino, devo chiedervi dove vi trovavate tra le cinque e le otto di stamattina.
L'altro parve colto di sorpresa.
– Come, dov'ero? Perché me lo chiedete? Che è successo?
Ricciardi strinse le labbra, poi rispose:
– Perché in quel lasso di tempo Costantino Irace è stato ucciso. Meno di dodici ore dopo le vostre minacce di morte.

– *Oh, my God!* – esclamò la Wright, e scoppiò in lacrime.

Sannino impallidí e si appoggiò tremante alla parete.

Biasin gli si avvicinò e lo prese sottobraccio, come per sorreggerlo, poi si rivolse a Ricciardi:

– *I'm sorry*, ma questo cosa vuole dire? Una cosa è avere discussione, litigare, una altra è *to kill*, ammazzare un cristiano. Voi venite qui, in hotel, e accusate: tu minacciato, tu dove stavi a quell'ora...

Ricciardi rispose con freddezza:

– Qui nessuno accusa nessuno. Non ancora. Vogliamo solo sapere dove si trovava il signor Sannino in quelle ore.

Sannino si passò la mano destra sul viso. Maione notò che il dorso era sbucciato all'altezza delle nocche. I suoi occhi corsero subito alla sinistra; era nelle stesse condizioni. Anche Ricciardi se n'era accorto, ma non voleva tirare somme affrettate.

– Io... io non lo so, dove stavo, – balbettò il pugile. – Non me lo ricordo.

Biasin si intromise.

– *Shut up*, Vinnie. Zitto! Tu stavi qui e...

La Wright intervenne a voce alta, sebbene spezzata dal pianto:

– Era con me, abbiamo dormito insieme.

Sannino urlò:

– Taci! Tacete tutti e due! Sapete benissimo che mi sono ubriacato e che non... Commissario, io non lo ricordo, dove ho passato la notte.

Ricciardi fece correre lo sguardo sullo strappo nella giacca, sui pantaloni macchiati, sulle mani contuse. Poi, a voce bassa, disse:

– Devo pregarvi di non lasciare questo albergo, signor Sannino. E di conservare i vostri abiti a nostra disposizione nello stato in cui li vediamo adesso. L'obbligo di rimanere qui vale anche per la signorina Wright e per il signor Biasin. La situazione, come avrete compreso, è piuttosto grave. Sarà meglio che cerchiate di rammentare i vostri spostamenti della notte scorsa, ricostruendo ogni singolo evento. Altrimenti potreste trovarvi in guai seri. In ogni caso ci rifaremo vivi entro oggi.

All'uscita i due poliziotti furono circondati dai cronisti, che urlavano nel vento e nella pioggia domande su quello che facevano lí e se Sannino fosse coinvolto in qualche indagine. Maione li allontanò senza troppa delicatezza.

Mentre camminavano verso la questura, il brigadiere si rivolse al superiore, incerto:

– Commissa', forse avremmo dovuto... Insomma, quelle mani, il vestito...

Dopo qualche passo in silenzio, Ricciardi rispose:

– Non possiamo arrestarlo solo perché ha il vestito malandato. Bastasse questo mezza città sarebbe in galera. No, ci sono ancora tante cose da capire, prima. E poi non c'è pericolo che scappi, sorvegliato com'è dalla stampa. Intanto, noi abbiamo altri da sentire, adesso.

XX.

Quando Clara, la domestica, bussò con discrezione alla porta della camera da letto, Livia stava combattendo la sua quotidiana battaglia per non svegliarsi.

La sera precedente, al solito, aveva fatto molto tardi, stordendosi di musica, champagne e fumo, di complimenti, fiori e ballerine; risate nelle orecchie e tristezza nel cuore.

Succedeva sempre cosí. Solo nel momento in cui credeva di essere abbastanza sfinita da cadere subito addormentata, si faceva riaccompagnare a casa. Poi si ritrovava a fissare le lame di luce che filtravano dalle imposte – i fari di un'automobile in strada, un lampione che ondeggiava nel vento e nella pioggia – mentre con la mente, disancorata per la stanchezza e priva delle difese razionali innalzate durante il giorno, tornava nell'identica stanza della memoria.

Era passato meno di un mese dalla notte in cui aveva deciso di rompere gli indugi e di prendersi l'amore che la vita le doveva dopo averle tanto tolto, eppure sembrava un'eternità. Forse per la stagione che aveva fatto irruzione nell'aria, fredda e aspra quanto era stata calda e dolce la precedente.

Poche ore prima, rigirandosi nel letto in cerca di un sonno che infine le era piombato addosso come una frana di fango, si era domandata per l'ennesima volta per quale motivo questo amore cosí atteso si fosse presentato con gli occhi gelidi e profondi, verdi e addolorati di Ricciardi. Quegli occhi che sperava ancora di incrociare nei teatri e nelle sale da ballo; quegli occhi che nessuno dei suoi innumerevoli corteggiatori aveva; quegli occhi al cui pensiero il suo corpo e il suo cuore tuttora reagivano, tormentandola.

Una come lei, che poteva avere chiunque, che era la padrona del mondo. Una come lei, che catalizzava l'invidia malevola di ogni donna e l'ammirazione incondizionata di ogni uomo, perché non riusciva a immaginarsi felice se non vicino a quello strano, indecifrabile individuo che non la voleva?

Perché non la voleva. Gliel'aveva detto chiaro e tondo quella notte, mentre l'estate lasciava il posto all'autunno senza avvisare, mentre nella stanza si diffondeva una musica sublime, mentre lei gli si offriva attraverso le trasparenze di una veste scelta apposta, come un'arma per un delitto. Non la voleva.

Abituata com'era a essere desiderata, ai sospiri pesanti e alle lettere infuocate, si era perfino convinta che non fosse interessato alla carne, oppure che non gli piacessero le donne. Poteva essere. Ne aveva conosciuti altri, anche tra i gerarchi di quel regime ossessionato dalla virilità; nascondevano la loro vera natura sotto i muscoli e gli atteggiamenti volgari, per poi comprarsi a buon mercato il piacere nei bassifondi.

Però, dentro di lei, sapeva che non era vero. In Ricciardi covavano il desiderio, la passione, la fame di tenerezza. Era solo questione di farli emergere, i sentimenti.

Proprio questo l'angustiava di piú ora che tutto era perduto, ora che con la sua scomposta reazione lo aveva messo in guai seri, dai quali, Dio solo sapeva come, era riuscito a salvarsi all'ultimo istante. L'idea di aver affrettato i tempi, di averlo aggredito in maniera troppo esplicita: se avesse avuto la forza di aspettare, come sempre sarebbe riuscita a spazzar via qualsiasi rivale.

Il bussare aumentò d'intensità, costringendola infine a riemergere dal dormiveglia. E l'emicrania, ormai una condizione familiare, esplose.

Clara si affacciò alla porta.

– Signo', state sveglia? Scusatemi se insisto, ma...

Livia si mise a sedere sul letto, sbattendo le palpebre.

– No, no, Clara, figurati. Ma che ore sono?

– Le due, signo'. Non vi ho chiamata per pranzo perché siete rientrata tardi assai. Vi ho sentita che erano le sei e io mi stavo alzando.

Livia sospirò nella penombra. Non c'era alcun accenno di rimprovero nel tono della ragazza. Solo preoccupazione.

– Sí, era tardi. O presto, a seconda dei punti di vista. E come mai mi hai chiamata, adesso? Volevi sincerarti che fossi viva?

La cameriera non sorrise.

– No, no, signo'. È che in salotto ci sta... ci sta quel signore che sapete. Vi aspetta.

L'inquietudine si fece strada nel mal di testa. «Quel signore», aveva detto Clara. Era chiaro a chi si stesse riferendo. Uno che era capace di passare davanti all'autista e al portinaio come se fosse d'aria. L'uomo invisibile, che si manifestava senza che nessuno sapesse da dove era arrivato o come, se a piedi, in automobile o in tram.

In salotto c'era Falco.

Livia entrò nella stanza allacciandosi la vestaglia in vita. Non aveva perso tempo a sistemarsi i capelli, né tantomeno il trucco.

Sul viso dell'ospite comparve l'ombra di un sorriso.

– Un tizio una volta mi disse che se una donna è bella

appena sveglia, allora è bella sempre. Congratulazioni, Livia, voi siete bellissima.

Lei non nascose la propria irritazione.

– Se continuate con questa orribile abitudine di non preannunciare le vostre visite, correte il rischio di non essere ricevuto, prima o poi, magari perché sto ancora dormendo.

– Chiedo scusa. Pensavo che, pur essendo rientrata alle sei accompagnata dal conte di Torchiarolo, il quale peraltro avrà avuto il suo da fare per giustificarsi con la contessa sua moglie, aveste ormai riposato a sufficienza. Se preferite, ripasso piú tardi.

Livia aveva preso nervosamente una sigaretta dall'astuccio sul tavolino e l'aveva accesa.

– No. Togliamoci il pensiero. Almeno, dopo un simile inizio, la giornata non potrà che migliorare. E non crediate di sorprendermi con i vostri rapporti particolareggiati sulla mia vita, so benissimo che mi controllate. Ma, del resto, controllate quasi tutti, no?

L'uomo si strinse nelle spalle. Come di consueto il suo aspetto era ordinato, sobrio e assolutamente anonimo. I capelli grigi pettinati all'indietro tradivano la mezza età, ma il volto con poche rughe e il fisico asciutto lasciavano supporre una buona cura della persona. Gli occhi, salvo rari barlumi di emozione, erano freddi e ironici.

– Diciamo che certi compiti sono piú piacevoli di altri. Davvero non volete che ripassi?

Livia percepí lo sguardo di Falco che percorreva, con apparente distacco, le sue forme malcelate dalla vestaglia. Provò un piccolo brivido e si strinse il bavero sul seno.

– Vi ripeto di no, grazie. Però sbrigatevi, cosí potrò andare a rimettermi in ordine.

Falco avanzò di un passo e prese in mano una statuetta di ceramica di Capodimonte da un tavolino. Raffigurava una ballerina in equilibrio sulla punta di una scarpetta, una gamba alzata e le mani congiunte sopra la testa in un gesto aggraziato.

– Il ballo. La musica. Il teatro. Il palcoscenico. Non vi mancano queste cose, Livia? Voi, che avete la voce di un angelo, che potreste mandare in estasi qualsiasi pubblico, preferite davvero sprecare il vostro tempo in sordidi locali con gente ottusa come il conte, che per di piú è sposato e con figli? Perché non riprendete a cantare, come pareva aveste deciso?

Livia sbuffò il fumo in alto con una risata amara.

– E voi venite qui, mi fate svegliare e mi costringete ad alzarmi dal letto per impartirmi lezioni sulla mia vita? Siete forse mio padre o mio fratello? Dite quello che accidenti dovete dirmi e lasciatemi alle mie cose.

L'uomo continuò a guardare la ballerina, percorrendone con un dito i contorni.

– Scusatemi. Avete ragione, non sono affari miei. Ma il vostro destino non mi è indifferente, e nella mia posizione ho visto tante persone, troppe, perdersi per nulla. Voi ce l'avete con voi stessa e con me per quanto è accaduto un mese fa; o per quanto, purtroppo, non è accaduto. Ma non dovreste prendervela con altri se non con chi ha impedito si realizzasse ciò che era opportuno.

Livia si ricordò lo sguardo di Ricciardi il giorno in cui lo aveva incrociato all'uscita di un circolo. L'accusa che lei gli aveva lanciato, e che Falco si era affrettato a manovrare, avrebbe potuto rovinarlo, eppure nei suoi occhi non c'era odio, non c'era la promessa di una vendetta. Solo amarezza. Molto, molto peggio.

– Non voglio parlarne, Falco. Per me quella è una storia chiusa. Voi avete raccolto una mia confidenza, che era soltanto un dubbio, un semplice, stupido dubbio, e ve ne siete servito per i vostri sporchi fini. Mi avete usata, e questo non ve lo perdonerò mai. Come non lo perdonerò mai a me stessa. Ora, per cortesia, non perdiamo altro tempo.

L'uomo sospirò.

– Sapete, Livia, nella vita non è come nei libri, a teatro o al cinematografo, dove le vicende arrivano a una conclusione e tutti vivono felici e contenti oppure soffrono per sempre. Nella vita vera, quella che abbiamo l'obbligo di sopportare ogni giorno, capita di avere l'occasione per rimettere le cose a posto. O per indirizzarle su nuovi binari.

– Che diavolo intendete dire? Non vi capisco.

Falco la fissò, continuando a giocherellare con la ballerina di ceramica.

– Sono certo ricorderete di quando mi chiedeste informazioni su quella Colombo Enrica che abita di fronte a... a chi sapete voi e della quale eravate persuasa lui fosse innamorato, o il fidanzato.

Livia annuí.

– Sí, certo che mi ricordo. Allora?

– E ricorderete quindi che vi dissi di un tedesco, il maggiore Manfred von Brauchitsch, che frequentava la ragazza e per cui noi avevamo un'attenzione speciale.

La donna corrugò la fronte.

– Mi diceste che lo sorvegliavate e che non dovevo entrare in relazione con lui nemmeno per interposta persona, perché sarebbe stato pericoloso.

Falco fissava calmo gli occhi di Livia.

– Esatto. Le circostanze, adesso, sono un po' cambiate. Il maggiore, come vi spiegai, è addetto culturale presso il consolato di Germania. Noi però, e la nostra sensazione è condivisa a Roma, pensiamo che la sua vera missione sia quella di osservare e studiare certe strutture militari, soprattutto del porto.

Livia spalancò gli occhi, sorpresa suo malgrado.
– Una spia, dunque.
Falco minimizzò.
– Non proprio, o non a tempo pieno, magari. Però ci piacerebbe molto capire meglio come passa le sue giornate. Seguirlo a distanza, cosa che facciamo ventiquattr'ore su ventiquattro, non basta per afferrarne i pensieri né per scoprire, ad esempio, come riceve le istruzioni.
Livia ragionava in fretta, nonostante il mal di testa.
– Falco, voi mi state chiedendo di diventare amica di questo von Brauchitsch? Vorreste che lo frequentassi per poi riferire a voi?
L'altro si strinse di nuovo nelle spalle.
– Sarebbe solo un'amicizia in piú, Livia. Non dovreste certo... approfondirla troppo.
La donna non credeva alle proprie orecchie.
– Ah, quindi non sarei costretta ad andarci a letto. È questo che intendete?
Falco arrossí, e non accadeva spesso.
– Vorrei che non vi esprimeste cosí. Non con me. Non so come possiate insinuare che io, proprio io, verrei qui a chiedervi una cosa del genere.
Livia sembrava piú divertita che adirata.
– Avrei giurato, invece, che fosse proprio quella la vostra idea. Anche perché altrimenti non si comprenderebbe per quale motivo abbiate pensato a me.
Falco tornò a scrutare la ballerina.
– Voi siete bella, Livia. Intelligente, spiritosa. Non avete legami: siete libera di andare dove volete. E pur appartenendo all'alta società siete estranea ai suoi intrecci e alle sue beghe. Non esiste persona piú adatta per aiutarci a chiarire chi è, in realtà, il maggiore Von Brauchitsch. Tutto qui.

La donna si alzò dalla poltrona e camminò fino alla finestra. La pioggia non aveva smesso di cadere e la strada era deserta.

– Avrei dovuto andarmene. Sarei dovuta tornare a Roma, come in tanti mi avevano consigliato. È da quando è successo... è da allora che ci penso ogni giorno: cosa ci faccio qui, ormai? Perché non riesco a riprendere la mia vita di prima, in mezzo a chi mi vuole bene davvero? La mia amica, quella che voi sapete, me l'ha ripetuto molte volte. Ma io sento che non è ancora finita. Sento che qui ho ancora qualcosa da fare.

Si voltò verso Falco.

– Se il maggiore tedesco è interessato alla ragazza, per quale motivo dovrei distoglierlo dai suoi intenti con il rischio di rimettere una mia rivale in campo? Perché se seducessi quest'uomo, anche senza andarci a letto, lei sarebbe di nuovo libera di intrattenere rapporti con Ricciardi, giusto?

Falco sorrise, con un pizzico di tristezza.

– Pensate ancora a lui, dunque. Dopo quel rifiuto, dopo quell'offesa, pensate ancora a lui.

Livia sollevò il mento.

– E se anche fosse? Mi avevate giudicata una che si rassegna alla sconfitta senza combattere?

– Ve l'ho detto, Livia: le cose cambiano. E il mio lavoro è basato sulla velocità con la quale ci si adegua al mutare della situazione. Ora il vostro Ricciardi frequenta una signora, di certo lo sapete anche voi. Una nobildonna che ha il marito in carcere: la contessa di Roccaspina. È molto bella e gode del favore di uno degli uomini piú ricchi e potenti della città, il duca Marangolo. Non è la Colombo, quindi, la vostra rivale. Non piú.

Livia rifletté un attimo, poi disse:

– Lo sa la mia amica di Roma che avete intenzione di... di usarmi in questo modo? E che cosa ne ricaverei, io? Quale sarebbe il mio vantaggio?

Falco accarezzò la gamba alzata della ballerina.

– La vostra amica non ne sa nulla, no. E nemmeno dovrà saperlo, come chiunque altro. Tuttavia ne è al corrente il padre, com'è ovvio, insieme a coloro i quali godono della sua fiducia, tra cui il mio capo. Per quanto riguarda il vostro interesse e la vostra ricompensa, siete chiamata a fare innanzitutto quello che la patria vi chiede. Inoltre avreste la loro gratitudine nonché la mia personale. Ciò potrebbe convincermi a non portare avanti un certo procedimento avviato un mese fa. Non avrete pensato che siamo tipi da scoraggiarci, vero?

Livia si sentí mancare.

– Cioè... cioè ve la prendereste con lui? Provereste di nuovo a fargli del male?

Falco le sorrise soave, agghiacciandole il sangue.

– Esistono tante strade, sapete. Talvolta avvengono le cose piú inaspettate; in questa città si dice: *stammo sotto 'o cielo*. Purtroppo si verificano incidenti, ci sono delazioni. Si documentano attività contro il governo, contro lo Stato. Mica c'è solo la pederastia.

L'uomo aveva parlato a voce bassa, ma a Livia la sua voce era giunta come un urlo. I suoi occhi si persero nel vuoto.

– Quindi non vi basta quello che abbiamo architettato. Non vi basta averlo costretto a difendersi da una colpa che non aveva commesso e averlo allontanato cosí tanto da me. Voi nemmeno immaginate il dolore che provo per il fatto di non vederlo piú, di non poter piú sperare che...

Falco aveva sollevato la ballerina di ceramica controluce.

– Sperare? Sperare in che cosa? In un uomo che ha il paradiso a portata di mano e preferisce l'inferno? In uno che vi ha mortificata, umiliata, che vi ha voltato le spalle? Comunque, se ancora provate per lui certi sentimenti, se davvero volete proteggerlo, illudendovi che un giorno possa tornare sui suoi passi, allora dovrete assicurarvi che rimanga libero. E soprattutto vivo.

Alla fine del discorso aprí la mano e la ballerina cadde sul pavimento, rompendosi in mille pezzi. Livia sobbalzò.

– Mi dispiace, – disse Falco con un sorriso mesto. – Sono proprio uno sbadato. Sarà mia premura procurarvene un'altra, ma autentica: questa era falsa. Un'imitazione non degna di voi e della vostra casa. A ogni modo, non nuocerei mai a qualcuno a cui tenete. A meno che, naturalmente, non vi sia costretto.

Si diresse verso la porta. Quando già aveva la mano sulla maniglia si fermò e, girandosi appena, disse:

– Riflettete sulla mia proposta, Livia. E fatemi sapere al piú presto se posso contare su di voi. Altrimenti dovrò trovare un'alternativa, con le eventuali conseguenze del caso. Scusate il disturbo. Buona giornata.

XXI.

Al rientro in questura, Ricciardi e Maione furono avvertiti che qualcuno li stava attendendo. Era Nicola Martuscelli, il mediatore con cui Irace aveva appuntamento al porto per concludere l'affare. Lo trovarono seduto sulla panchetta del corridoio, fuori dalla stanza del commissario.

Era un uomo di una sessantina d'anni, con radi capelli grigi, un po' unti, la pelle olivastra e i denti guasti. Appariva piuttosto male in arnese e si rigirava il cappello tra le mani, guardandosi nervosamente attorno. Non sembrava a proprio agio in mezzo a tutte quelle guardie.

Maione gli fece cenno di seguirli all'interno e gli indicò la sedia davanti alla scrivania, ma l'altro fece capire che preferiva restare in piedi.

Il brigadiere gli si rivolse in tono autoritario.

– Qualificatevi, per favore.

– Sono Martuscelli Nicola. Faccio il sensale per le pezze.

Ricciardi lo scrutò.

– Eravate voi che dovevate vedervi con Irace Costantino, stamattina presto?

Lui annuí. Continuava a guardarsi attorno, come se stesse valutando le vie di fuga.

– 'Gnorsí, commissa'. Avevo fatto una levataccia, eravamo d'accordo. Invece ho aspettato in ufficio fino a mezzogiorno, quando mi hanno chiamato al telefono e mi hanno detto che Irace non veniva piú perché era morto ammazzato.

Maione chiese:

– Chi è stato ad avvisarvi?

– Un commesso del negozio di Irace. Io per un attimo ho pensato pure che era una scusa.

– Come sarebbe, una scusa? – domandò Ricciardi. – Non capisco.

Sul viso di Martuscelli comparve una smorfia.

– C'era in ballo una partita di merce bella grande, commissa', e Irace aveva ottenuto uno sconto sostanzioso perché pagava prima e in contanti. Noi abbiamo convinto il produttore, uno nuovo che entra sul mercato adesso. Ma se il denaro non arrivava subito, le cose cambiavano. Per questo mi pensavo che era una scusa.

Ricciardi cercò di approfondire:

– Quindi era una trattativa che andava avanti da tempo?

Martuscelli ripeté la smorfia, dondolandosi a disagio sulle punte dei piedi.

– E scusate, secondo voi affari come questi si fanno in due minuti? Certo che andava avanti da tempo. Visite, incontri, telefonate, lettere andata e ritorno per la Scozia. Erano rimasti in due, Irace e Merolla. Per la verità Merolla aveva offerto di piú, solo che avrebbe pagato con le cambiali. Irace invece portava i soldi, cosí ha vinto lui. Cioè, avrebbe vinto lui, perché, come sappiamo tutti, i soldi non li ha portati. Peccato.

Maione lanciò un'occhiata a Ricciardi e domandò:

– Scusate, Martusce', ma voi conducete trattative cosí grosse?

L'uomo fece una specie di ghigno:

– Non vi fermate alle apparenze, brigadie'. Nel settore nostro non servono cravatte e anelli d'oro, non abbiamo buone maniere e non beviamo il tè col mignolo alzato come quei fessi di inglesi, con cui commerciamo perché tengono le migliori pecore del continente. Io sto sulla piazza da quarant'anni. Prima scaricavo le navi, poi mi sono fatto uno spazio mio a forza di faticare e di non lasciarmi fregare. Sí, conduco trattative cosí grosse; e pure assai piú grosse. Solo che non mi conviene andarmene in giro in frac. Io muovo un sacco di soldi, e per strada, senza offesa, è pieno di delinquenti.

Ricciardi lo fissava attento.

– Quante volte vi eravate incontrati, con Irace?

L'uomo rifletté.

– Non molte, un paio. Io gli sono andato a dire che ci stava questa opportunità, lui mi ha risposto che gli interessava e abbiamo concordato il prezzo e le modalità. Ho apprezzato la mossa di volere anticipare l'incontro. Era uno furbo.

– Quindi, anche se eravate entrambi del settore, non lo conoscevate da tanto?

– Conoscevo il suocero, che era un signore, un galantuomo davvero. Poi per un po' ho trattato coi figli, brave persone per carità, ma senza coraggio. Quando è arrivato lui, Irace, il negozio andava male; ha risanato i bilanci e, adesso che si era impratichito, si stava allargando. Si era messo in testa di distruggere la concorrenza, e a forza di soldi ci sarebbe riuscito. Per esempio, con questo acquisto, metteva parecchi a rischio di non passare l'inverno.

Maione era concentratissimo, perciò, come sempre, pareva sul punto di addormentarsi: teneva gli occhi socchiusi e la bocca semiaperta.

– Quindi, se l'affare si completava, per qualcuno era una rovina, è cosí?

Martuscelli si strinse nelle spalle.

– E chi lo può dire, brigadie'. Certo il periodo, lo sapete, è infame. In due anni i prezzi sono scesi del trentacinque per cento. La crisi è qualcosa di terribile, soprattutto per i generi di cui si può fare a meno, come un cappotto nuovo. Se un negozio riesce a esporre in vetrina, per una stagione intera, merce buona a un prezzo piú basso, tutti si rivolgeranno lí.

Ricciardi parlò quasi tra sé.

– Un bel problema per gli altri.

L'uomo prese un respiro.

– Be', non avrei voluto essere nei panni di Merolla, se Irace fosse arrivato con i soldi.

– Perché proprio Merolla?

Martuscelli ridacchiò.

– Perché sta di fronte, commissa'. Per i negozi piú lontani, finché non si sparge la voce, qualche speranza di vendere rimane. Ma per uno che è a pochi metri di distanza, e per di piú è pieno di debiti, non c'è niente da fare. Tanto vale chiudere subito, scapparsene al nord e risparmiarsi almeno di pagare i creditori.

Maione guardò il superiore. Gli scenari si andavano allargando.

– E questo Merolla lo sapeva che l'affare lo aveva concluso proprio Irace?

– E certo che lo sapeva, brigadie'. Mi ha tolto l'anima anche ieri; l'ho dovuto cacciare dall'ufficio mio per riuscire a chiudere e andarmene a casa. Voleva firmarmi le cambiali, era disposto a pagare pure di piú. Mi supplicava. Diceva che avrebbe perso tutti i clienti, che si ammazzava davanti a me. Una tragedia.

Maione era sorpreso.

– Mamma santa! E voi che gli avete risposto?

Martuscelli allargò le braccia.

– Brigadie', e che gli dovevo rispondere? Che gli affari sono affari. Se avessi avuto il cuore tenero ogni volta che qualcuno mi pregava in ginocchio, mo', nella migliore delle ipotesi, starei sotto la Galleria a chiedere l'elemosina. Gli ho spiegato che non ci potevo fare niente, che non era colpa mia se lo scozzese preferiva i contanti ai pagherò.

Ricciardi intervenne:

– Chi è questo Merolla? Che tipo è?

– Una brava persona. Uno che prima faceva il commesso, poi si è aperto il negozio e lo tiene da vent'anni, lui e le due figlie che gli dànno una mano. Negli anni buoni è cresciuto, poi ha dovuto combattere. È uno che tiene fede ai suoi impegni e fa i salti mortali; li fanno tutti quanti, al giorno d'oggi. Ma nel commercio vali se guadagni. Nel momento che non ci riesci piú, o ti fai da parte in tempo o punti tutto su un numero e speri di vincere, come alla roulette. E come nella vita, a volte.

Ricciardi rimase un attimo in silenzio. Fissò la finestra dalla quale gli giungeva chiaro il messaggio del suicida che ripeteva: *ll'anema mia int'e mmane voste, mammà*, la mia anima nelle vostre mani, mamma; forse lui aveva scelto il numero sbagliato. Si riscosse.

– Merolla era informato del fatto che Irace sarebbe venuto da voi la mattina dopo e a quale ora?

Martuscelli corrugò la fronte.

– Non lo so, commissa'. Non ne ho idea. Di sicuro immaginava che sarebbe venuto presto, era logico. Ma l'orario come faceva a conoscerlo? Avrebbe dovuto sorvegliare Irace.

Ricciardi guardò di nuovo fuori dai vetri. Lo spettro della rovina, la disperazione, i debiti. *Ll'anema mia int'e mmane voste.*

– Grazie, Martuscelli, abbiamo finito. Tenetevi a disposizione, però, può darsi che dobbiamo sentirvi ancora. Questa storia ha troppi punti oscuri.

L'uomo, visibilmente sollevato, aprí la bocca nella brutta imitazione di un sorriso.

– Certo, commissa', figuratevi. A me chi mi leva dal posto mio? Tratto con la Scozia e l'Inghilterra, le mie lettere e i miei soldi girano il mondo, ma io non mi sono mai allontanato dalla città. Però una cosa, scusatemi, ve la vorrei chiedere.

– Prego.

Martuscelli si bilanciò per l'ultima volta sulla punta dei piedi.

– Ma l'affare, adesso, non si chiude piú? I soldi, insomma, Irace li stava portando e glieli hanno rubati o non li teneva proprio?

Fu Maione a rispondergli, liquidandolo:

– Rivolgetevi a Taliercio, il socio suo. Noi certe informazioni non ve le possiamo dare.

– No, brigadie', era solo per capire, visto che ora la migliore offerta ridiventano le cambiali di Merolla. Comunque, buona serata.

Rimasti soli, Maione e Ricciardi si scambiarono le reciproche impressioni.

– Commissa', – disse il brigadiere grattandosi la testa, – mi sa che dobbiamo fare una scappata pure da questo Merolla. A me la disperazione mi provoca sempre uno strano effetto, quando si indaga su un morto ammazzato.

Ricciardi si appoggiò allo schienale.

– Sí, hai ragione. Ma anche Martuscelli va tenuto d'occhio, non ti pare? In fondo lui era l'unico che poteva ipotizzare con una certa precisione a che ora Irace sarebbe passato per il vicolo.

Prima che Maione potesse rispondere, qualcuno bussò alla porta. Era Camarda, la guardia in servizio.

– Commissa', ci sta una signora che vi vuole. Una signora bionda che parla strano.

XXII.

La signorina Wright entrò nell'ufficio ringraziando Maione, che le teneva aperta la porta. Si era cambiata, adesso indossava una giacca e una gonna grigio scuro e una camicetta bianca con dei ricami, ma la figura era comunque messa in risalto da una cintura stretta in vita e da un paio di scarpe alte di vernice.

Quella donna sapeva di essere bella, e non intendeva perdere i vantaggi che ciò comportava.

Si sedette davanti alla scrivania e chiese se poteva fumare. Un lieve tremito della mano, quando accostò la sigaretta alla fiamma offerta dal brigadiere, tradí un nervosismo che non appariva dall'espressione disinvolta e sorridente.

Parlò rivolgendosi a Ricciardi.

– Commissario, mi perdonerete se non ho preso appuntamento. Il nostro incontro di oggi è stato un po' troppo... improvviso, e temo di avervi lasciato una cattiva impressione. Mi dispiaceva, e ho deciso di presentarmi qui per capire meglio quello che sta succedendo.

Maione era affascinato, e non trattenne la curiosità.

– Signorina, scusate, posso chiedervi come fate a conoscere cosí bene l'italiano? Col nome che tenete...

L'altra rise.

– Mia madre è di un paese vicino Frosinone. È venuta negli Stati Uniti da ragazza e ha incontrato mio padre, che invece è di origini irlandesi. In casa, con lei e i miei fratelli, abbiamo sempre e solo parlato nella vostra lingua. Ci teneva molto che la capissimo. Sognava di tornare, anche se non ci è mai riuscita.

Ricciardi decise di riportare il discorso al punto.

– Signorina, venendo a noi, posso domandarvi in che veste accompagnate il signor Sannino? Siete la sua…

Un'ombra di tristezza attraversò il viso della Wright, ma si dissolse talmente in fretta da lasciare in dubbio se fosse passata davvero.

– Io mi occupo di tutto, commissario. Faccio la segretaria, seguo la corrispondenza e, siccome prima ero giornalista, anche i rapporti con la stampa. Il signor Sannino è un pugile, non ha avuto l'opportunità di studiare, e negli Stati Uniti un campione sportivo intrattiene rapporti al pari di un capitano d'industria. Non è come qua, insomma.

– Ne sono convinto. Però, in albergo, mi pare abbiate affermato che il signor Sannino aveva trascorso la notte con voi. Ho sentito male?

La donna arrossí, e per un attimo parve sul punto di replicare con asprezza alla frase di Ricciardi. Maione osservava la scena placido: accadeva spesso che il commissario si comportasse in modo da spiazzare l'interlocutore. Non condivideva appieno quella tecnica, che talvolta poteva risultare perfino violenta, ma doveva ammettere che era efficace.

– No, commissario, – rispose la Wright. – Non avete sentito male. Tra me e Vinnie c'è… chiamiamola una relazione libera. Insomma, capita che dorma con me. Ieri, per esempio, è successo.

Ricciardi tacque qualche secondo, poi disse:

– Signorina Wright, immagino vi rendiate conto che quello che asserite è molto importante. Il signor Sannino ha minacciato di morte in pubblico un uomo che poche ore dopo è stato ucciso. Se siete l'unica ad averlo visto durante la notte...

La donna lo interruppe:

– No, commissario. Non ho detto questo. Non sono l'unica ad averlo visto. E chiamatemi Penny, per favore.

Ricciardi era perplesso.

– Non capisco. Come sarebbe, non siete l'unica?

– È meglio che vi racconti tutto per filo e per segno, del resto sono qui apposta. Magari vi sarà utile per orientare l'indagine.

– Prego.

Penny si accese un'altra sigaretta. Era tesa, ma anche concentrata.

– Ieri Vinnie ha bevuto parecchio, per l'intera giornata. È una cosa recente, questo vizio dell'alcol; non ci è abituato e perde il controllo. Perciò ha minacciato quell'uomo. Ma non significa che l'abbia ucciso.

Ricciardi prese un respiro.

– Come ho già avuto occasione di precisare, nessuno lo afferma, al momento. Per ora ci limitiamo a verificare gli elementi a nostra disposizione. Ma, giacché ne avete parlato, vorrei approfondire: perché il signor Sannino si è messo a bere?

La Wright si prese un attimo prima di rispondere, e quando lo fece abbassò la voce, come se stesse ricordando qualcosa di spiacevole.

– Vinnie è un atleta, e gli atleti hanno cura di sé stessi, perché dal benessere del corpo dipende il successo nel loro lavoro. Lui è sempre stato coscienzioso, sia negli allenamenti sia nella vita privata. Non è... non è uno che parla tanto, no, però è serio, determinato. Poi c'è stato l'episodio di Rose, che di sicuro conoscete. Ed è cambiato.

Ricciardi corrugò la fronte.

– Potreste essere piú precisa?

La donna scambiò un'occhiata sorpresa con Maione, quasi a cercare conforto.

– Ma come, commissario, non sapete? Ne hanno parlato tutti i quotidiani del mondo. In un incontro per la difesa del titolo, Vinnie ha combattuto contro un pugile molto forte, Solomon Rose. Durante la sesta ripresa lo ha messo al tappeto, e quello non si è rialzato. Gli aveva sferrato un gancio sinistro, il suo colpo migliore, il marchio di fabbrica di The Snake, e Rose ha avuto un'emorragia cerebrale; il pugno lo aveva centrato sulla tempia destra. È morto il mese dopo, in ospedale.

Ci fu un attimo di silenzio. Ricciardi ricordava che Maione gli aveva accennato qualcosa, ma allora non aveva dato peso alla faccenda.

– Quindi cosa è successo?

Penny riprese:

– Per Vinnie è stato devastante. Era un eroe, l'italiano perfetto, il campione dei poveri e degli emigranti. Sul ring gli incidenti capitano, non è la prima volta. Poteva dire che gli dispiaceva, fare una visita alla famiglia. Oppure chiudere la questione con una scrollata di spalle, nessuno si sarebbe stupito.

– E invece?

La donna si strinse le mani in grembo.

– È come impazzito. Ha smesso di allenarsi, passava il tempo in ospedale vicino al letto di Rose. Ha regalato alla madre del ragazzo la borsa ricevuta per l'incontro. Senza consultarsi né con me né con Jack Biasin, il suo manager, ha dichiarato ai giornali che per il momento non aveva intenzione di tornare sul ring, e che non aveva idea di quando e se ci sarebbe salito di nuovo. È perfino venuto a trovarlo l'ambasciatore italiano, per dirgli chiaro e tondo che il duce non apprezzava quella mollezza, che si aspettava un pronto e vittorioso ritorno ai combattimenti. Non ha voluto sentire ragioni.

Maione mormorò:

– E mica dev'essere facile, signori', ammazzare uno a pugni e andare avanti come se niente fosse.

La Wright annuí.

– No, non è facile. Ma se uno fa quel mestiere lo sa che corre certi rischi. Io credo che Vinnie volesse già smettere, che l'incidente di Rose abbia solo accelerato i tempi.

Ricciardi domandò:

– Perché voleva smettere, secondo voi?

– Per tornare qui.

La risposta cadde nel silenzio. Dopo un attimo la donna continuò:

– Per due anni ho sperato si convincesse che la sua vita ormai era in America. Con me, magari. Era famoso, ricco, amato; gli amici lo adoravano e la stampa lo celebrava. Si discuteva perfino di un *movie*, un film sulla sua storia. Ma lui in testa aveva altro. Voleva tornare a casa sua, come se quella che aveva là non lo fosse. Non dava spiegazioni. Abbiamo capito solo al nostro arrivo qui.

Ricciardi annuí.

– La moglie di Irace, vero?

– Sí, la moglie di Irace. Una che non lo aveva aspettato, che si era sposata e in tanti anni non gli aveva spedito nemmeno una cartolina. Una a cui non lo legava nulla, se non un'illusione da ragazzino.

Ricciardi e Maione si scambiarono un'occhiata. Lei si lasciò scappare una risata amara.

– Sembrava pazzo. Prima è andato davanti al negozio di stoffe, sotto la pioggia, e si è messo a guardare dentro senza trovare il coraggio di entrare. Poi ha voluto fare quella cosa ridicola di cantare la canzone sotto la finestra; lo ha aiutato Jack, io mi sono rifiutata. Infine siamo stati a teatro e ha fatto la piazzata che sapete. Ma ve lo ripeto, era ubriaco...

Ricciardi sospirò.

– Signorina, non divaghi, per cortesia, noi dobbiamo ricostruire che cosa è successo questa notte.

La durezza del tono riscosse la Wright.

– Sí. Sí, certo. Dopo lo spettacolo siamo rimasti per ore in un locale là vicino. Piangeva e continuava a bere. A un certo punto ha detto che voleva camminare, da solo. Jack, per prudenza, lo ha seguito; io invece sono rientrata. Ero esausta, sono crollata subito in un sonno pesante. Quando ho aperto gli occhi l'ho trovato che dormiva vestito al mio fianco, a bocca spalancata. Ho cercato di svegliarlo, mi faceva pena vederlo cosí; non ci sono riuscita. Si è alzato al vostro arrivo.

Ricciardi si sporse in avanti.

– A che ora vi siete accorta di lui? Fate attenzione a come rispondete, signorina: se successivi riscontri dovessero dimostrare che avete mentito, vi trovereste in grossi guai.

L'atteggiamento minaccioso del commissario non ammetteva repliche o incertezze. Maione, un po' imbarazzato, distolse lo sguardo da Penny, che mormorò:

– Saranno state le sette e mezza, le otto al massimo. Filtrava luce dalle imposte. Ma non ho guardato l'orologio.

Ricciardi la fissò.

– Dunque non potete affermare che sia rientrato prima delle sette?

– Io no, commissario. Forse Jack. Sono sicura che non lo ha mai perso di vista.

– Biasin non vi ha detto nulla? Sa che siete qui?

– No, no. È una mia iniziativa. Volevo solo capiste che Vinnie non è un violento, come si potrebbe pensare di un pugile. Il fatto che fosse... che avesse un sentimento per quella donna non deve portarvi fuori strada: non avrebbe fatto del male al marito. È una vecchia infatuazione, gli passerà. Imparerà ad apprezzare le cose belle che si è conquistato, invece di inseguire un ricordo.

Maione parlò con dolcezza.

– E non avete idea, signori', del perché avesse le mani sbucciate e lo strappo sul vestito?

La donna si voltò verso di lui, addolorata.

– Ve l'ho spiegato, brigadiere. Era ubriaco. Ubriaco fradicio. Potrebbe aver litigato con qualcuno, oppure essersi sfogato dando dei pugni a un portone, a un muro. Potrebbe essere caduto, essersi impigliato in qualcosa. O pensate che chiunque abbia uno strappo nella giacca sia un criminale?

La risposta assomigliava molto a quella data da Ricciardi allo stesso Maione fuori dell'albergo. I due poliziotti si guardarono a disagio. Il commissario disse:

– Va bene, signorina Wright... Penny. Vi ringrazio di essere venuta. Naturalmente dovremo sentire Jack Biasin e di nuovo il signor Sannino. Intanto vi prego di non uscire piú dall'albergo senza la nostra autorizzazione.

In quel momento il telefono sulla scrivania di Ricciardi squillò: era il dottor Modo che lo convocava.

XXIII.

L'ospedale dei Pellegrini, nelle sere di pioggia, mostrava un contrasto ancora maggiore con il quartiere che lo ospitava. Terminato il viavai dei parenti, dei medici, degli infermieri e degli studenti che andavano a imparare sul campo, il viale che portava all'edificio e alla chiesa diventava buio e deserto, mentre nei vicoli della Pignasecca, anche con il maltempo, la vita brulicava. Qua e là si sentivano le urla delle donne che chiamavano i figli a cena e quelle dei figli che protestavano perché volevano restare a giocare.

Modo accolse Ricciardi e Maione sulla porta del reparto, l'aria stanca ma soddisfatta. Al solito aveva il camice aperto imbrattato di sangue. Il brigadiere sospettava che lo facesse apposta per impressionarli.

– Dotto', buonasera. È per vendicarvi delle nostre chiamate che ci fate arrivare fino a qua? Non ci potevate dire al telefono?

Modo si asciugò le mani con uno straccio.

– E che sfizio ci sarebbe se fossi solo io a prendermi la pioggia? Però no, non è stato per un sano, e piú che lecito, desiderio di rivalsa che vi ho scomodato. È che vi devo mostrare una cosa.

Il sottufficiale finse di inorridire.

– No, non *pazziammo* proprio, a me vedere la gente squartata mi fa impressione. Io pure in macelleria con mia moglie non riesco a entrare.

– State tranquillo, brigadie', niente esposizione di intestini, oggi. Non vi voglio avere sulla coscienza, lo so che avete un animo sensibile. Al contrario del nostro Ricciardi, qui, che pare di notte si trasformi in pipistrello per succhiare il sangue alle donne e ai bambini.

Maione si voltò verso il superiore.

– Uh, commissa', e come lo ha saputo, il dottore? Credevo fosse un segreto per pochi amici, quello.

Sul viso di Ricciardi comparve una smorfia di sopportazione.

– Beati voi, che a fine giornata siete ancora in vena di scherzare. Questo perché, in modi diversi, avete davanti una serata distensiva. Io invece devo andare a un ricevimento a casa di non ricordo quale duchessa, e preferirei sul serio trasformarmi in un pipistrello per volarmene via.

Modo assunse un'aria interessata.

– Senti, senti... Dopo anni di isolamento amletico il nostro amico ha deciso di darsi alla vita mondana. In effetti qualcuno mi ha riferito che ti si vede in giro con una aristocratica dai capelli ramati, molto affascinante e di dubbia fama; il tipo che piace a me, insomma. Mai mettere in comune con gli amici le cose belle, vero? Solo le seccature.

Ricciardi sospirò.

– Lascia perdere, è una storia lunga. Ben presto tornerò alle mie abitudini, stai tranquillo.

Il dottore si lisciò il mento.

– Io, da parte mia, ho in programma una visita da Madame Flora, alla Vicaria. Ci sono le ragazze della nuova quindicina, e si vocifera di un paio di venete che sarebbero una forza della natura. Che dite, brigadie', mi fate compagnia?

Maione finse di scandalizzarsi.

– Dotto', ma come vi viene in mente? E poi io non riesco a stare un paio d'ore tranquillo con la mia famiglia, dove lo trovo il tempo di andare al bordello? Anzi, se ci volete dire come mai ci avete chiamato, io metterei anche fine a questo turno. Ormai mi sono scordato la faccia dei figli miei, che spero siano guariti dalla febbre. Se la stanno passando l'uno con l'altro da un mese, non sai mai a chi tocca.

Modo annuí.

– Sí, ci sta in giro una brutta influenza. Qua, se non smette di piovere, ci cacciamo tutti a letto e non se ne parla piú. Venite con me.

Si avviò per un corridoio del reparto fino a una stanzetta e la aprí con una chiave presa dal mazzo che teneva appeso al panciotto. Accese la luce. All'interno, su un tavolo, c'erano i vestiti indossati da Irace quando era stato trovato nel vicolo. Erano disposti come se il corpo fosse ancora al loro interno: scarpe, calze, pantaloni e cosí via.

Maione era un po' interdetto.

– E che è, l'esame necroscopico dell'uomo invisibile?

Il dottore ridacchiò.

– Dell'esame parliamo dopo, tanto non c'è niente di eccezionale rispetto a quello che già si intuiva. La cosa divertente è proprio qui, davanti agli occhi vostri. Avvicinatevi, avvicinatevi. Guardate bene.

Maione e Ricciardi cominciarono a studiare gli indumenti, rigirandoseli tra le mani. Dopo un po' il commissario disse:

– Credo di aver capito. In effetti mi pare un elemento interessante.

Maione era spazientito.

– E allora, se tutti avete capito, perché non mi spiegate pure a me? No, perché io, a parte il fatto che è tutta roba buona e costosa e che la misura delle scarpe è la mia, quindi me le prenderei volentieri, non noto niente di strano.

Ricciardi mostrò la parte posteriore del cappotto al brigadiere.

– Guarda con attenzione, Raffaele. È pieno di fango, giusto? Ma c'è una zona che è piú imbrattata delle altre, e dove il tessuto è anche consumato.

Maione indicò un'area centrale in corrispondenza della parte bassa della schiena.

– Qui, commissa'. E pure sui pantaloni è la stessa cosa.

– Esatto. Ora, se fosse stato trascinato fino al punto in cui lo abbiamo trovato per un lato solo…

Il dottore, gli occhi scintillanti di soddisfazione, completò la frase di Ricciardi:

– … Avrebbe le maniche o le gambe dei pantaloni tutte sporche, o addirittura strappate. Questo significa che…

Il brigadiere ebbe un lampo di comprensione e si diede una manata sulla fronte.

– … Che sono stati in due a trascinare il morto. Uno lo teneva per le braccia, perché le maniche del cappotto sono pulite, e…

Modo concluse il ragionamento:

– … L'altro per i piedi, infatti le scarpe e la parte bassa dei calzoni sono pulite anche loro. In pratica, ho fatto il lavoro vostro. Se questo mese mi girate lo stipendio che vi regalano ingiustamente, siamo pari.

Ricciardi lo guardò con un sorriso ironico.

– Con tutte le volte che ti ho pagato da bere, al massimo sono disponibile a scalare qualcosa dal tuo conto. Cosí mi devi solo qualche centinaio di migliaia di lire. Però grazie. Adesso ci dici che cosa è risultato dall'autopsia?

Il dottore sospirò, allargando le braccia.

– Ma bene, ci mettiamo anche a rinfacciare una normale redistribuzione della ricchezza tra i padroni latifondisti e il proletariato intellettuale: non c'è proprio giustizia… Dunque, il soggetto è, anzi era, un robusto maschio di mezza età, un po' sovrappeso ma in buone condizioni generali. Lasciato a sé stesso, sarebbe morto tra una quindicina d'anni per qualche ostruzione delle arterie. Era avviato sulla buona strada: si vede che gli piaceva mangiare, bere e fumare… Non capisco proprio come mai.

Maione tossí. Modo lo fulminò con un'occhiataccia.

– Brigadie', i medici sono invulnerabili, non lo sapete? Ce la insegnano all'università, la maniera di evitare certe cose. Dicevo che lo stato di salute generale era decente, quindi, ammazzandolo, gli hanno fatto un cattivo servizio. L'esame ha confermato gli esiti di un bel *mazziatone*. Ecchimosi al volto, lacerazioni nelle regioni di naso e bocca, denti spezzati, perdite ematiche. Fratture delle costole… – il dottore tirò fuori dalla tasca del camice un foglietto scritto in una fitta grafia inclinata e inforcò un paio di occhiali, – … nona, decima e undicesima a destra, con perforazione del relativo polmone, il cui lobo inferiore era brunastro e mostrava fuoriuscita di liquido alla pressione. Niente lesioni a esofago e stomaco, ma presenza di tracce ematiche: ha ingoiato il sangue risalito dalle vie respiratorie, insomma. Rottura della milza e versamento nel peritoneo.

Maione emise un fischio sommesso.

– *Maronna*, lo hanno fatto nuovo nuovo.

– E sí, brigadie'. Proprio cosí. E non ho ancora finito: frattura del terzo distale del femore destro e severe contusioni del sinistro. Secondo me, per prima cosa gli hanno dato una botta forte da dietro, sulle gambe, perché cadesse.

Ricciardi era attentissimo.

– Sí, ma come è morto? Perché nel tuo elenco un colpo mortale non c'è.

Modo sorrise, soddisfatto.

– Bravo, commissario, sei un buon allievo. Continua ad ascoltare le mie lezioni e stimo che in un'altra decina d'anni diventerai un esperto. Hai ragione, finora il colpo mortale non c'è. In realtà la vittima sarebbe morta lo stesso, ormai il polmone era compromesso e la milza avrebbe fatto il resto, era questione di minuti, ma hanno deciso di non correre rischi.

Ricciardi lo fissò.

– Dobbiamo pregarti per sapere la fine della storia?

Il medico lesse dal foglietto come se stesse declamando una poesia, l'indice libero che oscillava in aria per seguire il ritmo delle parole.

– Frattura del tavolato cranico in corrispondenza della regione temporale destra, al di sotto della quale si riscontra ampia emorragia dovuta al traumatismo diretto dell'arteria meningea media. In sintesi: emorragia extradurale.

Maione sgranò gli occhi.

– Quindi, per esempio, potrebbe aver ricevuto un gancio sinistro alla tempia?

Modo inclinò la testa da un lato.

– E che è 'sto linguaggio tecnico pugilistico, brigadie'? Comunque sí, è stata una cosa del genere a ucciderlo.

Ricciardi guardò i vestiti appoggiati sopra il tavolo e, quasi tra sé, mormorò:

– Il marchio di fabbrica. Il gancio sinistro del Serpente.

XXIV.

Se con quel pugno lo avesse ucciso subito, forse sarebbe finita lí.

Vedendolo a terra senza respiro, lucido di sudore, con i guantoni addosso e i calzoncini tirati sull'addome, la fatica e la disperazione del combattimento gli avrebbero permesso di pensare che era successo all'altro, ma che sarebbe potuto accadere a lui.

Non avrebbe alzato le braccia per ricevere applausi e complimenti, se avesse immaginato che i secondi non stavano portando fuori dal quadrato un avversario solamente intontito dal suo colpo speciale, *the snakebite*, come dicevano i giornalisti e i radiocronisti, il morso del serpente. Non avrebbe festeggiato proprio niente.

Ma non era andata cosí. E ora fissava quel corpo grigio, gli occhi semichiusi e la bocca aperta, inerte ed enorme in una stanza d'ospedale: una camera singola pagata da lui, con tre infermiere che si alternavano ad assisterlo.

La pelle era la cosa che gli faceva piú impressione. Il suo avversario era come sbiadito, non aveva piú la tinta ebano che lo rendeva spaventoso sul ring. Sembrava fatto di cartapesta.

La madre, una donna senza marito che aveva solo quel figlio, veniva ogni giorno, appena usciva dal ricco appartamento vicino al parco dove prestava servizio. Si sedeva, cominciava a piangere emettendo un lamento costante e musicale e mormorava preghiere che lui, con il suo inglese, non capiva. Benché fosse distrutta dal dolore, non mostrava alcun odio nei suoi confronti.

Vincenzo avrebbe preferito il contrario. Una reazione rabbiosa lo avrebbe spinto a difendersi, anche da sé stesso, a trovare giustificazioni, invece lei lo aveva perfino ringraziato per le spese che sosteneva. Sia Penny sia Jack, quando avevano capito che non sarebbero riusciti a impedirgli di recarsi lí tutte le mattine, si erano offerti di accompagnarlo, ma lui aveva rifiutato. Voleva andare da solo. Fendeva la cortina di cronisti appostati davanti all'ingresso dell'edificio, si fermava con cortesia a firmare autografi sulle copertine dei giornali illustrati che medici e infermiere gli porgevano, poi si metteva in piedi davanti al letto ad aspettare. Non sapeva cosa, ma aspettava.

Gli avevano spiegato che difficilmente Rose si sarebbe risvegliato. L'intervento chirurgico che aveva subito nelle drammatiche ore successive all'incontro non aveva avuto l'esito sperato; l'emorragia era troppo vasta.

Non gli piaceva che lo chiamassero per cognome. Pareva troppo generico. Quello era Solomon. Una persona. Un figlio. Uno che sarebbe stato fidanzato, marito, padre. Uno che aveva ancora tanto da ridere, da scherzare, da soffrire, da piangere, se non fosse stato per il suo gancio sinistro.

Il colpo inutile, rifletteva Vincenzo. Inutile. Dopo il montante alla mascella stava già cadendo, aveva le ginocchia molli e gli occhi vacui. Non si sarebbe rialzato. Ma lui aveva dovuto sferrare il colpo inutile, quello per la fama, per la gloria, quello della sicurezza che già aveva. Il colpo inutile con cui lo aveva ridotto cosí.

Ormai era quasi un mese che non si dava pace. Stava male, malissimo, quando entrava nella stanza dell'ospedale, ma stava ancora peggio quando rimaneva nella propria, coricato al buio con gli occhi spalancati, cercando ragioni che non c'erano.

Cettina, Cettina, ripeteva tra sé. Perché c'era Cettina all'origine del pugno che aveva condannato Solomon. Non avrebbe mai saputo, quel ragazzo, quel fiero avversario, che all'origine della sua probabile morte c'era il viso di una giovane in lacrime da cui lui, un pomeriggio di ottobre di molti anni prima, aveva giurato di tornare.

Non è strano, Solomon? Una ragazza piange dall'altra parte del mondo e tu finisci in questo modo. Se solo potessi ascoltarmi, ti parlerei di lei. Non delle sue lacrime, ma del suo sorriso. Proverei a farti capire che quel sorriso è la ragione di tutto. Mi dispiace, Solomon, mi dispiace. Avrei voluto conoscerti, almeno un po', e non attraverso la sofferenza di tua madre.

Se potessi ascoltarmi, anche solo per un attimo, ti direi del ragazzo che nuotava nell'acqua gelida della notte verso un futuro che sperava somigliasse al passato. Proverei a spiegarti che ogni cosa era necessaria, tranne il colpo inutile.

Vincenzo non riusciva a riprendersi. E all'inizio tutti sembravano capirlo: bisogna dargli tempo, è giusto, ha un cuore nobile. Bisogna dargli tempo. Ma subito erano diventati insofferenti. Potresti riprendere ad allenarti, diceva Jack. Potresti concedere qualche intervista e dormire con me, diceva Penny.

Era venuto a trovarlo perfino quell'idiota dell'ambasciatore, uno che usava sempre il «noi».

«Noi auspichiamo», diceva. «Noi ci auguriamo che voi comprendiate», diceva. «Ci ha chiamato il duce in persona», diceva. Come se a lui importasse qualcosa di ciò che pensavano a Roma. A lui importava di Cettina e di Solomon. E del colpo inutile. Lo *snakebite*. Che assurdità.

Vincenzo allungò lo sguardo oltre la finestra della stanza. L'aveva voluta con la vista, sebbene per Solomon non cambiasse nulla. Ora i vetri erano schiaffeggiati dalla pioggia, ma nelle belle giornate, quando l'aria era tersa, si potevano ammirare uno scorcio della città e un tratto del fiume Hudson.

Io, Solomon, non sarò mai di qui, pensò. E non lo sarai mai neppure tu. Non ci considerano dei loro. Noi andiamo bene se saltelliamo su un ring e ci riempiamo di pugni per farli divertire.

Tu e io, Solomon, siamo la stessa cosa, uno in piedi e l'altro nel letto. Non lo capisce nessuno, ma l'unica differenza è che il colpo inutile è partito da me. Questione di fortuna. Anche se è da stabilire chi dei due è il fortunato.

Aveva detto alla signora Rose che non avrebbe piú dovuto lavorare. Che aveva dato disposizioni in banca perché ricevesse un vitalizio sufficiente a starsene a casa. Lei, con suo orrore, aveva provato a baciargli la mano, *quella* mano, poi gli aveva risposto che non aveva niente da fare, a casa. Lo ringraziava, ma preferiva restare a servizio. Vincenzo aveva compreso, e per la prima volta in tanti anni si era domandato cosa sarebbe successo se non fosse andato via. Se invece di imbarcarsi avesse scelto di combattere la propria condizione con lo stesso testardo coraggio che aveva mostrato sul ring. Se lo sguardo di Cettina, invece di essere il sogno di tante notti tormentate, invece di essere il traguardo da raggiungere alla fine di una lunga corsa, invece di essere la forza capace di sostenerlo in quel Paese lontano, fosse stato il motivo per vivere giorno dopo giorno sotto il proprio sole, mangiando il proprio pane.

Lí, davanti a Solomon, che cercava aria con la bocca spalancata, gli venne in mente la canzone. Il lamento disperato di un uomo che perde la sua donna; lo strazio di un cuore che perde ogni promessa di futuro. Ti ho persa, Cetti'? Ti ho persa nel silenzio di questi anni? Ti ho persa mentre lavoravo e sudavo e sanguinavo per riconquistarti? Ti ho persa lungo questa strada che ho fatto per tornare? Ma se ti ho persa, Cetti', a che sarà servito il colpo inutile? A che sarà servito l'ultimo pugno, se ti ho persa?

A che saranno servite le lacrime versate da una madre al capezzale di un fantoccio grigio che è stato il suo bambino?

Se ti ho persa, allora voglio morire anch'io come Solomon. Perché avrò ricevuto anch'io il mio colpo inutile.

Se tu sapessi, Cetti', quanto mi hai guidato. Quanto ho navigato, seguendoti come la stella polare, dal momento in cui l'acqua gelida mi ha spezzato il fiato fino a quando ho alzato le braccia davanti a questo povero ragazzo.

L'ho fatto per te, Cetti'.

Lo capisci perché non posso non averti? Perché altrimenti tutto diventerebbe inutile. Tanta fatica, tanto dolore: inutili come quell'ultimo colpo. Rimuoverò qualsiasi ostacolo si metta tra te e me. Devo farlo, anche per Solomon.

Mentre la pioggia picchiava contro la finestra, mentre la canzone della perdita risuonava nella mente dell'uomo che non aveva mai smesso di essere sé stesso anche quando era diventato Vinnie The Snake, il respiro di Solomon Rose cessò, cancellando ricordi e speranze.

Vincenzo cominciò a piangere.

E non smise piú.

XXV.

In attesa di passare a prendere Ricciardi per recarsi con lui al ricevimento della marchesa Bartoli di Castronuovo, Bianca aveva deciso di fare visita al duca Carlo Maria Marangolo.

Non lo incontrava da alcuni giorni e, in piedi nel salottino dove un cameriere l'aveva accompagnata, avvertiva come sempre la preoccupazione di trovarlo peggiorato. Quando lo vide arrivare, sorridente e in veste da camera, si sentí piú serena.

– Bianca! – esclamò Marangolo. – Grazie di essere venuta, sei la luce dopo una brutta nottata. Che tempaccio, eh? Hai preso freddo?

La donna porse la guancia per un bacio. Era molto affezionata al duca, che conosceva fin da bambina perché compagno di studi del fratello maggiore, morto in guerra. Sapevano entrambi dell'amore disperato e discreto che provava per lei, e di come questo amore si fosse trasformato nel tempo in una profonda devozione. Bianca non avrebbe mai dimenticato quanto Carlo Maria le fosse stato vicino e l'avesse aiutata nel suo infelice matrimonio.

– Ciao, caro, – rispose. – Ho detto al tuo autista che volevo salutarti. Come sai, sto andando al ricevimento della Bartoli con il nostro commissario. Senti, ma sei sicuro che sia opportuno uscire quasi ogni sera? Non credi che ormai le acque si siano calmate a sufficienza e che possiamo smettere di recitare?

Era stato Marangolo, poco piú di un mese prima, a suggerirle di aiutare Ricciardi quando la polizia fascista lo aveva indagato. La contessa sospettava che, in realtà, il suo intento fosse quello di riportare lei alla luce del giorno. Di costringerla a riprendere una vita che si era rassegnata a non vivere piú. E ad accettare infine i regali che avrebbe sempre voluto farle, ma che Bianca, nella sua condizione di moglie fedele di un marito rovinato, aveva sempre respinto.

Il viso segnato, le macchie sulla pelle, i capelli smorti rivelavano nell'aristocratico la sofferenza del corpo, a cui si contrapponeva l'acutezza della mente. Il duca Marangolo, uno degli uomini piú ricchi della città, era malato di fegato e, nonostante fosse in cura presso i migliori specialisti del continente, era riuscito solo a rallentare il decorso della malattia, senza avvicinarsi a una guarigione.

Bianca era il suo unico, grande affetto, il suo legame con questo mondo, la forza che lo spingeva a voler sopravvivere.

– La situazione ti pesa? – le domandò. – Forse la maldicenza, le chiacchiere...

La contessa lo interruppe.

– No, no, figurati. Anzi, non mi sono mai divertita tanto, e come vedi sto anche ritrovando il gusto per le cose belle. Grazie a te, naturalmente.

Il duca fece scorrere lo sguardo sul cappellino di velluto verde appuntato di lato sui capelli ramati e sul vestito della stessa stoffa che sotto la stola di pelliccia fasciava l'elegante figura della donna.

– In effetti sei piú bella che mai. Allora perché mi chiedi se è il caso di continuare? Per me è un gran conforto saperti di nuovo al centro della vita sociale, ancorché meschina, di questa squallida città. Ma se tu ritieni che...

Bianca era intenerita.

– Lo fai per questo, vero? È un modo per trascinarmi fuori da casa, per distogliermi dal pensiero di Romualdo in carcere e dai miei doveri di lealtà nei suoi confronti.

Il duca si accomodò a fatica su un divano.

– Lo so che saresti stata capace di rimanere ad aspettare un uomo che non tornerà. Che avresti fronteggiato da sola, senza accettare il mio aiuto, come ti sei ostinata a fare per anni, l'immensa mole di debiti che ti ha lasciato. E io avrei rispettato la tua decisione, se fosse stato ciò che davvero volevi.

La donna gli si sedette accanto.

– E allora? Qual è il motivo per cui vuoi che prosegua con questi incontri? Pensi che Luigi Alfredo... che Ricciardi corra ancora dei pericoli?

Marangolo prese un respiro.

– Non credo, no. Ho saputo delle accuse per caso, non so nemmeno chi gliele abbia mosse e per quale motivo. Ma siccome lo avevo conosciuto e ci avevo parlato... Be', mi è parsa una persona onesta. Un uomo che nasconde altre pene, però non possiede una natura equivoca. Si era impegnato per aiutarti, ti aveva dato le risposte che volevi: tanto mi bastava per essergli grato, infinitamente grato. Lo sai quanto tenga a te.

Bianca gli accarezzò il viso con le lunghe dita guantate di seta. Il duca chiuse gli occhi per assaporare quel tocco lieve, poi disse:

– Vedi, io sono consapevole che il mio tempo sta per finire.

La contessa stava per protestare, ma lui l'interruppe con un gesto della mano.

– No. Non sprecare inutili frasi di circostanza. Lo sai anche tu. Non m'importa, credimi. Ho vissuto abbastanza, ho visto il mondo. E per merito tuo, perdonami se sono sfacciato, conosco anche l'amore. La sofferenza e l'immensa gioia che può dare.

Bianca distolse lo sguardo, cercando di nascondere il dolore e il rimorso per non aver saputo regalare un po' di felicità all'amico.

Marangolo continuò.

– Io ti conosco, Bianca. Ho passato la vita a osservarti. Conosco ogni singola espressione del tuo viso. Il modo che hai di muovere la bocca, le sopracciglia. Come cambia il colore dei tuoi occhi, dei tuoi meravigliosi occhi, quando sei arrabbiata, sebbene dal tono della voce non traspaia. Conosco la tua ironia tagliente, le tue letture e la tua intelligenza. Conosco la tua voglia di vivere e la tua capacità di mortificarla sotto la montagna di ideali e convenzioni che ti hanno imposto fin da piccola. Io c'ero, sai? E lo so.

La donna continuava a fissare il vuoto, mordendosi il labbro per trattenere la commozione. Avrebbe voluto interrompere quel flusso di parole accorate, ma l'altro continuò.

– E siccome ti conosco, so che sul tuo viso c'è una luce nuova. Mai l'avevo vista. Nemmeno quando da ragazza decidesti di sposare quell'inetto di Roccaspina, spezzandomi il cuore.

Bianca si voltò verso di lui, arrossendo.

– Carlo Maria, ti prego, non dire cosí. Lo sai, mi sei sempre stato nel cuore. Ti ho voluto e ti voglio bene profondamente, piú che a un fratello o…

Il duca la fermò.

– … O a un padre. Sí, me lo hai ripetuto tante volte. L'amore è un dio perfido. Ci sono stati momenti in cui avrei preferito che mi odiassi. L'odio è pur sempre un'emozione dal colore carico, non come l'affetto, che è dipinto con gli acquerelli. Ma ormai il mio amore si è cristallizzato in una cattedrale di vetro; non ho rimpianti, è la cosa piú bella che io abbia costruito dentro di me. E ora sono certo di non ingannarmi, tu nutri per quell'uomo, il barone di Malomonte, un sentimento forte, che non hai mai provato e che probabilmente non vuoi ammettere nemmeno con te stessa. Lo stesso sentimento che nutro io per te.

Bianca si alzò di scatto.

– Non è vero! Io gli devo gratitudine... Lui mi ha... mi ha liberata dalla corda invisibile che mi teneva legata a mio marito e a una vita che non avevo scelto, ma...

Il duca scosse il capo, stancamente.

– No, Bianca. Non è solo questo. Non è solo la gratitudine. O non avresti accettato la mia proposta di uscire con lui, suscitando critiche e pettegolezzi. Posso sbagliarmi su tutto, ma non su di te.

La contessa era impallidita, si torceva le mani.

– Ma lui... io credo che lui, comunque, abbia in mente altro. In certi momenti è assente, distratto. Come se... come se vedesse cose che io non vedo. È un uomo molto particolare...

Marangolo annuí.

– Sí, l'ho notato anch'io. Ma ho notato pure come ti guarda, e credimi, non gli sei indifferente. Del resto, sarebbe impossibile il contrario, tesoro mio.

La donna, suo malgrado, sorrise al complimento.

– Dunque che cosa dovrei fare, secondo te?

Il duca si strinse nelle spalle.

– Approfitta di questi vostri incontri, non dureranno per sempre. La sua natura lo porterà ad allontanarsi da un modo di vivere in cui non si trova a proprio agio. Entro quel momento dovrai aver capito se vuoi averlo per te, e nel caso convincerlo a volerti a sua volta.

Bianca lo fissò smarrita.

– Amico mio, ti rendi conto di quello che mi stai dicendo?
Marangolo si passò una mano sugli occhi.
– Sí, ci ho pensato a lungo. Avevo già deciso di parlartene appena ti avessi rivista. E credimi, non ero certo di esserne in grado. Ma io sto male, Bianca. Ho vegliato su di te per tutta la vita, e adesso non posso accettare l'idea di lasciarti da sola in questo mondo. Mi piacerebbe andarmene sapendoti felice, e so che quello strano uomo dagli occhi verdi potrebbe riuscire nell'impresa.
Lei gli sfiorò di nuovo il viso.
– Non sono piú una bambina, sai, Carlo Maria? Le privazioni, le umiliazioni e l'abbandono fanno crescere piú in fretta degli anni passati montando a cavallo o bevendo tè. Sono consapevole di provare un sentimento nuovo, sconosciuto, ma la mia dignità di donna non si è ancora persa, e non potrei mai impormi a chi non mi vuole. Ho conosciuto uomini piú attraenti di lui, e anche nella disgrazia ho avuto corteggiatori insistenti. Ma c'è qualcosa, in Ricciardi… Qualcosa di diverso, di profondo e oscuro. Io… io vorrei solo comprenderlo meglio.
Il duca l'ascoltava con attenzione.
– Capisco. Anzi, non capisco: ma penso che la tua curiosità abbia in realtà un altro nome, e questo mi è sufficiente. Adesso vai, altrimenti farai tardi da quella vecchia megera della Bartoli. L'ho obbligata a invitarvi minacciandola di rivelare certi segreti che la riguardano.
– Davvero? E quali?
Marangolo sorrise, astuto.
– E io che ne so? Ma di sicuro ne ha qualcuno, o non avrebbe accettato. Vai, su. Poi mi racconterai.

XXVI.

Avrebbe dovuto tornarsene a casa difilato, il brigadiere Raffaele Maione. Avrebbe dovuto perché pioveva ed era stanco morto dopo quasi ventiquattr'ore di lavoro. Avrebbe dovuto perché i bambini lo aspettavano, come Lucia, la moglie, gli aveva detto chiamandolo dal telefono del ragionier Ruggiero, al solito urlando neanche si stessero parlando dalla finestra. Lui le aveva promesso che sarebbe rientrato appena possibile, ma c'era stato un omicidio, e quando c'era un omicidio non si potevano fare previsioni.

Avrebbe dovuto, sí. E avrebbe pure voluto, perché la pioggia gli penetrava nelle ossa attraverso i pantaloni e nelle scarpe attraverso le suole; l'ombrello era un riparo insufficiente.

Eppure non era verso casa che rivolgeva il suo passo, tetro e deciso, il brigadiere Raffaele Maione. Non era piú di turno, è vero, ma si sa che un brigadiere è sempre in servizio, altrimenti che brigadiere è?

Puntò a est, incontro al vento che adesso gli soffiava l'acqua in faccia quasi di fronte, come se un perfido scugnizzo si fosse messo a innaffiarlo con una cannola. L'ombrello si rivoltava all'indietro e rischiava di rompersi, cosí a un certo punto lo chiuse, e a quel paese il desiderio di tenere asciutta almeno la giacca.

Camminando, notò che il sistema di vedette funzionava pure a quell'ora di sera, e nonostante il maltempo. Uno spostamento nell'ombra, un'imposta che si chiudeva rumorosamente, una saracinesca alzata a metà, con un buco al centro dal quale si scorgeva la sagoma di un volto. Le mura hanno occhi, disse a sé stesso Maione. Occhi e orecchie, e si scambiano pure le notizie.

Benvenuto alla Sanità, brigadie'. Il comitato di accoglienza è pronto per ricevervi.

Il poliziotto non rallentò il passo, dirigendosi con sicurezza verso la propria destinazione. Non dubitava di essere stato censito e subito riconosciuto. Si fosse presentato con le guardie, in un orario tale da far pensare a un'operazione di polizia, si sarebbe trovato contro un esercito, ma da solo nessuno lo avrebbe fermato. L'unico ostacolo avrebbe continuato a essere il vento freddo e carico di pioggia.

Svoltò un angolo e passò davanti a un'osteria. Al di là del vetro c'erano quattro giovani intenti a chiacchierare, con un fiasco di vino e un mazzo di carte davanti. Si voltarono a guardarlo, le facce ostili, le mani alle tasche dei calzoni dove tenevano il coltello; a Maione ricordarono dei cani randagi che, interrotti mentre sbranano una carogna, alzano il muso insanguinato per valutare un possibile avversario. Li guardò di rimando, con la mascella serrata: io sono della stessa razza vostra, dicevano gli occhi di Maione, non ho paura di voi.

Si orientò contando i vicoli man mano che li superava. Uno, due, tre. In corrispondenza del quarto entrò e si ritrovò di fronte due figuri che stazionavano nel buio di un androne. Fece un altro passo e si fermò.

Rivolgendosi al piú anziano, disse:

– Andate a chiamarlo. Ci devo parlare.

L'uomo aveva il viso nascosto da un berretto. Lo spostò all'indietro e fissò il brigadiere come se guardasse il muro alle sue spalle.

– E chi devo dire?

Nessun rispetto. Nessuna considerazione. Nessun timore.

Rimasero a scrutarsi per un lungo momento, mentre il piú giovane si puliva con ostentazione le unghie usando un coltello a lama lunga. Poi Maione ringhiò:

– Tu vagli a dire che ci devo parlare. Senti a me, ti conviene.

Quello, senza smettere di fissarlo, fece un cenno della testa verso il compagno, che si allontanò, lasciandoli soli a fronteggiarsi, immobili e arcigni come nemici naturali: come cane e gatto.

Dopo meno di due minuti il giovane era di ritorno.

– Dice che dovete entrare nel portone. E dice che vi dovete togliere il cappello, quando entrate.

Sul viso di Maione comparve una specie di smorfia che, se non fosse stato buio e non ci fosse stata la pioggia, se il vento non avesse soffiato aspro nel vicolo, sarebbe sembrata un sorriso.

I due si scostarono per farlo passare.

L'androne era illuminato fiocamente da una lampadina nuda appesa al muro. Si distinguevano un cortile e una stretta rampa di scale. Maione percepí un movimento con la coda dell'occhio, ma non scorse nessuno. Lasciò che la vista si abituasse alla penombra, poi si inoltrò nel cortile.

Fuori dal fascio di luce della lampadina c'era una sagoma gigantesca.

– Ciao, Lio', – esclamò il poliziotto. – Ne è passato di tempo, eh?

La sagoma fece un passo avanti e assunse le sembianze di un uomo alto e massiccio, dalla folta chioma riccia e rossa, la pelle cosparsa di efelidi.

Pasquale Lombardi, Pascalone 'o Lione, percorse l'intera corporatura del poliziotto con gli occhi; i due uomini erano robusti e alti nella stessa misura.

La voce uscí profonda come un tuono sordo.

– Salve, Rafe'. Mamma mia come ti sei fatto vecchio.

Il bambino bruno corre vicino a quello con i capelli rossi e gli dice: corri, corri, Pasca', la maestra ti va cercando. L'altro risponde: e tu dicci che sei venuto a casa mia e che sto malato, Rafe'. Non ho fatto i compiti, e mio padre mi ammazza se sa che la maestra si è arrabbiata. Il bambino bruno ha l'aria smarrita: ma io non ho mai detto una bugia, Pasca'. Si va all'inferno, lo ha spiegato il prete in chiesa.

Maione sorrise storto.

– Be', pure tu gli anni te li porti maluccio assai. Ti sei ingrassato.

Lombardi si passò la mano sul ventre.

– E insomma, dobbiamo stare qua a farci i complimenti dopo tutti questi anni? Vuoi entrare? Ti bevi un bicchiere di vino e ti riscaldi un po'? Ci sta qualche amico, stavamo trattando un affare.

Il brigadiere scosse il capo.

– E non ti dicono niente gli amici tuoi, se vedono entrare uno vestito cosí?

L'uomo dalla chioma rossa scrollò le spalle.

– In casa mia faccio entrare chi voglio io, Rafe'. Pure uno vestito da pagliaccio. E nessuno si permette di mancarmi di rispetto.

Maione strinse i pugni.

– Qua nessuno si veste da pagliaccio, Pasca'. Io pure sono venuto per un affare, se vogliamo. Ma ci metto poco.

– E che affare possiamo mai tenere, io e te? Entra, dài. In fondo siamo vecchi amici.

Il bambino coi capelli rossi ha gli occhi pieni di lacrime. Rafe', dice, tu lo conosci a mio padre. Dice che non vuole che faccio la fine sua, che entra ed esce di prigione. Che devo studiare. Se la maestra gli racconta che non ho fatto le operazioni mi piglia con la cinghia dei pantaloni. L'altra volta per poco non mi ammazzava. Mi ha salvato mia madre, che si è messa in mezzo. Il bambino bruno lancia uno sguardo preoccupato verso il portone della scuola. Io non ho mai detto una bugia, Pasca'. Mai una.

– Amici? E mica siamo amici, noi. Siamo tutti e due sulla stessa pista del circo, ma amici no. Io sono un pagliaccio, forse, tu però sei una belva.

Lombardi tacque, e per un attimo il volto mostrò la ferocia del suo cuore. Poi i lineamenti si distesero, e scoppiò in una risata.

– E perciò mi chiamano 'o Lione, ti pare? Perché sembro proprio una bestia feroce. *Sembro*, perché se lo ero davvero tu mo' non stavi qua all'impiedi. Dimmi di che affare si tratta, se non vuoi il mio vino, Rafe'. E non mi fare perdere tempo, che tengo fretta.

E dilla adesso, Rafe'. Salvami, dilla adesso. Io ti giuro, ti giuro che ti ricambierò. Dilla adesso, una bugia. Dilla per me. Io ho paura di mio padre. A te ti crede, la maestra; tu sei bravo, i compiti li fai sempre. Dilla per me. Il bambino bruno si tormenta la visiera del berretto. L'amicizia e la sincerità: non pensava che potessero essere in contrasto. Dal corridoio giunge il passo della maestra.

– Pure io vado di fretta, Pasca'. E lo sai che, per venire fino a qua, la cosa mi sta a cuore. Si tratta di uno con cui tu e i tuoi avete un appuntamento. Donadio Gustavo.

Lombardi non riuscí a mascherare la sorpresa.

– Chi? 'A Zoccola? E che te ne fotte a te di uno cosí? È *'nu muccusiello*, un fessacchiotto che non conta niente.

Maione strinse le labbra. Non aveva intenzione di spiegare a un criminale perché gli stesse a cuore qualcuno.

– Fessacchiotto o no, mi interessa. E voglio sapere come si può risolvere la faccenda.

Uno scroscio d'acqua portato dal vento infuriò nel cortile. Lombardi non si lasciò distrarre.

– È un infame, questo è. Si è messo a trafficare dove non doveva, e sotto gli occhi di tutti. Lo abbiamo avvisato, lui ha finto di smettere, poi ha ripreso. Se l'è voluto, Rafe'.

Maione faticava a trattenersi.

– Non la fare con me, questa parte. Non fare quello che amministra la giustizia, quello che tiene il codice da rispettare. Io ti conosco, Pasca'. Ti conosco assai bene. Ti ho chiesto come si può risolvere.

La maestra esce dal portone e trova solo il bambino bruno. Lo guarda fisso, con quegli occhi che scavano nell'anima, e dice: ah, Maione, stai qua. Allora, dimmi se hai visto il compariello tuo, che lo devo interrogare. Se anche stavolta non sa, vado a parlare col padre e se la vede con lui. Il bambino bruno sta per rispondere, ma la maestra gli dice: levati il berretto, quando parli con me. Dimostra rispetto.

Lombardi allargò le braccia.

– Non si può, Rafe', e per due motivi. Il primo è che se la faccio buona a lui poi perdo il rispetto degli altri; non hai idea di quanti sono 'sti *muccusielli* che si pensano di combinare affari sotto al naso mio. Il secondo, il piú importante, è che è uno sporco. Invece di stare con la moglie e i figli, si è messo con quel *ricchione* di San Nicola da Tolentino. Noi, lo sai, ai padri di famiglia gli diamo una seconda occasione, ma ai *zozzosi* no. Quelli vanno puniti. Se no dove andiamo a finire, me lo spieghi, Rafe'?

Il bambino bruno si leva il berretto e lo tiene all'altezza del petto. Riflette. Che faccio, adesso? Che cosa dico? Gli pare di sentire il respiro dell'altro bambino, nascosto dietro il carretto all'angolo della strada. Se mi levo il berretto signi-

fica che rispetto la maestra, pensa. Ma se la rispetto, come le posso mentire?

Maione esitò un attimo prima di parlare.

– Pasca', sono tanti anni. Io faccio il mestiere mio, tu hai scelto di... di fare quello che fai. Siamo tutti e due padri di figli. Se questo Donadio si mettesse a... se dimostrasse rispetto, lo lasceresti in pace?

L'altro non rispose subito. Dalla sua grossa mole, seminascosta nell'oscurità, giungeva un profondo, perplesso respiro.

Il bambino bruno prende fiato e dice: signora maestra, Lombardi non ha potuto studiare. Sta male. La maestra lo scruta: sei sicuro, Maione? Sei sicuro di quello che dici? Il bambino bruno, il piccolo Maione Raffaele, quello che un giorno ancora lontano dirà ai figli che mentire è un crimine, spalanca gli occhi e dice: sí, signora maestra, sono sicuro. Gli pare di sentire il sospiro di sollievo che viene dal carretto e pensa: adesso la maestra lo vede e paghiamo tutti e due.

Infine Lombardi disse:

– Rafe', cosí come stanno le cose, non posso fare niente. A meno che le cose non cambino, non posso fare niente. Mi hai capito?

Maione annuí con la testa. E l'acqua gli gocciolò dalla visiera del berretto.

La maestra si guarda un attimo intorno, rigida, e torna dentro la scuola. Il bambino dai capelli rossi esce da dietro al carretto e si avvicina al bambino bruno. Grazie, gli dice con gli occhi pieni di lacrime. Mio padre mi ammazzava, stavolta. Sei stato veramente un amico. Il bambino bruno gli mostra il berretto e dice: se uno se lo toglie, vuol dire che porta rispetto. E allora ti credono di piú. Senza un motivo, si mette a piangere anche lui.

Lombardi lo guardò con un'espressione indecifrabile.

– Però non te lo sei tolto il cappello, eh, Rafe'?
Sul viso di Maione comparve una smorfia.
– No. Non me lo sono tolto. Ti saluto, Pasca'.
Si voltò e uscí, avviandosi verso casa sotto gli occhi straniti delle due sentinelle.
Con un po' di fortuna, pensava, sarebbe riuscito a dormire qualche ora.

XXVII.

I ricevimenti della marchesa Luisella Bartoli di Castronuovo erano troppo frequenti per essere epocali, ma non mancavano di sfarzo. Il palazzo che li ospitava, del resto, era notevole: un magnifico stabile sulla riviera, a ridosso della Villa Nazionale, che già appariva nei dipinti panoramici del primo Seicento, come non mancava di far casualmente notare la padrona di casa entro il quinto minuto di ogni conversazione.

D'estate le feste si tenevano perlopiú sul vasto terrazzo interno, riparato dalla brezza marina. In autunno e d'inverno, invece, il popolo degli invitati sciamava nell'immenso salone da ballo, che aveva visto volteggiare in vaporosi valzer e inchinarsi indietreggiando e rialzarsi avanzando in elaborati minuetti, re, regine e diplomatici di ogni latitudine.

Se gli ambienti che la circondavano erano solenni, la marchesa era invece una donnetta vivace, dai grandi occhi azzurri un po' sporgenti e dall'evidente dentiera: settant'anni portati con fierezza su un metro e cinquanta di statura e in vesti elaborate e costosissime. La Bartoli aveva unito il solido patrimonio della sua famiglia, latifondisti della piccola nobiltà, con quello di un marito molto anziano e appartenente all'alta aristocrazia, il quale aveva avuto la buona grazia di decedere pochi anni dopo il matrimonio, lasciandola ricchissima e senza figli. La giovane vedova, trovandosi nella necessità di procurarsi amori clandestini, era stata per decenni un argomento fisso nelle conversazioni mondane. Poi, quando la condizione atletica per dedicarsi a un certo tipo di evoluzioni era venuta meno, Luisella aveva deciso di impiegare le proprie sostanze nei suddetti ricevimenti; almeno due a stagione. In tal modo aveva trovato posto nella stessa cerchia che prima criticava l'ineleganza delle sue relazioni amorose.

A palazzo Bartoli, in queste occasioni, non si contavano mai meno di trecento presenze. Ai membri dell'aristocrazia venivano mescolati con arguzia personaggi in vista del momento, come cantanti, attori del cinematografo e del teatro, gerarchi locali e, cosa che rendeva molto desiderato il biglietto azzurro d'invito, vergato a mano dalla marchesa stessa, membri romani della nuova oligarchia legata al regime. Un paio di volte era intervenuta addirittura la figlia del duce, sorvegliata a vista da una mezza dozzina di discrete guardie in borghese.

Stavolta, mentre carrozze e automobili scaricavano donne in abito lungo e uomini in smoking davanti a solerti domestici in livrea, gli sguardi dei presenti erano calamitati da un grasso e sudato, nonché nervoso, console tedesco al seguito di due ministri del neonato governo nazista. Con loro c'era una delegazione fascista formata da tre funzionari del partito, che si godevano la festa fissando con ostentazione le dame piú giovani e commentando tra le risate i ventri prominenti dei loro accompagnatori.

Bianca e Ricciardi, lasciati di fronte al portone dall'autista del duca Marangolo, percorsero sul tappeto rosso che faceva da guida l'ampio scalone in marmo sormontato da statue. All'ingresso del salone, dopo aver depositato la stola di pelliccia e il soprabito, la coppia fu investita dal brusio di coloro che erano già arrivati e dalla musica suonata dall'orchestra. L'aria era carica di fumo e profumi. Gli austeri quadri alle pareti facevano da contraltare alle composizioni di fiori sparse sulle mensole un po' ovunque. Camerieri con ampi vassoi si aggiravano agili e veloci, proponendo calici di liquido dorato e tartine. Ricciardi pensò seriamente a una fuga immediata.

La padrona di casa veleggiò verso di loro, gli occhi luccicanti di curiosità.

– Bianca, tesoro, che gioia rivederti. Quanti anni sono? Quattro? Cinque? Sei uno splendore. E quale eleganza: oggi non è da tutti permettersi questi vestiti all'ultima moda. Certo, ci vuole gusto.

Bianca, angelica, rispose:

– Non solo, Luisella cara. Ci vuole anche la figura, non credi?

La Bartoli accusò il colpo con un sorriso un po' tirato: aveva saggiato la disponibilità di Bianca allo scontro, e sapeva riconoscere il valore dell'avversario.

– Mi presenti il tuo cavaliere? Il barone di Malomonte, se non sbaglio. Credo di aver conosciuto vostro padre, un secolo fa, piú o meno.

Ricciardi sfiorò la mano della Bartoli con le labbra.

– Mio padre? Impossibile, marchesa. Siete troppo giovane.

La donna era estasiata:

– Adulatore! Prego, prego, accomodatevi. C'è già qualcosa da mangiucchiare, e tra poco saranno servite altre pietanze. L'orchestra è interessante, sanno fare questi nuovi balli americani, anche se la serata è di ispirazione tedesca, come forse sapete. Ci vediamo dopo, Bianca. Cosí mi racconterai che ti è successo nel tempo in cui non ci siamo frequentate.

Detto ciò, si allontanò verso altre vittime. Bianca non aveva mai smesso di sorridere, ma un leggero rossore le si era sparso sulle guance. Ricciardi le sussurrò:

– Non capisco per quale motivo tu ti debba sottoporre alle farneticazioni di queste stupide vecchie. Vuoi che andiamo via? Ormai ci hanno visto, possiamo evitare il resto della serata.

La donna gli strinse il braccio.

– No, non possiamo. Al ricevimento, mi ha detto Carlo Maria, sono presenti, in incognito, proprio le persone che hanno istruito contro di te quel ridicolo processo. Sono venute per i tedeschi e per i funzionari di Roma, ma è bene che si accorgano pure di noi. E poi credimi, Luigi Alfredo, gente come Luisella Bartoli mi aiuta a ricordare per quale motivo, anche ai bei tempi, cercavo di evitare queste occasioni. Su, coraggio.

L'ambiente, per quanto vasto, era stipato di gente, costretta dalla pioggia a non utilizzare il terrazzo neanche per prendere un po' d'aria. La curiosità generale, però, era concentrata sull'angolo dove, su poltrone e divani disposti in cerchio, si erano seduti fascisti e nazisti. Ogni tanto le due delegazioni si sorridevano e si salutavano, ma erano ben lontane dall'idea di formare un unico gruppo. Ricciardi notò alcuni uomini, forse una mezza dozzina, che non erano accompagnati da donne e si erano disposti in maniera tale da tenere sotto controllo l'intero salone. Anonimi, vestiti di scuro, un bicchiere in mano dal quale peraltro non bevevano: ecco il nostro pubblico, pensò il commissario, siamo qui per voi.

Andò a prendere da bere per sé e per Bianca, che aveva fatto accomodare su una poltroncina un po' defilata. Una volta tanto non erano loro l'oggetto principale dei mormorii dei presenti, perciò si sentiva meno a disagio. Proprio mentre stava tornando con i bicchieri, il suo sguardo fu attratto da qualcuno, e il suo cuore fece una capriola.

Dietro le spalle di una donna, e intento a conversare con lei, Ricciardi riconobbe l'uomo biondo che aveva visto l'estate precedente a Ischia. Era notte, è vero, e lui, in quel momento, non aveva la serenità per assimilare i particolari, ma in seguito lo aveva scorto dalla finestra di casa seduto nel salotto della famiglia Colombo, sorridente e allegro come adesso.

Era l'uomo che aveva baciato Enrica.

Il commissario fu colto da una profonda angoscia. Per prima cosa si domandò se fosse presente anche lei. Non era preparato a incontrarla, soprattutto in compagnia, e temeva la propria reazione. Ma per fortuna era un'eventualità improbabile.

Bianca intuí subito che qualcosa non andava.

– Che succede, Luigi Alfredo? Sembra che tu abbia visto un fantasma.

Ricciardi colse un inconsapevole riferimento al Fatto e provò un brivido. No, cara Bianca, pensò, in questo caso sarebbe stato perfino meglio. Quindi disse:

– Conosci quell'uomo biondo là in fondo?

Lei seguí il suo sguardo fino a individuarlo; stava ridendo per qualcosa che aveva detto la donna di spalle insieme a un gruppo di almeno altri otto ospiti in visibilio, tutti di sesso maschile. Scosse il capo.

– No, non mi pare. Sembra si stia divertendo molto, però. Perché me lo domandi?

Ricciardi rimase in silenzio.

– Aspettami qui, – gli sussurrò Bianca. – Vado a informarmi –. E si allontanò fluida ed elegante come una murena in acqua.

Il commissario avrebbe voluto smettere di fissare l'uomo, ma non ci riusciva. Era alto, atletico, con un colorito che faceva pensare alla propensione per la vita all'aria aperta. La bella risata contagiosa scopriva una dentatura bianca e forte. Aveva gli occhi azzurri e una fossetta sul mento. Con una punta di sofferenza, Ricciardi dovette ammettere che era un tipo affascinante.

Trascorsi alcuni minuti, Bianca si materializzò di nuovo al suo fianco:

– Ho trovato una vecchia amica che potrebbe compilare i dati anagrafici di ciascun presente. Una cosí ti farebbe comodo nel tuo lavoro. Dunque: quello è il maggiore Von Brauchitsch, addetto culturale del consolato di Germania, di stanza qui in città. Pare sia di supporto a una delegazione di archeologi che sta completando uno scavo in provincia. È stato invitato con la delegazione governativa tedesca; appartiene agli ospiti d'onore, insomma. Viene considerato molto bello, anche se io lo trovo abbastanza insulso. Mi dici perché ti importa di lui?

Prima che il commissario potesse rispondere, l'orchestra attaccò uno swing piuttosto energico, e la dama, che dava le spalle a Ricciardi e su cui era catalizzato l'interesse del gruppo di cui faceva parte Von Brauchitsch, allargò le braccia dondolando i fianchi; il messaggio era esplicito: voleva ballare. Tutti si fecero avanti e lei, vezzosamente, fece scorrere il dito sui pretendenti fino a fermarsi proprio sul tedesco, che si inchinò e la invitò con un cenno della mano aperta verso il centro della sala. Solo allora la donna si girò.

Il commissario e Livia si ritrovarono occhi negli occhi, a pochi metri di distanza. La sorpresa raggelò il sorriso sul volto della donna, che si arrestò, causando una piccola collisione col corpo del maggiore che la seguiva. Gli occhi di Ricciardi erano due pozze verdi.

Fu un attimo, solo un attimo, prima che la tensione si sciogliesse e Livia guardasse altrove, ritrovando sicurezza e sorriso, ma in quell'attimo Ricciardi lesse tutto. Disperazione, smarrimento, rabbia. Dolore, rimpianto, rimorso. Malinconia. Nostalgia, e una vena di speranza.

Livia e Manfred si unirono alle altre coppie danzanti. L'orchestra era davvero abile e l'acustica perfetta.

Bianca disse:

– Mi vuoi spiegare che cosa sta succedendo? Per quale motivo quella donna ti ha guardato cosí? Chi è quel tedesco?

Ricciardi si girò verso di lei.

– Non so se sono capace, ma magari vuoi ballare anche tu. Te la senti di provare?

La donna ebbe quasi un sussulto.

– Ma davvero? Certo che sí. Balliamo.

Bianca e Livia erano senza alcun dubbio le donne piú belle della festa. Una elegante, flessuosa e aristocratica, con i capelli biondi tendenti al rame e gli occhi viola, il collo lungo e un malinconico, delicatissimo sorriso; l'altra bruna, un po' meno alta, ma con un corpo dalle linee morbide e feline e una sensualità esplosiva che emergeva da ogni movimento. Entrambe avevano un passato un po' oscuro e un presente che si prestava a chiacchiere maligne. Anche i loro cavalieri erano affascinanti: un atletico ufficiale germanico dai modi gioviali e un enigmatico nobiluomo che esercitava l'eccentrica professione di poliziotto. Ben presto le due coppie calamitarono l'attenzione generale.

Bianca, volteggiando leggera, disse:

– Sono davvero sorpresa. Ti muovi benissimo. Dove hai imparato?

Ricciardi non smetteva di lanciare occhiate fugaci verso Livia e Manfred.

– Vecchie reminiscenze di un'altra vita, lascia perdere. Per quanto riguarda quell'uomo e quella donna… Be', con lei una volta eravamo amici. Ho indagato sull'omicidio del marito, un tenore.

Bianca si irrigidí per un istante.

– Ah, sí, la vedova Vezzi. Perfino nel mio isolamento ne ho sentito parlare. Bellissima e letale per chi se ne innamora, cosí viene descritta, e bella, in effetti, lo è. È stata l'argomento del giorno prima di noi due.

Ricciardi scosse il capo.

– Sono maldicenze. È una brava persona. Sconta il fatto di avere dei sentimenti. La sua vita non è stata semplice, e se a volte reagisce è per le ferite che le hanno inferto. È stata lei a... Insomma, viene da lei l'accusa che mi è stata mossa. In un certo senso, le va il merito della nostra amicizia.

Bianca non riuscí a evitare di rivolgere uno sguardo nella direzione della Vezzi.

– Interessante. Mi verrebbe la curiosità di sapere cosa c'è stato fra voi per indurla a tanto, ma ho l'impressione che la risposta non mi piacerebbe. E lui?

Ricciardi rifletté un attimo prima di rispondere.

– Uno che credevo di avere già visto da qualche parte. Ma forse mi sbagliavo. Fantasie di poliziotto.

La donna inclinò leggermente il capo.

– Be', mi pare piuttosto affascinato dalla tua ex amica. Mi piacerebbe che la persona con cui ballo mi fissasse cosí, anche se io non sono altrettanto bella.

Il commissario le rivolse un inatteso sorriso.

– Bianca, non sono uno che fa complimenti, ormai mi conosci. Eppure credo di poterti assicurare che tu sei in assoluto la piú bella tra tutte le donne presenti, e io l'uomo piú invidiato.

Qualche metro piú in là, fingendo di ascoltare i discorsi di Manfred, Livia scrutava Ricciardi. Pensò che mai era riuscita a ballare con lui, né ad avere in regalo un sorriso. Pensò che era bellissimo, quando sorrideva. Pensò che quella donna, di cui Falco le aveva parlato, era molto fortunata. E che lei, invece, sarebbe morta di dolore lí tra le braccia di quello stupido tedesco, mentre cercava di conquistarlo proprio per proteggere l'uomo che le stava uccidendo l'anima.

La musica finí tra gli applausi. La Bartoli si avvicinò saltellando a Livia e le prese la mano.

– Livia cara, sono cosí contenta che siate qui. Ho avuto il piacere di sentirvi cantare a casa vostra, la scorsa estate: non ci fareste il grande regalo di una piccola esibizione anche stasera? Lo ha chiesto espressamente il colonnello Franti, che è un vostro grande ammiratore. Dite di sí, vi prego! Mi spiacerebbe deluderlo.

Livia incrociò lo sguardo del gerarca in camicia nera, che da lontano le indirizzò un mezzo inchino. Non poteva sottrarsi. E nemmeno voleva, in realtà. Si avvicinò all'orchestra.

In piedi accanto a una porta finestra che dava sul terrazzo, seminascosto nell'ombra della nicchia, Falco l'osservava. Un'artista, si disse, non perde mai l'occasione di salire su un palcoscenico. Mai. Per fortuna.

La Vezzi confabulò brevemente col trombettista, che fungeva anche da direttore, sul modello americano. Pronunciò il titolo di una canzone che da qualche anno furoreggiava, scritta da un autore che lei amava moltissimo, e indicò la nota nella quale la sua voce da contralto l'avrebbe interpretata. Quindi si voltò verso gli invitati, che la incoraggiarono con un applauso.

I musicisti eseguirono una breve, riconoscibile introduzione e la platea, che si aspettava una romanza, o al limite un pezzo tradizionale, fremette: la canzone di un ebreo alla presenza di nazisti e fascisti. Un bel coraggio. Poi Livia attaccò, trasportando i cuori di tutti altrove.

Someday he'll come along
the man I love
and he'll be big and strong
the man I love...

Lo sguardo della donna correva sugli invitati, che l'ascoltavano in assoluto silenzio. Von Brauchitsch era rapito. Ricciardi capí che quella voce stava parlando a lui e, ancora una volta, si rammaricò di non avere risposte. Falco si sentí come schiaffeggiato. Bianca, la mano sul braccio del commissario, percepí una pesante inquietudine nel petto.

La voce di Livia, avvolta dalla tromba e dai violini, punteggiata dal pianoforte e sostenuta dai clarinetti, percorse la canzone, emozionata ed emozionante, fino alla chiusa, che conteneva una delicata speranza.

From which I'll never roam
who would, would you
and so all else above
I'm dreaming of the man I love...

Quando l'orchestra tacque, ci fu un momento di sospensione. Molti si girarono verso il gruppo dei fascisti, che avevano ascoltato in piedi, le braccia conserte e i volti inespressivi. Poi il colonnello Franti, il piú alto in grado, proruppe in un convinto, commosso applauso e tutti si accodarono entusiasti.

Livia ringraziò con un lieve inchino, respinse con cortesia le richieste di un bis e tornò accanto a Manfred; appariva pallida.

– Maggiore, vi prego, – disse, – mi è venuto un po' di mal di testa. Mi accompagnereste a casa?

Il biondo ufficiale tedesco rispose, sollecito:

– Ma certo, signora. Con grande piacere. D'altra parte, che senso avrebbe rimanere, se voi ve ne andate.

Senza piú voltarsi verso il commissario, Livia salutò la Bartoli e uscí seguita da Manfred.

Primo interludio

Il vecchio è inquieto, come in attesa di qualcuno. Guarda fuori, dove il tramonto ha smesso di mandare lampi rossi e obliqui. Il ragazzo nota che non ha riposto lo strumento nella custodia, quindi intende usarlo ancora. Per grazia di Dio, si dice. Continua a essere convinto di poter apprendere qualcosa solo quando il vecchio decide, bontà sua, di suonare. Anche se deve ammettere, almeno con sé stesso, che una parte di tutto quel parlare di storie, di immedesimazione e di fantasia gli sta entrando in corpo, e da lí nelle mani, nelle dita, nella voce.

Il ragazzo se ne accorge durante i concerti. Da un po' di tempo gli succede una cosa strana, riflette, scrutando il profilo del vecchio. Mentre suona gli sembra di lasciare il palco e di andare altrove. Vicino al mare, per esempio, o in un campo col grano alto, o sotto un balcone in una via stretta. Invece di concentrarsi su accordi e variazioni, sui controcanti e sugli attacchi del coro, sui movimenti e sulle espressioni che il pubblico attende da lui con ansioso entusiasmo, ha la sensazione di volare via.

Se ne va, il ragazzo. Come se la follia del vecchio lo avesse contagiato. Come se davvero, adesso, per cantare una canzone sentisse di dover diventare chi l'ha scritta. E il bello è che gli spettatori, gli altri musicisti, i coristi e i tecnici, non solo non se ne accorgono, ma sembrano perfino commuoversi di piú, partecipare di piú, accompagnarlo di piú.

Sei pazzo, vecchio, pensa. Ma di che meravigliosa pazzia.

Ha imparato, il ragazzo, a non mostrare impazienza. Quando il vecchio sarà pronto, parlerà o suonerà. È inutile insistere. Inutile riempire quei silenzi con domande. Tanto lui non gli risponderebbe. Continuerebbe calmo a fissare la finestra, che ha chiuso sull'autunno non appena ha terminato la strofa con un accordo tagliato a metà, senza alcuna rifinitura. Una mannaia calata su quella canzone meravigliosa. Chissà perché, si chiede il ragazzo.

La sera è arrivata bruna e carica di aspettative. Il vento pulisce l'aria e ogni tanto picchia sui vetri, come se protestasse, come se volesse sapere per quale motivo pure lui è stato lasciato fuori. Il ragazzo ha la sensazione che di lí a poco, insieme al vento, busserà qualcuno asceso chissà in che modo fino a quell'altezza per arrivare puntuale a un appuntamento col vecchio. Perché gli pare proprio evidente che lui sta aspettando qualcuno. O qualcosa. È seduto in punta alla poltrona, con la schiena dritta e le mani sulle ginocchia, attento, mentre l'oscurità si fa via via piú fitta e la città si accende disegnando una costellazione.

All'improvviso si alza, come se avesse riconosciuto un momento esatto, solo all'apparenza identico a quello prima e a quello dopo. Si alza di scatto, con una sorprendente agilità, e il ragazzo, immerso nei pensieri e nel consueto disagio, sobbalza, neanche fosse stato sorpreso da un colpo di pistola.

Il vecchio spalanca la finestra con furia e respira profondamente, a occhi chiusi, quasi non prendesse aria da chissà quanto. Poi si volta, un sorriso sulla faccia grinzosa, la voce confidenziale; somiglia a uno che vuole condividere un segreto torbido. Vieni, dice al ragazzo. Vieni qua, vicino a me.

Lui si avvicina, perplesso. Guarda all'esterno. La strada, la bassa palazzina di fronte. Un gruppo di ragazzi che chiacchiera su un muretto poco piú in là. E la distesa delle case, la massa cupa del mare, la linea della montagna che a stento si distingue. Le luci piú lontane che tremano come candele. Ma che altro c'è?, si domanda. Quale altra stupida immagine dovrei scorgere? Oltretutto fa freddo. Oltretutto l'autunno sta prendendo il sopravvento. Oltretutto il vento, libero di entrare, spettina i capelli, scompiglia i fogli, volta le pagine.

Allora, dice il vecchio, che cosa vedi? Che cosa senti?

Il ragazzo non sa cosa rispondere, proprio non lo sa. La città, azzarda incerto. Quei ragazzi, la strada. Il vento.

Il vecchio fa un gesto impaziente: l'autunno, insomma. Stiamo parlando di una serenata, giusto? E abbiamo detto dell'autunno e della perdita. Perché in quella canzone, ti ho spiegato, c'è la perdita. Nel momento in cui canta, chi l'ha scritta pensa che mai piú proverà amore. Il suo canto è quello del cardellino accecato che chiama e chiama la compagna, ma inutilmente. È chiaro, questo?

Sí, Maestro. Questo mi è chiaro. La perdita. Il canto è disperato, non speranzoso. Devo pensare che per me ci sarà solo infelicità, che l'ho perduta per sempre. E l'autunno è la stagione perché l'autunno ha la perdita dentro.

Va bene, dice il vecchio. Ma di che altro hai bisogno, per una serenata? Perché la serenata è diversa dalle altre canzoni. È una lettera, un messaggio. Stai dicendo qualcosa a qualcuno, e per dirlo devi aspettare un momento preciso. Quale?

Il ragazzo guarda di nuovo fuori. Il cuore gli batte forte nelle orecchie; l'entusiasmo del vecchio lo spaventa. La notte, dice. Ho bisogno della notte.

Il vecchio gli batte una mano sulla spalla. Bravissimo. La notte. E perché, la notte? Il ragazzo si concentra. Per il silenzio?, chiede. Il vecchio annuisce: sí, certo, per il silenzio. Ma non solo. Di notte, lo sai, o si dorme e si sogna o si è svegli e si sogna ugualmente. È di notte che ci mettiamo di fronte a noi stessi, è di notte che non ci sono scuse. Se ti mando un messaggio di notte, non puoi scegliere se ascoltarlo o no. De-

vi accogliere le mie parole e lasciarle entrare. Per questo una serenata ha bisogno della notte.

Te la immagini di mattina?, dice il vecchio con una smorfia. Nella confusione della mente oppressa dai problemi? Sembrerebbe inadeguata, fuori luogo. Ho tanto da fare, le si risponderebbe: non mi posso occupare dell'amore, adesso. Oppure di pomeriggio, quando c'è da preparare il rientro, la cena. O ancora la sera, quando ci si scambiano le inutili impressioni sulla giornata. No, la serenata non avrebbe spazio. Darebbe addirittura fastidio. Non sarebbe protagonista, e lascerebbe il dubbio che non sia stata capita, che non sia stata neppure sentita. La serenata è una cosa da notte. La serenata è il nostro notturno. Solo che i notturni, quelle musiche per pianoforte dolcissime e senza parole, sono appena un lamento, mentre le serenate sono un grido disperato.

Parla a qualcuno, la serenata. Racconta qualcosa.

E che cosa, Maestro? Se è notte ed è autunno, se verrà il freddo e verrà la pioggia, se non ci sono speranze, che cosa racconta la serenata? Un messaggio si invia per avere una risposta, credo. Per un giovane è cosí.

Il ragazzo capisce di aver detto qualcosa di brutto, ma è troppo tardi.

Il vecchio non gli toglie la mano dalla spalla, guarda la notte. Nel riverbero delle luci della città il suo occhio velato sembra inumidirsi.

Chi è all'inizio della vita spera in una risposta. Chi è alla fine sa che, forse, la risposta non arriverà mai. Ecco la differenza.

Il vecchio torna a sedersi, prende lo strumento con il solito gesto fluido.

Prima di cominciare dice: ricordati della notte, quando canti una serenata. Ricordati della perdita, della notte e dell'autunno.

Poi attacca.

Si 'sta voce te canta dint' 'o core,
chello ca nun te cerco e nun te dico:
tutt' 'o turmiento 'e 'nu luntano ammore,
tutto ll'ammore 'e 'nu turmiento antico.

Si te vene 'na smania 'e vule' bbene,
'na smania 'e vase correre p' 'e vvene,
'nu fuoco ca t'abbrucia comm'a che,
vasate a chillo... Che te 'mporta 'e me?

(Se la mia voce ti canta nel cuore,
quello che io non ti chiedo e non ti dico:
tutto il tormento di un lontano amore,
tutto l'amore di un tormento antico.

Se ti senti una voglia di volere bene,
una voglia di baci correre per le vene,
un fuoco che ti brucia come mai,
bacia quello... Che cosa ti importa di me?)

La perdita, pensa il ragazzo, con il cuore stretto in una morsa. La notte. Il nostro notturno senza pace. La sofferenza della carne tormentata dalla lontananza. La consapevolezza di un'altra pelle vicino a quella di lei.

E l'autunno. Perché per forza l'autunno?

Come in risposta, le prime incerte gocce bagnano il davanzale della finestra aperta.

XXVIII.

Chiedilo alla pioggia.

Prova ad affidare i tuoi dubbi a quell'acqua che scorre, fai le domande alle gocce che martellano la strada. Tenta di interpretarne il suono irregolare come se fosse un codice, come se ci fosse qualcuno capace di risponderti solo cosí, usando il vento per muovere i fili trasparenti che cadono dal cielo oscuro.

Chiedilo alla pioggia.

Sono stato io. In ogni caso. Che l'abbia fatto o no, sono stato io.

Perché lo volevo con tutte le mie forze, l'ho voluto dal primo istante. Da quando l'ho visto, la faccia grassa e l'espressione tronfia, entrare e uscire da quella porta nota e mai dimenticata.

Sono stato io, perché la sua mano sporca si è posata sulla spalla e ha preso il braccio, affermando un possesso infame che non può essere stato Dio a volere.

Sono stato io, perché tutto questo tempo l'ho vissuto solo per l'attimo in cui avrei incontrato di nuovo il sorriso che lui invece mi ha rubato, chiudendolo dietro false sbarre.

Non riesco a ricordare, ma sono stato io. Di sicuro.

Sono stato io, perché ho portato il messaggio con la mia voce, affidandolo alla notte e all'autunno; e se si affida un messaggio alla notte e all'autunno, si può stare certi che arriverà. Era un messaggio di vita e d'amore, ma anche di dannazione e di morte per chi si fosse messo tra noi due. Per chi si era messo tra noi due.

Sono stato io. Ricordo la rabbia e il dolore, ricordo le mani e la consistenza della carne. Ricordo ogni singolo colpo, animato dalla voglia e dalla solitudine, animato dal desiderio e dal ritorno.

Sono stato io. Non ricordo la faccia, o forse non voglio ricordarla. Però ricordo la notte e il vento e i brividi di freddo e di malinconia. Ricordo l'acqua.

Non sono stato io. Ma sono colpevole.

Cosí mi dice la pioggia.

Chiedilo alla pioggia.

Cerca di capire la risposta dal suo rumore. Distingui le parole che pronuncia mentre cade sui recipienti di metallo rimasti fuori in attesa del sole, mentre flagella le lenzuola stese nella speranza di un vento asciutto, mentre disattende le promesse.

Chiedilo alla pioggia, come se non fosse falsa e mentitrice, come se non volesse lasciar credere che non cesserà mai, avvolgendo in una tomba umida ogni desiderio.

Chiedilo alla pioggia.

Sono stata io. Inutile mentire, stanotte, inutile cercare pace, stanotte, la prima notte senza di lui.

Sono stata io, perché alla fine ho perso la battaglia che ho combattuto per anni. Perché il castello di pietra e cristallo che ho edificato giorno dopo giorno è crollato con una spallata appena ho sentito quella voce.

Sono stata io, perché dietro gli occhi chiusi, fingendo di dormire, ho sentito il cuore balzarmi dal petto. L'ho visto alzarsi in volo, come un gabbiano affamato, per incontrare quell'altro cuore che in silenzio, e senza saperlo, ho atteso e atteso, nascondendo il mio sorriso in una solitudine piena di gente.

Sono stata io, perché, semplicemente, ho desiderato che accadesse. Nonostante abbia voluto tutto quello che c'era: la fotografia seria con me seduta e lui in piedi a fianco, la mano sulla mia spalla, e gli anniversari e le serate a teatro e il lavoro e i pranzi e le cene.

Sono stata io, perché ho creato da me la mia galera, come se l'importante fosse avere un paio di abiti in piú nell'armadio, essere chiamata signora, essere simile a mia madre.

Sono stata io, perché il suo respiro addosso mi ha sempre fatto schifo. Perché prima che mi sporcasse lui mi sporcavo io, dell'infedeltà del mio corpo e dell'infedeltà della mia mente.

Sono stata io, e non importa se non c'ero quando è successo. Perché invece ero lí, e sono stata io a dare la morte, non essendo riuscita nemmeno a dare la vita.

Sono stata io, lo sento stanotte e lo sentirò domani.

Cosí mi dice la pioggia.

Chiedilo alla pioggia.

Abbi il coraggio di affidare la tua richiesta a quel mormorio sottile. Riconosci la melodia di parole che solo tu puoi intendere nel gocciolare di una grondaia rotta, nel rivolo sporco che rotola sotto un marciapiede.

Chiedilo alla pioggia, che percorre le strade della città in discesa, e mentre aspetti la risposta è già passata, e c'è quella nuova che porta altre notizie.

Chiedilo alla pioggia.

Sono stato io. E ho fatto bene. Cerco la prova nel fragore dell'acqua che tormenta la mia notte insonne, e la trovo.

Sono stato io, ed è giusto. Perché ho costruito quello che ho col sudore e col sangue, prendendo e non lasciando, attimo dopo attimo, abbrancato a ogni singolo frammento di ricchezza come una cozza allo scoglio.

Sono stato io, e nemmeno potevo fare altrimenti. Perché la mia rovina non è solo la mia rovina, e toccavano a me quel posto e quel bene, non a lui che è arrivato dopo, non a lui che rubava la stima e la considerazione che mi spettavano.

Sono stato io, sí, perché desideravo che morisse. E non di una morte semplice e poco dolorosa; quella va bene per uno che vuoi togliere di mezzo, non per uno che vuoi punire per la sofferenza con cui ti ha nutrito, costringendoti a ingoiarla, sorso dopo sorso, col suo sapore di fiele.

Sono stato io, e poco conta che l'abbia fatto davvero. Ho sognato di farlo cosí tante volte che non c'è dubbio: è stata la mia mano a portare la morte. Sono stato io.

Cosí mi dice la pioggia.

Chiedilo alla pioggia.

E immagina che la risposta ti arrivi da chissà quale cielo dove il vapore si è rifugiato salendo col caldo da chissà quale mare.

Chiedilo alla pioggia, e aspetta la risposta di un dio immobile e ironico, lontano e onnisciente. Come se la verità fosse trasportabile dal vento, mobile come quest'acqua che non avrà mai fine.

Chiedilo alla pioggia, che abbraccia e respinge, che macchia e lava.

Chiedilo alla pioggia.

Sono stata io. Me lo ripeterò ogni notte, e ogni notte mi porterà la conferma. Sono stata io.

Sono stata io, perché sono una donna e non ho sopportato di essere gettata via senza la speranza di un ripensamento, senza la dolcezza di un rimpianto. Sono stata io, e mi sono vendicata del silenzio quando avrei voluto ascoltare parole d'amore, dell'indifferenza quando sarebbe stato mio diritto avvertire la carezza di due occhi appassionati lungo il corpo.

Sono stata io, e avrei dovuto procurarmi la vendetta molto prima. Sarebbero state tante lacrime in meno e tanti sorrisi in piú, se avessi avuto la forza di voltarmi e andarmene nel sole, per godermi la vita che mi scorre nelle vene.

Sono stata io, ed è bastata una parola, il riflesso di un pensiero. Sono stata io a seminare, a piantare la diffidenza, il germe di una consapevolezza.

Sono stata io, e l'ho fatto sapendo che il silenzio corrode il cervello. Perché ogni volta che quello sguardo si rivolgeva al vuoto scavava un altro metro di tomba per il mio cuore. Perché ogni volta, vedendo quell'anima volare altrove, sentivo che si portava via anche un pezzo della mia, e che mai piú me l'avrebbe restituita.

Sono stata io, sí. E allora? Cosa vi sareste aspettati da una donna innamorata? Lacrime e inutile tristezza? Un dolore fermo e innocuo?

No. Non da me. Sono una donna, e sono stata io.

Cosí mi dice la pioggia.

Chiedilo alla pioggia.

Fallo sottovoce, magari proprio nel momento in cui la tempesta infuria e l'acqua e il vento prendono in prestito la forza del mare. Perché sarà proprio allora che ti ascolterà di piú, e che, forse, il turbine sarà piú incline a rispondere.

Chiedilo alla pioggia, e fallo in quell'attimo in cui la tua richiesta sembrerà assurda.

Se qualcuno è vicino a te, a quest'ora di notte, e per caso come te non dorme, capirà che la tua domanda ha un senso.
Chiedilo alla pioggia.

Non sono stato io.
Anche se ho sentito le ossa rompersi sotto il mio piede, la cartilagine fracassarsi sotto la mia mano, non sono stato io, no. È stato lui, con quel sorriso tronfio, con quella maledetta capacità di vincere sempre.
Non sono stato io, anche se il sangue è scorso davanti a me mischiandosi al fango. Era giusto cosí: fango su fango, merda nella merda e niente nel niente. Non c'è stata colpa a calpestarlo, a meno che non sia una colpa calpestare i rifiuti.
Non sono stato io, no, sebbene fosse impossibile non provare soddisfazione nel dare dolore a chi dolore mi ha dato, nel veder piangere e supplicare chi mi ha fatto piangere e supplicare. Non sono stato io, se si paragona la colpa di aver vissuto con quella di non aver permesso di vivere.
Non sono stato io, e comunque ben altro avrei dovuto fare, se con ogni calcio, con ogni pugno, con ogni goccia di sangue versato avessi voluto ripagarmi dell'angoscia, dei singhiozzi, dei momenti di dannazione che ho sopportato per lui.
Non sono stato io. Non sono stato io. Non sono stato io.
Cosí mi dice la pioggia.

Chiedilo. Chiedilo alla pioggia.
E la pioggia ti dirà.

XXIX.

La mattina, quando si ritrovarono l'uno di fronte all'altro, Maione e Ricciardi esibivano entrambi un colorito malsano e un paio di ragguardevoli occhiaie, come se non si fossero riposati per nulla.

Il brigadiere, che si era affacciato alla porta dell'ufficio, si preoccupò.

– Commissa', secondo me state covando pure voi l'influenza. Credetemi, ormai ho un'esperienza che nemmeno il dottore: i miei figli se la sono passata tutti e sei, e mo' mi pare pure che stanno cominciando il secondo giro. Stanotte, da me, pareva che ci stava una festa, e siccome Lucia, povera femmina, era a pezzi, che aveva dovuto combattere tutto il giorno, è toccata a me. Io l'avevo detto che non mi conveniva tornare a casa.

Ricciardi scosse il capo.

– Macché, la mia non è influenza. È solo mancanza di sonno: non sono abituato a fare tardi, tutto qua. E in ogni caso, tra noi due quello che avrebbe piú bisogno di dormire sei tu, Raffaele. Mettiamoci al lavoro, su. La chiacchierata con la signorina Wright mi ha convinto che dobbiamo sentire di nuovo, e presto, sia Sannino sia il manager, Biasin. Che oltretutto sono per l'appunto due, il che tornerebbe con la teoria del dottore sullo spostamento del cadavere.

Maione serví il surrogato sulla scrivania, seguendo un rito consolidato.

– Però pure con questo Merolla dell'altro negozio bisogna parlarci, commissa'. Vi ricordate quello che ha detto il sensale, Martuscelli? Già stava messo male, e questo affare finiva di rovinarlo. Mi pare un buon motivo per togliere di mezzo a Irace.

Ricciardi sorseggiò la bevanda, non riuscendo a dissimulare il disgusto.

– Mamma mia, e che schifo. Ma non si può trovare un po' di caffè vero, almeno la mattina?

Maione assunse un'espressione afflitta, studiando il bicchierino di vetro che teneva per sé, visto che riservava al commissario l'unica tazzina disponibile, sebbene sbeccata.

– Commissa', non dite cosí, che se Mistrangelo dell'ufficio denunce lo viene a sapere si spara con la rivoltella d'ordinanza. Quello è orgogliosissimo di questo orrore. Va in giro vantandosi che è meglio del caffè. Che perfino voi che, parlando con rispetto, non siete facile alla risata, sorridete quando lo assaggiate.

Ricciardi guardò l'intruglio scuro come se fosse un serpente pronto a morderlo.

– Lui crede sia un sorriso, in realtà è una smorfia di dolore. Tornando alle nostre questioni, prima di vedere questi tre, io ascolterei ancora la moglie della vittima. La presenza del cugino, secondo me, le impediva di parlare liberamente. Dobbiamo capire qualcosa in piú sulle abitudini e sulle frequentazioni di Irace. E anche su quello che si sono detti tra loro dopo le minacce pubbliche di Sannino.

Maione stava per rispondere quando si sentí un bussare leggero alla porta. Dallo spiraglio spuntò il viso imbarazzato di Ponte.

– È permesso, commissa'? Posso?

Stavolta, per il protetto del vicequestore, l'impresa di non guardare Ricciardi era resa piú complicata dalla presenza di Maione che, odiandolo in modo manifesto, non perdeva mai l'occasione per metterlo in difficoltà.

Infatti il brigadiere attaccò subito.

– E tu prima entri e poi chiedi permesso? Non ci sta niente da fare, se uno è deficiente è deficiente.

Ponte arrossí.

– Scusatemi, brigadie', ma quando il dottor Garzo mi mette fretta mi scordo pure l'educazione. Ha detto se potete andare subito da lui, voi e il commissario. Cioè, il commissario e voi. Cioè, se per cortesia il commissario e voi...

Maione picchiò la mano aperta sullo schienale della poltrona.

– Ponte, tu sei l'unico al mondo che è troppo cretino pure per le buone maniere. E che vuole il padrone tuo?

L'ometto, con la fronte imperlata di sudore e fissando la poltrona percossa, rispose con la voce in falsetto:

– Io che ne posso sapere, brigadie'? Quello, il dottor Garzo, mica si confida con me.

Maione commentò freddamente:

– Strano. Io tenevo un cane, da ragazzo, e gli dicevo tutti i fatti miei.

Ricciardi si alzò.

– Va bene, togliamoci il pensiero e vediamo che cosa desidera il signor vicequestore, stranamente in ufficio a quest'ora. Ponte, avvertilo che stiamo arrivando.

Angelo Garzo era parecchio di malumore. Anzitutto l'autunno gli metteva malinconia, perché era costretto a infagottarsi e a inzaccherarsi i pantaloni, e lui era uno che teneva molto all'eleganza e alla pulizia. Poi, quel giorno, era stato costretto ad arrivare in ufficio presto, come un qualsiasi commissario in servizio, e lui era convinto che la sua carica di vicequestore capo della pubblica sicurezza, raggiunta con pieno merito e qualche spintarella, andasse quotidianamente confermata attraverso l'utilizzo dei relativi privilegi. Infine, nonostante i reiterati tentativi e le numerose pressioni, non era riuscito a farsi invitare alla festa della marchesa Bartoli di Castronuovo, svoltasi la sera precedente, dove erano addirittura presenti alcuni funzionari del ministero di Roma ai quali si sarebbe volentieri mostrato in tutto il suo splendore.

I suoi informatori, fra l'altro, gli avevano detto che tra gli ospiti c'era pure Ricciardi, un semplice funzionario dell'ufficio che lui, il vicequestore Angelo Garzo, presiedeva. Forse perché era nobile di nascita? E che accidenti significava? Non ci si apprestava forse, di lí a qualche giorno, a festeggiare il decimo anniversario della Marcia su Roma? Non c'era un grande fermento in giro perché il partito, del quale lui era un fervente sostenitore, si proponeva di abbattere una volta e per sempre questa sciocchezza dell'aristocrazia, nonostante il re fosse ancora necessario?

A questi motivi di scontentezza si aggiungeva la telefonata che aveva ricevuto a casa quella notte. Arrivava dal ministero dell'Interno, e la centralinista aveva dovuto passare la linea ben tre volte, cosa che lo aveva subito messo in allerta, perché testimoniava il grado dell'interlocutore. Era una telefonata riservata, se ne rendeva conto? Sí, se ne rendeva conto. Si trattava di un argomento delicato, era chiaro? Sí, era chiaro. Anche in pigiama e con la retina in testa, mentre i piedi gli si congelavano nelle pantofole, il vicequestore aveva condotto l'intera telefonata stando sull'attenti: se alle ventitre e trenta al ministero si lavorava ancora, le sue orecchie e la sua bocca sarebbero state all'altezza di un tale spirito di sacrificio.

Ora, dunque, di prima mattina, era pronto a trasferire le istruzioni ricevute al sottoposto incaricato dell'indagine in oggetto. Era chiaro che si trattava di un sottoposto, ancorché accolto in salotti dai quali lui era escluso? Sí, era chiaro. Senza alcun dubbio.

Garzo sentí bussare alla porta e, di proposito, evitò di rispondere subito: un capo sta sempre facendo qualcosa di fondamentale che chi gli sta sotto non può comprendere. Meglio lasciarli aspettare qualche secondo. Immaginino pure che io stia esaminando importanti documenti, e che sia cosí assorto nel mio gravissimo compito da non invitarli a entrare senza prima averlo concluso, pensò. E decise di controllare la tenuta dei curatissimi baffetti sottili di recente coltivazione, che erano il suo orgoglio.

Fu proprio mentre teneva lo specchietto estratto dalla tasca a distanza da presbite e si lisciava la peluria che Ponte, senza ricevere istruzione alcuna, entrò. Alle sue spalle, purtroppo, sia Ricciardi sia Maione videro il vicequestore nell'esercizio delle proprie funzioni, e il brigadiere riuscí a stento a trattenere l'ilarità.

Rosso come un peperone, Garzo urlò, stridulo:

– Ponte, maledizione! Chi ti ha dato il permesso, si può sapere?

La guardia sbiancò, arretrando terrorizzata e affannandosi a richiudere la porta, ma Maione, con malizia, aveva fatto un passo in avanti bloccandola col ventre.

– Avete ragione, dotto', – disse il brigadiere. – Ponte tiene il brutto vizio di entrare senza ricevere il permesso. Gliel'ho appena detto pure io, è vero, Ponte?

L'altro abbassò gli occhi a terra e assunse una strana posizione: le braccia aderenti al corpo, le mani aperte verso l'esterno, il busto proteso in un mezzo inchino. Non si mosse piú; aveva compreso che qualsiasi scusa avesse accennato gli si sarebbe rivoltata contro.

Garzo tuonò:

– Vattene, Ponte. Esci subito.

Una volta che il poveretto se ne fu andato, camminando all'indietro, sempre senza alzare lo sguardo, Garzo mise da parte il tono brusco e si rivolse a Ricciardi.

– Ricciardi, caro Ricciardi. So che ieri siete stato al ricevimento della marchesa Bartoli. Avrei dovuto esserci anch'io, ma purtroppo mia moglie era indisposta e non ho potuto.

Ricciardi scrollò le spalle.

– Non vi siete perso niente, dottore. Una festa come tante. C'era un sacco di gente, ma io sono andato via presto.

La fame di informazioni di Garzo era frustrata.

– Mi risulta che ci fossero alcuni funzionari del ministero degli Esteri giunti da Roma. Il colonnello Franti, per esempio.

Ricciardi tagliò corto.

– Davvero? Non me l'hanno presentato. Del resto erano pochi gli invitati che conoscevo. Non faccio molta vita di società.

Garzo emise un sospiro. Il pane a chi non ha i denti, pensò.

– Sí. Capisco. Ma veniamo a noi. Vi ho convocati perché ho ricevuto una telefonata proprio da Roma, ma dal ministero dell'Interno. Non devo spiegarvi questo che cosa significa: sono i massimi vertici, Ricciardi. I ma-ssi-mi vertici.

Il commissario ascoltò impassibile la sottolineatura. Maione si schiarí la voce.

– Dottore, se si tratta di faccende riservate, io toglierei il disturbo, con il vostro permesso.

Garzo alzò deciso la mano.

– No, Maione. No. La faccenda è riservatissima, è vero, ma tutti i graduati che si occupano della cosa devono essere informati.

– Quale cosa, dottore? – domandò Ricciardi.

Garzo cominciò a cercare sul tavolo, poi rovistò nella borsa di pelle, che teneva appoggiata su un ripiano dietro la poltrona, imprecò a mezza voce e infine reperí un foglietto spiegazzato nella tasca interna della giacca.

– Ah, eccolo. Dunque, vediamo: voi vi state occupando di un omicidio, vero? Il morto si chiama Irace Costantino.

Ricciardi confermò.

– Sí, è esatto. È stato rinvenuto cadavere ieri in un vicolo vicino al porto. Recava la frattura delle costole, una vasta ecchimosi...

Garzo alzò di nuovo la mano.

– Per carità, Ricciardi. Per carità. Certi particolari di mattina presto... E poi non dubito che abbiamo tutte le informazioni necessarie. A volte ho l'impressione che voi abbiate un gusto macabro per i morti. Comunque sia, nella vicenda è coinvolto, o almeno pare esserlo, il celebre Vinnie Sannino, il campione del mondo dei pesi mediomassimi. È cosí?

Maione sospirò e gettò un'occhiata a Ricciardi. La solita vecchia storia, pensarono entrambi, una telefonata da Roma per proteggere una persona importante.

Il commissario si irrigidí.

– Dottore, quell'uomo ha minacciato di morte la vittima, in pubblico e poche ore prima che questa fosse uccisa, e non ricorda dov'era all'ora del delitto. Nemmeno la sua amante, che è venuta a rendere una dichiarazione spontanea, è in grado di confermare che...

Garzo sbuffò.

– Non traete conclusioni sbagliate. Qui nessuno vuole impedirvi di esperire le dovute indagini. Anzi.

Maione e Ricciardi si guardarono di nuovo, sorpresi.

– Anzi... Anzi cosa? – chiese il commissario.

Garzo sorrise con superiorità, si alzò dalla poltrona con un movimento teatrale e fece qualche passo verso la finestra, i pollici nei taschini del panciotto. Maione rifletté su quanto fosse cretino.

– Certe valutazioni, Ricciardi, – disse il vicequestore cercando di caricare d'importanza le proprie parole, – sono al di sopra del vostro grado e della vostra capacità di comprenderle. Concernono l'immagine del nostro Paese, del partito. Nascono da riflessioni del duce in persona. Io stesso, che rivesto il ruolo che ho, mi sono dovuto far spiegare tutto due volte, quando mi hanno telefonato ieri notte.

Maione mormorò:

– Addirittura.

– Sí, Maione. Sembra assurdo, lo so. Allora, pare che Sannino, in passato descritto come il prototipo del maschio italiano invincibile, orgoglio del regime, durante un incontro di quello sport barbaro che, per inciso, mi guardo bene dal seguire, abbia ucciso un negro. Un negro, capite? Uno penserebbe: e allora? Si trattava di pugilato, no? Mica gli ha sparato un colpo. E fra l'altro era un negro, appunto. Bene, non ci crederete: Sannino, dopo l'incidente, si è rifiutato di combattere ancora. Nonostante le sollecitazioni di tutti, incluse quelle del duce, fatte pervenire tramite l'ambasciatore negli Stati Uniti, e badate che Sua Eccellenza aveva scritto una lettera di suo pugno, di suo pu-gno, ebbene, nonostante questo, il vigliacco non è piú voluto salire sul quadrato.

Ricciardi tentò di stringere.

– Chiedo scusa, dottore, ma non vedo come questo c'entri con la nostra indagine.

Garzo lo fissò con condiscendenza.

– Bravo, Ricciardi. Dite bene. Non vedete. E nemmeno io avevo visto, ma poi, appunto, me lo sono fatto spiegare. La verità è che tanta vigliaccheria è intollerabile. Mi è stato detto proprio cosí: i-nto-lle-ra-bi-le. A questo punto è meglio, molto meglio, se emerge pubblicamente che si tratta di un deviato, di un pervertito, di un assassino. Cosí sarà chiaro che non era affatto un maschio invincibile, e che la sagace e puntuale polizia italiana se n'è accorta, sbattendolo in galera.

Ricciardi era sconcertato.

– Ma, dottore...

– Nessun ma, Ricciardi. Nessun ma. Quell'uomo ha minacciato pubblicamente la vittima, lo avete detto voi. E non ha un alibi, lo avete detto ancora voi. Per cui io esigo, e-si-go, che la giustizia faccia il suo corso e che l'individuo sia messo in galera oggi stesso. Dobbiamo dare un esempio.

Ricciardi rispose con voce asciutta:

– Il fatto che non abbia un alibi non significa che sia colpevole. È uno dei principali sospettati, certo, però...

Garzo picchiò il pugno sulla scrivania.

– Maledizione, Ricciardi, non mi contraddite! Sono istruzioni che mi sono state impartite dal ministero, capite? Dal mi-ni-ste-ro! Vi sto dando un ordine!

Ricciardi replicò senza cambiare tono:

– Fatemi capire, dottore: mi state dicendo che non devo indagare in modo adeguato su un omicidio? Che devo arrestare Sannino solo perché, non volendo piú combattere, ha offeso il regime? Mi state dicendo questo? Se è cosí, sono costretto a presentare subito le mie dimissioni. Dopodiché sarà mio scrupolo raccontare alla stampa l'incresciosa situazione che le ha determinate.

Garzo spalancò occhi e bocca. Per un momento sembrò sul punto di afflosciarsi come un pallone bucato. Maione si esaminava con attenzione le unghie della mano destra.

Passò quasi un minuto, durante il quale la mente del vicequestore catalogò alla massima velocità consentita dal suo cervello i pro e i contro per la sua persona della posizione presa da Ricciardi. Poi disse:

– Io rispondo a Roma. Non solo al signor questore e alla cittadinanza, ma anche al governo. Se mi si dice che quest'uomo deve essere fermato, a meno che non si abbia la piena certezza della sua innocenza, allora dev'essere fermato. Voi avete piena certezza della sua innocenza?

– No, ma...

– Bene. Non l'avete. Allora, vi prego, fate quello che vi dico: fermatelo. Poi potrete continuare il vostro lavoro, e se dovesse emergere in maniera incontrovertibile la sua innocenza, ma attenzione, in maniera in-con-tro-ver-ti-bi-le, allora nessuno avrà da ridire. Noi amministriamo la giustizia, dopotutto. Fino ad allora, però, Sannino dovrà restare in galera. Sono stato chiaro?

Ricciardi sospirò.

– D'accordo, dottore. Provvederemo in giornata.

Garzo parve rassicurato.

– Bene, Ricciardi. Bene. Buon lavoro.

Quando furono usciti, Maione esplose come una caldaia in eccesso di pressione.

– Commissa', perdonatemi, ma stavolta non sono d'accordo con voi. Come possiamo mettere in galera a uno prima ancora di aver completato il giro degli interrogatori? Nemmeno se l'avessimo preso con le mani nel sacco ci fermeremmo cosí presto.

Ricciardi non rallentò il passo, dirigendosi verso il proprio ufficio.

– Era una strategia necessaria, Raffaele. Se non avessimo ceduto, il caso ci sarebbe stato tolto e lo avrebbero affidato a qualche collega condiscendente. A quel punto per Sannino non ci sarebbero state speranze: innocente o no, avrebbe subito la vendetta politica. Cosí, almeno, abbiamo ottenuto la possibilità di indagare ancora e di cercare gli elementi in grado di provare o la sua colpevolezza, nel qual caso saranno tutti felici, o la sua innocenza al di là di ogni dubbio.

Maione si massaggiò il mento.

– Non ci avevo pensato. Insomma, come sempre dobbiamo lavorare in fretta. Ma ora abbiamo un motivo in piú per farlo.

Ricciardi si fermò con la mano sulla maniglia della porta.

– Sí, Raffaele, – disse. – Abbiamo un motivo in piú.

XXX.

Il portiere di casa Irace accolse i due poliziotti in modo ben diverso dalla volta precedente. Si esibí in un compunto inchino, togliendosi il cappello, poi si fece da parte indicando le scale.

– Conoscete la strada, vero? Ma se volete vi accompagno lo stesso.

Maione lo guardò storto.

– Non vi scomodate. Cosí potete mandare vostro figlio ad avvisare che siamo qua.

Il riferimento all'informazione tempestiva inviata al negozio, di cui avevano appreso dal fratello della vedova, aveva l'unico scopo di mostrare all'uomo che il brigadiere lo teneva d'occhio. Il portiere arrossí e abbassò la testa.

Lungo la rampa di scale Maione si rivolse a Ricciardi.

– Commissa', ma non avremmo dovuto andare a prendere Sannino? Una volta tanto che, come avete detto, ci conviene seguire le indicazioni di quel fesso di Garzo, rimandando non ci mettiamo in difficoltà?

Ricciardi scosse appena il capo.

– Ha detto entro oggi, ed entro oggi noi ci andremo. Prima, però, voglio sentire di nuovo la vedova. Cosí avrei fatto normalmente e cosí voglio fare. Non altero i miei processi mentali per le esigenze del vicequestore, questo è certo.

Ad accoglierli fu la stessa cameriera del giorno prima, con gli occhi arrossati e l'aria contrita. La porta era già socchiusa, e all'interno c'era una piccola folla per la solita processione di condoglianze stimolata dalla morbosa curiosità che accompagna una morte improvvisa; in questo caso addirittura un omicidio. Ricciardi e Maione si trovavano assai spesso immersi in quel tipo di atmosfera, avendo l'incombenza di sentire i familiari delle vittime nelle prime ore dopo il delitto. C'era sempre un clima particolare, che aveva una componente di sincero cordoglio, ma anche di meraviglia, di stupore, e si percepiva pure un vago sollievo, perché la sventura era toccata a qualcun altro.

Concetta Irace era in piedi al centro di un capannello di donne e uomini dall'aria affranta, che mormoravano parole di circostanza e intanto cercavano di carpire informazioni. Era vestita di nero, con il viso segnato dalla stanchezza; i suoi occhi, scuri e profondi, rincorrevano pensieri che la portavano lontano da lí. La luce di un paio di abat-jour, accese per via della pioggia incessante, che rendeva la mattinata affine a un tardo pomeriggio, si riverberava sulla tappezzeria vivace e sui soprabiti bagnati, creando un contrasto che sottolineava in qualche maniera la difficoltà della circostanza.

Appena li vide, la donna si staccò dal gruppo e andò loro incontro.

– Commissario, brigadiere. Prego, accomodatevi.

Ricciardi notò il silenzio che era subito calato nella stanza e avvertí su di sé lo sguardo dei presenti.

– Buongiorno, signora. E di nuovo condoglianze per la vostra perdita. Ci rendiamo conto che il momento non è dei piú opportuni, ma avremmo urgenza di scambiare due parole con voi, se permettete.

– Certo, – rispose Concetta. – Forse, però... forse devo mandare a chiamare mio cugino. Mi ha detto che, se dovevo parlare con voi, lui voleva esserci.

Maione minimizzò.

– Ma no, signo', non è proprio il caso, è cosa di due minuti, non lo disturbiamo.

La Irace parve sollevata.

– Sí, preferirei anch'io. Poverino, è stato qui tutta la notte e stamattina doveva recarsi per forza in tribunale. Pure mio fratello è rimasto con me, poi, molto presto, è andato al negozio. Senza Costantino deve...

La voce le mancò; rivolse gli occhi alla finestra come per trovare la forza di continuare. Due donne anziane si scambiarono uno sguardo di maliziosa complicità che non sfuggí a Maione.

Concetta riprese in tono piatto.

– Tutti dobbiamo organizzarci diversamente, ora che Costantino non c'è piú. Non sarà facile, ma dobbiamo riuscirci, no? Prego, venite con me. Andiamo di là.

La seguirono attraverso una porta in un altro salotto, piú piccolo ma piú vissuto. Su un tavolino c'erano un telaio da ricamo con degli aghi e un libro con un segno piú o meno a metà. Sopra una credenza, una grande radio. La donna si accomodò su una poltrona, indicando ai poliziotti un divanetto.

– Passo le mie giornate in questa stanza. Mi piace leggere, ricamare, ascoltare musica. Ne ho tanto, di tempo. Adesso immagino che ne avrò meno. Molto meno.

– Posso sapere perché, signora? – disse Ricciardi.

La Irace sospirò.

– Noi non abbiamo avuto figli. Purtroppo non sono venuti, anche se io ne avrei voluti tanti. Chissà, magari sarei stata una cattiva madre e il Padreterno non me li ha mandati, non lo so. Con gli anni mi sono abituata all'idea e ho trovato altri interessi. Ora, però, dovrò occuparmi del negozio. Mio fratello avrà bisogno di aiuto, lui... lui non può certo farsi carico di tutto.

Maione domandò:

– Il negozio era di vostro padre, vero? Me lo ricordo da quand'ero ragazzo. Ci passavo davanti per andare a scuola, vicino alla stazione dei treni.

La Irace sorrise, malinconica.

– Sí, brigadie'. Era di mio padre. E lui ci teneva assai a farci vedere come funzionava il commercio, a me e a Michelangelo. Diceva che un giorno ce ne saremmo dovuti interessare noi, quando lui sarebbe diventato troppo vecchio. Povero papà, non ci è riuscito, a diventare vecchio.

– Quindi avete continuato voi la gestione?

– Vede, commissario, mio padre… alla sua morte abbiamo scoperto che le cose non andavano bene già da un po' di tempo. Michelangelo non se n'era accorto, lui si occupava solo delle vendite. C'erano dei debiti, anche pesanti. Io ero fidanzata con Costantino da qualche anno; dovevamo sposarci, ma rimandavamo sempre. Lui aveva tanti soldi, commerciava in frutta e verdura. Pagò i creditori e ci salvò dal fallimento, quindi entrò in società rilevando la mia quota.

Ricciardi annuí. Il racconto confermava la versione fornita da Taliercio il giorno precedente.

– Torniamo ai fatti di adesso, signora. La sera prima del delitto c'è stato l'episodio del teatro, le minacce che Sannino ha rivolto a vostro marito. Ne conoscete il motivo? Vostro cugino, in questura, ha detto che quell'uomo vi perseguitava da alcuni giorni. Perché?

La donna abbassò lo sguardo, e per un lungo momento tacque. Ricciardi si accorse che si tormentava le mani in grembo, come per darsi forza.

Quando sollevò il viso aveva gli occhi gonfi di lacrime.

– Io e Sannino ci conosciamo da molti anni, commissario. Da ragazzini eravamo… ci volevamo bene, credo.

Come si vogliono bene due a quell'età, certo, ma pensavamo fosse una cosa importante. Lui nel sedici decise di partire per l'America, e io gli dissi che, se se ne andava, con me aveva chiuso. Cosí fu. Io mi sono sposata, lui ha avuto la sua vita.

Maione sussurrò:

– E poi?

– Tre notti fa, all'improvviso, sento la sua voce in strada. Credevo di sognare, qualche volta mi è successo in questi anni, invece era proprio lui. Cantava quella canzone, *Voce 'e notte*; la conoscete, immagino. Parla di uno che va a cantare sotto casa di una donna sposata. Capite? Sposata. Si era portato anche un *concertino*.

– E voi come avete reagito? – disse Maione.

Concetta si morse il labbro, poi rispose:

– E come avrei dovuto reagire, brigadiere? Ho fatto quello che dice la canzone. Ho riconosciuto la voce e sono rimasta a letto, con gli occhi chiusi come se stessi ancora dormendo. Non ero piú la ragazza che ricordava lui. Ero diventata una donna, avevo un marito. Quella canzone non era per me.

Maione si grattò la fronte. Si domandò che cosa avrebbe fatto se qualcuno si fosse presentato sotto la sua finestra per cantare una serenata a Lucia.

– E vostro marito, signo'? Pure lui è rimasto a letto?

– No. Lui si è alzato ed è andato a vedere. Mi ha detto che si erano affacciati tutti, nel palazzo. E che il cantante sembrava guardare proprio la finestra nostra. Io gli ho risposto che non ne sapevo niente e che niente ne volevo sapere. Ed è finita lí.

Ricciardi intervenne:

– Ma vostro marito era al corrente di Sannino? Mi riferisco al fatto che in passato...

La donna scrollò il capo.

– No, non gliene avevo parlato, prima. Era storia antica, e mai c'era stato niente. Una cosa di ragazzini, ve l'ho detto.

– Per Sannino non doveva essere cosí, altrimenti non vi avrebbe portato la serenata. E nemmeno vi avrebbe avvicinata l'altra sera a teatro, minacciando vostro marito.

La Irace rispose calma:

– Commissario, io non posso sapere che cosa è rimasto nella testa di Vincenzo, dopo tanti anni. So quello che c'è nella mia, e nella mia c'è la vita che ho voluto.

Ricciardi insistette:

– Ma le minacce...

– Le minacce sono state una risposta a quello che mio marito aveva giustamente detto, che se continuava a disturbarmi lo avrebbe fatto arrestare. La notte della serenata lo aveva visto dalla finestra, ma non poteva essere certo che ce l'avesse con me, però quando si è avvicinato nel foyer, al termine dello spettacolo, non c'erano piú dubbi.

Maione, che pareva quasi interessato alla vicenda per motivi personali, le chiese, torvo:

– E scusate, a voi non ha detto niente vostro marito? Non vi ha chiesto chi fosse quell'uomo e perché facesse cosí?

La Irace si voltò verso di lui.

– Sí, brigadie'. Me lo ha chiesto, naturalmente. E io gli ho raccontato come stavano le cose, e quando era stata l'ultima volta che lo avevo visto. Gli ho detto anche di lasciar perdere, che era ubriaco e che bastava guardare la gente con cui si accompagnava, una bionda appariscente e un uomo con una faccia spaventosa, per capire cosa era diventato. E Costantino mi ha dato ragione.

– Non era preoccupato, quindi? – disse Ricciardi. – Non aveva paura di incontrarlo ancora, dopo quelle minacce?

Concetta ripropose il suo sorriso triste.

– Mio marito non aveva paura di niente, commissario. Era stato troppi anni in mezzo alla strada. Quando faceva ancora il commerciante all'ingrosso è passato indenne attraverso situazioni che neppure potete immaginare. Manco che Vincenzo fosse un pugile lo preoccupava. Anzi, a sentire lui, si augurava di trovarselo davanti di nuovo, per spiegargli a modo suo che nessuno doveva permettersi di avvicinare la signora Irace. Che io ero cosa sua. Cosí disse.

Ricciardi e Maione tacquero, incamerando l'informazione. Eppure, pensavano, poche ore dopo quell'esibizione di sicurezza l'uomo senza paura sarebbe stato ucciso. Ucciso a mani nude; a calci e pugni, apparentemente.

Il commissario riprese:

– Signora, veniamo alla mattina successiva, quella del delitto. Era molto presto: dormivate quando è uscito?

– No, mi alzo sempre... mi alzavo, cioè. Mi alzavo –. Concetta rifletté, come per imprimersi bene in mente che d'ora in avanti avrebbe dovuto coniugare i tempi in base alle nuove circostanze. – Mi alzavo sempre quando si alzava lui. Mi piaceva preparargli il caffè io, invece di lasciar fare alla domestica.

– Vi disse qualcosa di particolare?

Concetta prese un respiro.

– No. Sapevo dell'affare al porto, ne aveva parlato con mio fratello molte volte, anche in mia presenza. Era una transazione importante, una cosa che, forse, avrebbe risolto il problema della concorrenza per un paio d'anni. Aveva preparato il contante necessario da alcuni giorni, l'intermediario gli aveva spiegato che era l'unico modo per ottenere quello sconto.

– E di che umore era?

Concetta si strinse nelle spalle.

– Ottimo. Fischiettava. Mi ha mostrato il pacco delle banconote e lo ha infilato nel taschino dei pantaloni. Diceva che d'ora in avanti i clienti avrebbero fatto la fila fuori dal nostro negozio. Non l'ho piú visto.

– Voi, signora, vi siete fatta un'idea di chi potrebbe essere stato? – le chiese Ricciardi all'improvviso.

Concetta tacque per un lungo minuto, fissando il vuoto. Poi rispose:

– Non penso ad altro da quando siete venuti con la notizia che era morto. I soldi non sono stati presi, quindi… Costantino ha avuto una vita intensa, magari si era fatto dei nemici, ma non ne parlava mai. Però, se volete la mia opinione, commissario, non credo lo abbia ucciso Vincenzo. Il ragazzo che conoscevo non avrebbe mai fatto una cosa del genere. Mai.

Maione diede un colpetto di tosse.

– Potrebbe essere cambiato in tutti questi anni, vi pare, signo'?

Lei tornò a guardare la pioggia che rigava incessante i vetri della finestra.

– Sí, brigadiere. Potrebbe. Avete ragione, in fondo: la gente cambia. Cambiamo tutti.

XXXI.

Maria Colombo, le mani sui fianchi e l'espressione concentrata, si guardò attorno per l'ennesima volta e disse:

– Dunque, allestiamo il tavolo con la tovaglia di lino di Fiandra, quella del mio corredo, e siccome spostiamo il tavolo vicino alla parete, facciamo in modo che il disegno damascato cada davanti, cosí, un po' drappeggiato. Tiriamo fuori dalla credenza già oggi il servizio di piatti di Limoges, quello col bordo in oro, e i bicchieri Baccarat. Lui è abituato ai pranzi dei diplomatici, non dobbiamo essere da meno.

Il piccolo plotone che l'ascoltava era composto da Susanna e Francesca, le figlie minori, da Fortuna, l'anziana cameriera che aveva fatto da bambinaia a due generazioni della famiglia ed era l'unica autorizzata a maneggiare i cristalli e gli argenti, e da Lina, la moglie del portiere, che veniva convocata nei casi di grave necessità. Un po' discosta, a testimonianza del fatto che avrebbe voluto essere ovunque piuttosto che lí, Enrica, la persona per cui quei preparativi erano in atto.

Maria riprese il discorso, seguendo il filo dei propri pensieri.

– Nell'angolo spostiamo il tavolino per il tè. In questi giorni dobbiamo informarci su come si serve per bene. Io andrò a comprarlo alla drogheria internazionale Codrington, che sta a via Chiaia al numero novantaquattro. L'ho fatto chiedere da papà alla baronessa Lubrano, che riceve i capitani delle navi inglesi perché il defunto marito era di là. Non ci dobbiamo far trovare impreparati.

Enrica accennò una debole protesta.

– Mamma, ma quale impreparati, mica è un esame. E poi Manfred è tedesco, non è inglese.

Maria la gelò con uno sguardo.

– Inglese, tedesco: sempre nordico è. Di sicuro al consolato prendono il tè ogni pomeriggio, non possiamo fare la figura dei cafoni. E poi sí, che è un esame, invece. Lo è sempre, e i risultati possono venir fuori dopo anni. Tu faresti bene a rendertene conto una volta per tutte. Allora, dicevamo, il tavolino per il tè lo mettiamo nell'angolo. E...

Enrica sospirò e si allontanò con la mente. Trovava folle l'idea di preparare un semplice ricevimento pomeridiano con un anticipo di ben sei giorni.

Il ventiquattro di ottobre sarebbe stato il suo compleanno. L'argomento era stato tirato fuori la settimana prima proprio da Manfred, in una delle sue visite dopo cena. Alla sorpresa per il fatto che se ne fosse ricordato, nell'animo della ragazza era seguita l'inquietudine, quando, con tono basso e serio, l'ufficiale tedesco aveva aggiunto:

«Sono scortese se chiedo di essere invitato per la festa? Sarebbe l'occasione perfetta per dirvi una cosa e per chiedervene un'altra».

Il breve discorso era caduto nel salotto con l'effetto di una zuppiera di cristallo di Boemia che scappa di mano e finisce in terra. Il padre di Enrica era rimasto in silenzio, lo sguardo inespressivo dietro gli occhiali, la bocca serrata sotto i baffi. Maria si era illuminata in un sorriso che Enrica non ricordava di averle mai visto. Lei, nel tentativo di allontanare la minaccia, si era affrettata a balbettare:

«Ecco... da noi... Da noi si festeggiano gli onomastici, in realtà. I compleanni sono meno considerati. Io poi mi chiamo come la nonna, quindi festeggiamo il tredici luglio e...»

La madre, però, le era saltata sulla voce.

«Enri', ma che dici? Certo che lo festeggiamo, il tuo compleanno. È la data in cui tuo padre e io siamo diventati genitori per la prima volta, quindi, in un certo senso, la ricorrenza piú importante della nostra famiglia. Poi quest'anno compi un quarto di secolo: dev'essere un giorno indimenticabile. Daremo un ricevimento pomeridiano, con le coviglie di *Caflisch* e le paste di mandorla, il vermut e il rosolio. Sarà un piacere, maggiore. Un piacere, per tutti. Vero, Giulio?»

La voce amabile e dolce con cui Maria aveva sollecitato la risposta del marito faceva a pugni con le fiamme di avvertimento che le divampavano dagli occhi. Il cavaliere aveva raccolto immediatamente.

«Ma certo, certo. Faremo un bel ricevimento. E sí, sarà un piacere».

Manfred aveva sorriso, inchinando appena il capo, e aveva rivolto a Enrica un tenero sguardo.

Dopo quell'episodio il sonno della ragazza era diventato agitatissimo. Per questo si era confidata col padre, e in seguito alla loro chiacchierata aveva cercato di guardare dentro sé stessa con la maggiore obiettività possibile, scandagliando i propri ricordi e le proprie aspirazioni e confrontandoli con ciò che le diceva il cuore.

Non poteva negare la realtà. Ormai aveva venticinque anni e, se voleva costruirsi una famiglia, era già in ritardo rispetto a tutte le altre ragazze che conosceva, inclusa la sorella piú giovane. Sua madre aveva ragione, in un certo senso. Anche se con modi un po' invadenti, voleva il suo bene, quando, a proposito di Manfred, cercava, se non di affrettare gli eventi, perlomeno di agevolarne il flusso.

Però Enrica continuava a pensare a Ricciardi. Dalle poche volte che si erano parlati, ma soprattutto dai suoi occhi verdi come il mare, le era parso di capire che in quell'uomo strano, che non la invitava, che non si presentava, che da anni, ogni sera, la guardava di nascosto dalla finestra, albergava un sentimento per lei. Un sentimento che aveva lo stesso colore del suo.

Questa convinzione, che le veniva dal cuore molto piú che dalla mente, l'aveva spinta ad attenderlo, a custodire la speranza che un giorno Ricciardi avrebbe rimosso l'ostacolo che aveva dentro; qualcosa, lei lo sentiva, che emergeva dal passato e gli orientava il presente. A quel punto, forse, si sarebbe aperto a un futuro in cui lei era compresa.

Ma il tempo passava e non succedeva nulla. Anzi, la morte della tata Rosa, l'unico suo vero contatto con la vita del commissario, aveva spezzato il ponte da lei faticosamente costruito tra la propria finestra e quella di Ricciardi, cosí vicine eppure distanti quanto continenti diversi. Le rare volte che si erano incrociati, si erano scambiati poche, sconnesse frasi che da un lato conservavano la forma di una conversazione tra sconosciuti e dall'altro possedevano la profondità di un grande e contrastato amore. Eppure la sua impressione era che si fossero detti piú di quanto molte coppie convenzionali si dicevano in anni di formale fidanzamento.

Enrica, però, voleva dei figli. Li desiderava sopra ogni altra cosa, proprio lei che tardava cosí tanto a formarsi una famiglia. Era nata per questo. Il padre, quando si erano parlati, l'aveva messa di fronte alla sua natura piú autentica. Avrebbe voluto spiegarlo, alla madre, se solo ne avesse avuto il coraggio. Non fuggo il matrimonio, mamma, lo desidero invece con tutte le mie forze. Solo che vorrei fosse col grande amore. Un'idea romantica, è vero, magari fuori moda, visto che parecchie mie amiche hanno scelto il marito secondo la convenienza e non secondo il cuore. Ma è la mia idea. Il mio desiderio.

Perciò avrebbe superato la barriera altissima della propria riservatezza e avrebbe parlato con Ricciardi un'ultima volta. A rischio, o piuttosto nella certezza, di sembrargli sfacciata, gli avrebbe chiesto con serenità e determinazione che cosa voleva lui dal futuro. Se nelle sue fantasie, nei suoi desideri c'erano una famiglia, una casa, una moglie e soprattutto dei figli. Perché, se non era cosí, non aveva senso sperare nell'impossibile. Ma in caso contrario, avrebbe aspettato, disattendendo il volere della madre, respingendo Manfred e chiunque altro si fosse proposto. Contando sull'aiuto che il padre le aveva promesso, avrebbe aspettato.

Era però necessario incontrarlo prima del suo maledetto compleanno. Prima che Manfred, come aveva lasciato intendere, sferrasse l'attacco.

Senza nemmeno accorgersene, gettò uno sguardo al muro in direzione del palazzo di Ricciardi. La madre lo notò per caso e, come spesso accadeva, lesse in maniera errata i pensieri della figlia.

– Là il tavolino, dici? Ma lo sai che forse hai ragione? Se usiamo il servizio buono, che è migliore di quello dei piatti, è preferibile che, entrando dalla porta, si veda per primo. Sí, sí. Lina, Fortuna, aiutatemi a spostarlo, cosí capiamo come sta. Per coprirlo pensavo a una tela batista lavorata con motivi a filet. Non ce l'abbiamo e non abbiamo il tempo di ricamarla. Dovremo cercarla in uno dei negozi che stanno sul Rettifilo. Susanna, mi accompagni tu, nel pomeriggio? Madonna, quante cose ci stanno da fare, mi sento di impazzire io, che non c'entro nulla, posso solo immaginare come dev'essere per te, Enrica mia. Che dici, dobbiamo pure pensare al caffè o pare brutto, se c'è già il tè?

Enrica sospirò, pensando a come e dove poteva incontrare Ricciardi.

Il suo cuore, al solo nome pronunciato nella mente, perse un battito.

XXXII.

Dopo un breve intervallo, la pioggia aveva ricominciato a flagellare l'aria e la terra.

Il vento rendeva difficile ripararsi, cambiando a folate il verso dell'acqua e sbattendola in faccia o contro la schiena di chi camminava per strada. L'oscurità fuori orario costringeva ad accendere le luci, e pareva di essere in tarda serata invece che a mezzogiorno. In pochi si azzardavano a uscire, e solo se era necessario. Fra questi, Ricciardi e Maione.

Passarono davanti al negozio di Irace, ma non erano diretti lí. Tuttavia, un'occhiata nel locale illuminato diede loro modo di notare che, nonostante il cattivo tempo, c'erano alcune donne intente a tastare una pezza di lana: l'inverno si avvicinava a grandi passi e accelerava gli acquisti per la confezione di vestiti adeguati. Con loro, insieme ai commessi, c'era anche Taliercio. Una vistosa fascia nera al braccio, a testimonianza del lutto, strideva col sorriso commerciale che stava riservando a una grassa signora. Lo spettacolo deve continuare, pensò Ricciardi.

L'insegna MEROLLA E FIGLIE – TESSUTI E STOFFE campeggiava pretenziosa qualche decina di metri piú lontano, sul lato opposto della via. All'interno non c'erano clienti. Nelle vetrine spente, i manichini erano drappeggiati con scampoli leggeri e dai colori chiassosi, poco adeguati alla temperatura e all'atmosfera generale. A Maione fecero quasi pena, per il freddo che dovevano patire. Ci vuole la fortuna pure a nascere manichino, disse tra sé.

Ricciardi entrò per primo, accendendo una speranza sul volto delle due ragazze dietro il banco; la loro espressione, però, cambiò non appena riconobbero dietro di lui il brigadiere in divisa, che scuoteva gli scarponi zuppi sul pavimento lucido.

– Buongiorno, – disse Ricciardi, e presentò sé stesso e Maione.

Le due si assomigliavano molto; entrambe avevano il naso adunco e il mento sporgente. Si scambiarono il consueto sguardo preoccupato che suscitava sempre l'arrivo della polizia. Quella che sembrava la piú anziana domandò:

– Che è successo, commissa'? Qualche rapina qua attorno?

La domanda non era strana: quando nei dintorni avvenivano episodi di criminalità, la pubblica sicurezza metteva sull'avviso i negozianti perché stessero all'erta. La piú giovane, però, commentò subito acida:

– In questo caso vi siete fatti una camminata inutile sotto all'acqua. Da noi, come vedete, non ci sta niente da rubare.

Maione girò lo sguardo attorno, lasciando che gli occhi si abituassero alla penombra diffusa. In effetti gli scaffali erano in larga parte vuoti, e si percepiva un senso di abbandono che metteva tristezza.

Ricciardi chiese:

– C'è il titolare, per favore?

La piú anziana replicò:

– Io mi chiamo Isabella Merolla, questa è mia sorella Fedora. Nostro padre sta sul retro a verificare certa merce. Forse possiamo dirvi noi quello che vi serve?

Ricciardi mantenne un tono cortese.

– Preferiremmo parlare con lui, grazie.

Di nuovo le sorelle si scambiarono uno sguardo. Il gesto pareva un'abitudine, quasi fosse parte di un dialogo muto iniziato chissà quando.

Fedora annuí e scomparve dietro una tenda. Maione starnutí, estrasse un enorme fazzoletto e si soffiò rumorosamente il naso. Ricciardi considerò l'evidente differenza di condizione tra i due esercizi commerciali concorrenti e, sebbene non fosse un esperto in materia, ebbe l'impressione che Merolla se la passasse davvero male.

La giovane che si era allontanata riapparve e per prima cosa fissò la sorella, ricevendo da lei un sorriso mesto, come di assenso. Dopo un po' spuntò un uomo dal naso ancora piú adunco e dal mento ancora piú sporgente di quelli delle due donne; non c'erano dubbi che ne fosse il genitore. Fece scorrere gli occhi piccoli e diffidenti sui poliziotti e non salutò nemmeno.

Maione, allora, gli chiese in tono brusco:

– Siete voi il signor Merolla?

L'uomo rimase immobile, senza dare cenni. Le figlie si scambiarono il solito sguardo; Isabella sospirò. Maione aspettò la risposta per un lungo attimo di surreale silenzio. Da fuori arrivò il rombo di un tuono. Alla fine l'uomo disse:

– Sí, sono Gerardo Merolla.

Ricciardi gli si rivolse in tono cortese:

– Buongiorno, signor Merolla. Avremmo alcune domande da farvi. C'è un posto riservato dove possiamo andare?

La replica del commerciante fu secca:

– No. Non c'è un posto. Va bene qua; tanto, come vedete, la giornata è moscia.

Fedora emise un risolino stridulo e il padre la fulminò con un'occhiataccia. Le due sorelle si guardarono con atteggiamento di sopportazione.

Ricciardi non si scompose.

– Bene. Immagino abbiate saputo della morte del signor Irace, del negozio qui vicino?

Sul viso di Merolla comparve un lugubre sorriso, che lo rese simile a un uccello rapace. Poteva avere una cinquantina d'anni; era ossuto e segaligno, con pochi capelli unti sulla sommità del cranio.

– Sí, l'ho saputo. Una buona notizia, una volta tanto.

Le ragazze si scambiarono uno sguardo carico di preoccupazione. Maione si mostrò scandalizzato.

– Come sarebbe, scusate? Ma avete capito di che stiamo parlando?

L'uomo lo fissò con indifferenza.

– Irace era un uomo da niente, e il responsabile della mia rovina: ha tolto il futuro alle mie figlie. Per colpa sua, del suo modo di condurre gli affari con soldi che venivano da chissà dove, ci siamo ridotti nella condizione che vedete. Per me la sua morte è una buona notizia, e non sono cosí ipocrita da fingere il contrario.

Maione non era soddisfatto.

– Egregio signore, Irace è stato ammazzato. Una cosa cosí dovrebbe superare ogni questione di soldi o di debiti, non vi pare? O di fronte al denaro si ferma pure la pietà umana?

Merolla mantenne la sua voce fredda.

– Brigadie', voi non lo conoscevate. Era capace di fingere di voler concludere un acquisto in società, metà per uno, per avere uno sconto dai fornitori, conducendo invece la trattativa per conto suo e fregandomi alla fine. Ci sono cascato due volte, prima di capire che tipo era. Credetemi, se ci aveste avuto a che fare, pure voi eravate felice di saperlo morto.

Ricciardi ritenne di intervenire, per evitare un'altra uscita piccata del sottoposto.

– Abbiamo compreso, tra voi c'era una dura concorrenza. Ma ora vorremmo sapere qualcosa sull'ultima fornitura che Irace stava per assicurarsi: ci risulta che foste interessato pure voi. Almeno cosí sostiene il mediatore, il signor Martuscelli.

Inutile dire che, al nome di Martuscelli, le due ragazze si guardarono. Merolla annuí, inespressivo.

– Un altro lestofante, che purtroppo controlla tutta la merce in arrivo al porto. Se avessi preso quella partita, avrei salvato il negozio. Guardatevi attorno, vedete tessuti invernali? Tengo solo quelli là in fondo, che sono di due anni fa e nessuno compra piú perché è cambiata la moda; e se anche fosse, con i prezzi che sono crollati rientreremmo al massimo del venti per cento di quanto abbiamo speso. Giusto i soldi per pagare le bollette.

Ricciardi insistette.

– Sí, ma la trattativa...

Merolla non gli diede ascolto. Continuò a descrivere la sua difficile situazione.

– Non ho piú commessi, lo vedete? Una volta qui dentro lavoravano cinque persone. E magari ora stanno in mezzo alla strada. Tranne uno, che se n'è andato a lavorare da Irace; stava con me da quand'era *'nu guaglione*, quell'infame. E dobbiamo tenere la luce spenta per risparmiare, l'accendiamo solo di sera. Ma chi volete che entra qua dentro, se nemmeno si vede cosa vendiamo? Non parliamo delle vetrine, poi. Uno squallore.

Ricciardi tentò ancora.

– Martuscelli afferma che...

– Io tengo due figlie femmine, pure 'sta disgrazia mi è capitata, e mia moglie è mancata due anni fa. Mo', io vi chiedo: chi se le sposa, senza uno straccio di dote e con un negozio pieno di debiti che sta per chiudere? Eh? Me lo dite?

Le due ragazze si guardarono con reciproca commiserazione. Per un attimo a Maione sembrarono due uccellini nel nido; non riuscí a trattenersi dal pensare che avrebbero trovato marito con difficoltà anche in condizioni di opulenza.

Ricciardi approfittò della domanda retorica di Merolla.

– Quindi voi avevate fatto un'offerta, è cosí?

– Certo, e pure maggiore di quella di Irace. Solo che, ovvio, avrei pagato con delle cambiali. Man mano che vendevo la merce le avrei onorate, e avrei messo a posto ogni cosa. Ero arrivato a ottantasettemila lire, un prezzo piú che equo, credetemi. Ma quel maledetto ha proposto di saldare subito e in contanti, e il produttore, che è uno nuovo, quindi non conosce la piazza, ha preferito lui. Facendogli un bello sconto, per di piú: cifra tonda e arrivederci e grazie. Chi ce li ha, oggi, quei soldi tutti insieme?

Maione ascoltava aggrondato. Il malanimo dell'uomo non gli piaceva affatto.

– Perciò voi lo sapevate che Irace aveva concluso l'affare.

– Lo sapevo eccome. Sono andato da Martuscelli fino alla sera prima, pregandolo di garantire per me; ci conosciamo da tanti anni, però non ha voluto. Mi ha detto: «Merolla, io vi voglio bene, ma non posso». Io vi voglio bene, capite? Quel ladro. Chissà quanto ha preso, sottobanco, dal compare suo.

Ricciardi voleva approfondire.

– Ma non sarà stata l'unica merce in vendita, no? Potevate approvvigionarvi da un'altra parte.

Le ragazze si guardarono sorridendo, come se avessero ascoltato una barzelletta. Il padre sbuffò.

– Con un negozio a trenta metri che vende roba migliore a un prezzo piú basso? Provateci voi, signore mio, e fatemi sapere come va.

Maione decise di essere diretto.

– Merolla, dov'eravate ieri mattina tra le sei e le sette?

La domanda risuonò tra gli scaffali semivuoti. Isabella e Fedora, come rispondendo a una coreografia predeterminata, indietreggiarono di un passo, si portarono una mano alla bocca e, tanto per cambiare, si scambiarono un'occhiata. Al centro di quel balletto, invece, il padre rimase ancora una volta impassibile.

– Ero a casa, nel letto mio. Tanto qua è inutile aprire presto. Possiamo scendere pure alle dieci. È questione di giorni, ormai, e se continua cosí dovrò cominciare la vendita straordinaria per chiusura. E voi vorreste che avessi pietà di Irace perché è morto ammazzato? Fate una cosa, brigadie': se acchiappate chi è stato, prima di portarlo in galera passate di qua, che lo voglio abbracciare e baciare in fronte.

Poi scoppiò in una risata agghiacciante. Le ragazze si guardarono, rabbrividendo.

E come loro, i due poliziotti.

XXXIII.

Ricciardi e Maione sentirono il bisogno di passare in ufficio per asciugarsi e riscaldarsi un po'. Gli scrosci piú violenti erano cessati, trasformandosi in una sottile pioggia gelida che, in qualche modo, infastidiva ancora di piú.

Maione scrollò il berretto e disse:

– Commissa', quel Merolla mi fa orrore. Come si può odiare tanto qualcuno pure dopo morto, e solo per i soldi?

Ricciardi aveva preso un fazzoletto dal cassetto della scrivania e tentava di asciugarsi i capelli.

– Non chiederlo a me, io non lo conosco proprio quel sentimento. Ma non credo che uno che ammazza una persona poi racconti alla polizia quanto la odiava.

Maione era perplesso.

– Magari è una strategia, commissa'. Di sicuro c'è che non tiene un alibi. E che adesso, magari, l'affare con Martuscelli lo può fare lui.

Ricciardi scosse la testa, spargendo gocce attorno a sé.

– Non credo. Il denaro ormai sarà stato restituito a Taliercio. L'affare lo concluderà lui. Ricorda che il mediatore aspettava solo questo. Penso che Merolla si sia rassegnato. Del resto, a quanto pare, non era la prima volta che Irace lo fregava sul tempo.

– No, certo, commissa'. Ma a me Merolla non mi piace lo stesso, in quel negozio buio con quelle due figlie brutte. Mi mette i brividi.

– Secondo me è la pioggia a metterteli, Raffaele. E adesso ci toccherà prenderne altra. È venuto il momento di eseguire gli ordini di Garzo e arrestare Sannino. Chiama due guardie e cerchiamo di sbrigarci, cosí possiamo riprendere a lavorare.

Il maltempo e l'assenza di nuovi eventi avevano disperso la folla dei cronisti. Quando i poliziotti arrivarono all'albergo, davanti all'entrata c'era solo il fattorino in livrea che batteva i piedi in terra per combattere l'umidità, da cui la pensilina non poteva proteggerlo.

Il brigadiere diede disposizione alle guardie di aspettare lí fuori ed entrò con Ricciardi.

Il portiere, appena li vide, li salutò con composta deferenza. Maione lo fissò storto, memore del precedente battibecco, ma l'altro fu impeccabile.

– Buonasera, signori. In che posso servirvi?

Ricciardi rispose al saluto con un cenno della testa e disse: – Ci chiami il signor Sannino, per favore.

L'uomo armeggiò su un pannello di interruttori d'ottone con i numeri delle camere, poi disse a un microfono che il signore era atteso nell'atrio dalle stesse due persone che erano venute la mattina precedente; nessun accenno alla polizia.

Dopo qualche minuto si presentò Biasin, il manager.

– Buongiorno. Siete venuti a fare altre domande? Perché Vinnie sta riposando, perciò…

Ricciardi non lo lasciò proseguire.

– Mi dispiace, ma sarà costretto ad alzarsi. Deve venire con noi. Almeno fino a quando non sarà chiarita la sua posizione è stato disposto il suo fermo in questura.

Il volto sfigurato dell'uomo era una maschera dall'espressione incomprensibile. Sollevò il cappello per grattarsi la fronte, mettendo in mostra un cranio glabro e roseo.

– State commettendo un errore. A quell'ora Vinnie era a letto nella camera di Penny e...

Fu Maione a interromperlo, stavolta:

– In verità la signorina Wright non ricorda di averlo sentito rientrare. Di conseguenza non può confermare la vostra affermazione.

Jack stava per replicare, poi si fermò, colpito da un pensiero.

– Capisco, – disse. – Si è vendicata di lui, *that bitch*, perché non la vuole, perché la tiene ai margini. E da quando ha capito che lui... da quando ha capito chi ha nel cuore Vinnie, ha perso la testa. Vi posso assicurare che era in albergo. L'ho riaccompagnato io stesso.

Ricciardi corrugò la fronte.

– Sarebbe stato piú intelligente dircelo subito, non vi pare?

Biasin prese un respiro.

– Non credevo si sarebbe arrivati a questo. Vi siete presentati dicendo che dovevate fargli solo un paio di domande, e adesso addirittura *you take him away*, lo volete portare via. Io cercavo di proteggere la sua rispettabilità.

– Che è successo, allora, l'altra notte, signor Biasin? Spiegatecelo.

– Dopo... dopo il litigio nel foyer Vinnie era fuori di sé. Urlava, smaniava: non riuscivamo a trattenerlo. Lo abbiamo portato a bere. Se beve a un certo punto si calma di botto, e dopo un po' si addormenta.

Maione cavò il taccuino e il lapis dalla tasca.

– Ricordate il nome del locale?

Biasin scosse il capo.

– No; un posto vicino al teatro. Quando ci hanno mandati via, perché chiudevano, Penny è rientrata in albergo; diceva che era stufa di sentirlo piangere. Vinnie invece voleva fare una passeggiata da solo, ma io l'ho seguito e l'ho raggiunto. Siamo andati in un'altra taverna che era ancora aperta.

– E poi? – domandò Ricciardi.

– Siamo tornati verso l'albergo. Sulla strada abbiamo anche avuto un piccolo inconveniente, ma si è risolto in fretta.

– Quale inconveniente?

Il volto di Jack si accartocciò, ma i lineamenti alterati dalle cicatrici non lasciavano comprendere se il suo fosse un sorriso o una smorfia.

– Un paio di *fools*, di fessi, si erano messi in testa di rapinarci. Non sapevano con chi avevano a che fare.

Maione lanciò un'occhiata a Ricciardi, poi chiese:

– E questo è il motivo degli...

Biasin annuí.

– Degli strappi e delle macchie, e pure delle ferite sulle mani, sí.

Il commissario era sconcertato.

– Di nuovo sarebbe stato meglio se ci aveste raccontato questa storia quando ci siamo visti la prima volta.

Biasin si strinse nelle spalle.

– Non me l'avete chiesto. E comunque pensavo che Vinnie si fosse cambiato, dopo che l'ho lasciato da Penny.

Maione era dubbioso.

– Quanti erano quelli che vi hanno assalito? E dove è accaduto?

– Io non li conosco i nomi delle vie. In piú era notte. Erano in quattro, forse cinque. Non ci è voluto molto a farli scappare. Credo che qualcuno si sia pure rotto il naso.

– Insomma, nessun testimone neanche qua.

Biasin guardò il brigadiere freddamente.

– *You're right*. La prossima volta che qualcuno ci aggredisce mi faccio rilasciare le generalità, come dite voi. Va bene? Non sarebbe compito vostro evitare che la gente venga derubata? Per fortuna eravamo in grado di difenderci. Anche da ubriachi.

Maione gli puntò la matita contro.

– Oh, oh, sentite un po', mica dovete arrivare voi dall'America a insegnarci il mestiere nostro, è chiaro? Peggio per voi se ve ne andate in giro a notte fonda in certe zone, ammesso e non concesso che quanto state dicendo sia vero.

Ricciardi intervenne in modo brusco:

– Non mi pare il caso di mettere in piedi una discussione proprio adesso. Signor Biasin, spiegatemi invece perché tenete cosí tanto a Sannino.

Biasin abbassò la testa, poi la rialzò e rispose:

– Commissario, Vinnie è un campione. Forse il piú grande di tutti. Le cose che gli altri imparano a fatica, in anni di applicazione, per lui sono naturali. Non ho mai incontrato uno tanto forte.

Ricciardi strinse gli occhi.

– Andate avanti.

Biasin riprese:

– Non può smettere di combattere. Non cosí. Non può passare per vigliacco davanti al mondo intero. Una femminuccia che, siccome ha fatto male a qualcuno, ha paura di salire ancora sul ring. Deve riprendersi il titolo e smettere da imbattuto quando sarà il momento.

– E già, – borbottò Maione, – decidete voi per lui, vero? È suo diritto smettere se...

Jack si mise a sbraitare:

– E voi invece? Che volete arrestarlo senza uno straccio di prova? È una vendetta, ecco che è. Lo aveva avvertito, quell'imbecille dell'ambasciatore, che non si poteva dire di no al duce, che se il duce chiedeva qualcosa non c'era che una risposta. Se mi avesse ascoltato, se fosse rimasto negli *States* a combattere, adesso non avrebbe il problema di questa fesseria che...

Ricciardi lo fermò con un tono secco che era piú eloquente di un urlo.

– Voi chiamate fesseria l'assassinio di un uomo, Biasin. Un uomo che il vostro amico aveva minacciato poche ore prima. E lo scarso tempismo con cui ci avete fornito il suo alibi per quella sera non vi rende molto convincente.

Biasin lo fissò. I tratti del suo volto devastato non esprimevano emozioni.

– L'amore. Che idiozia, l'amore. Come scrivere sull'acqua, come promettere al vento. Questa donna, questa maledetta Cettina, è l'unica reale debolezza di Vinnie. Una malattia incurabile. Me ne parla da quando era appena un ragazzino. Da quando veniva a pulire la mia palestra facendosi la strada di corsa dal porto. Ogni pugno che ha dato, ogni goccia di sudore che ha versato sono stati per tornare qua. E quando è morto Rose, il suo ultimo avversario, mi ha semplicemente detto: Jack, io torno. Io torno a casa.

– E voi cosa...

Biasin gli saltò sulla voce, quasi con furia.

– Non è piú casa sua, questa! Lo odiano tutti, qui, non lo vedete? Lo sbattete in galera senza un vero motivo, e lui non avrà modo di provare la sua innocenza.

Ricciardi rispose in tono basso.

– No, Biasin. Non è cosí. Mi creda, se lo fermiamo ora è proprio per poter continuare a indagare, e capire al di là di ogni dubbio se è stato lui o no.

– Io lo so che non è stato lui, non capite? Siamo tornati qui insieme, l'ho lasciato davanti alla camera di...

– ... di Penny, sí. Però io non sono entrato subito, Jack. Sono uscito di nuovo, e non ricordo che cosa ho fatto. So che sei in buona fede, che vuoi proteggermi, come sempre. Ma potrei davvero essere stato io.

Sannino era spuntato da dietro le spalle di Biasin. Si era cambiato, eppure aveva ancora l'aria di uno che non dorme da giorni: pallido, il volto segnato, i capelli in disordine. Si rivolse al commissario.

– Dunque siete venuti a prendermi. Non mi stupisce. Aspettavano solo l'occasione.

Maione ripose taccuino e matita.

– Signor Sannino, cerchiamo di fare una cosa discreta, approfittando che i giornalisti se ne sono andati.

Il pugile non distolse gli occhi da quelli di Ricciardi.

– Commissa', avrei da chiedervi un piacere. Uno solo.

– Dite pure.

– Vorrei fare una passeggiata vicino al mare. Poche centinaia di metri. Potete accompagnarmi, se lo desiderate. Mi basta qualche minuto.

Maione protestò.

– Non scherziamo, dobbiamo portarvi in questura e...

Ricciardi alzò una mano.

– Non preoccuparti, Raffaele. Ci seguirai a distanza con le guardie. Va bene. Facciamoci questa passeggiata.

XXXIV.

Non era stato difficile. Non lo era mai.

Livia non incontrava ostacoli di alcun tipo quando voleva che un uomo le chiedesse un appuntamento. Aveva preso coscienza di questo suo potere fin dall'adolescenza, nella cittadina delle Marche in cui era nata. Allora, però, era concentrata sullo studio e sul canto e, anche se già si accorgeva di attirare su di sé gli sguardi degli uomini, volendo sviluppare altri talenti aveva deciso di tenere la bellezza e il fascino nel bagaglio delle armi da utilizzare con lucidità e solo se necessario.

Poi l'attività di cantante l'aveva portata a Roma, dove aveva vissuto fino a poco piú di un anno prima, e lí si era ritrovata al centro di un mondo di cui la bellezza femminile costituiva un vero e proprio cardine. Una donna che tutti ammiravano in qualsiasi contesto rappresentava un enorme vantaggio per un uomo ambizioso. Perciò Arnaldo Vezzi, il suo defunto marito, l'aveva voluta; perciò se l'era presa facendone una cosa sua, un oggetto da esibire come una nuova automobile o un quadro d'autore.

Desiderio di possesso, venerazione, talvolta perfino spiacevoli ossessioni. Questo suscitava Livia nell'altro sesso. Nelle pupille di chi faceva scorrere lo sguardo sui contorni del suo corpo, di chi osservava a bocca semiaperta il suo modo di camminare, di chi ascoltava rapito la sua voce quando cantava si accendeva ogni volta un lampo di cui lei sapeva riconoscere la natura. Aveva sperimentato il dominio di Arnaldo da un lato e la sottomissione di un'infinita schiera di ammiratori dall'altro, e aveva imparato a isolare il cuore dalle emozioni.

Solo con Ricciardi non aveva funzionato. Mentre l'autista la conduceva al luogo del suo rendez-vous pomeridiano, guardando la pioggia scorrere sul finestrino della macchina lasciò la mente libera di andare dove voleva, e come sempre si ritrovò al cospetto di quegli occhi verdi, profondi, intelligenti, dolenti e indecifrabili. Quegli occhi che le avvelenavano l'anima. Quegli occhi che per lei, certa di conoscere fin troppo bene la banalità dei maschi, restavano invece un autentico mistero.

Le sue amiche romane, le poche con le quali aveva instaurato un rapporto profondo, erano convinte che si trattasse di un suo capriccio, perché il tenebroso commissario era l'unico che non l'aveva voluta, nonostante lei si fosse dichiarata senza pudori, cosa mai successa con altri. Ma Livia sapeva che non era cosí. Perché ricordava quel primo scambio di sguardi, in un luogo e in un contesto che escludevano ogni possibilità di reciproca attrazione, il giorno che lui le aveva fatto le condoglianze per l'assassinio del marito. Uno scambio di sguardi, rifletteva, mentre i passanti imprecavano verso la sua vettura per gli schizzi sollevati, che era bastato a rivoltarle la vita come se fosse un vecchio pastrano consunto. Uno scambio di sguardi tra due naufraghi perduti ognuno nella propria tempesta e senza speranza di salvezza.

No, Ricciardi non era un capriccio, ma l'unico, grande amore che avesse mai provato in una vita piena di corteggiatori e di solitudine. Ed era capace di provare passione, Livia lo aveva compreso subito e lo aveva anche sperimentato, esattamente un anno prima, conoscendo la sua pelle e le sue mani in una notte di pioggia come quella che si annunciava ora. Eppure lui aveva scelto di tenerla a distanza, di voltare le spalle al suo amore.

Erano passati i giorni del furore e della rabbia. Era guarita la ferita aperta dalla mortificazione per essere stata respinta. Per l'ennesima volta si disse che avrebbe dovuto mostrarsi meno impaziente, e tentare invece di sciogliere col tepore della tenerezza la prigione di ghiaccio in cui quell'uomo si era rinchiuso. Non era come gli altri, Ricciardi. Non mandava enormi fasci di rose rosse e lettere infuocate, non regalava gioielli. E non chiedeva nulla, ma aveva bisogno di dolcezza e di rispetto.

Livia non si perdonava di essere stata la causa del suo possibile arresto. E non sopportava l'idea che lui la credesse una nemica.

Trovarselo davanti, la sera prima, al ricevimento della Bartoli, era stato come ricevere una scossa. Incrociare ancora quello sguardo, provare lo stesso vuoto nello stomaco e accusare il noto, lieve capogiro, sentire la familiare sensazione di calore mescolarsi nel petto alla felicità, all'illusione, alla paura, l'aveva turbata. In piú non era solo. Lo accompagnava una dama elegante, dal collo lungo e dai capelli ramati, fra le cui braccia era stata proprio lei a spingerlo, con un'accusa scomposta e falsa lanciata in un impeto di rancore.

Conosceva Ricciardi, e sapeva che non avrebbe mai accettato di recarsi a una festa del genere se non fosse stato costretto dalle circostanze; ma vederlo ballare con quella donna che, doveva ammetterlo, era bellissima, anche se un po' fredda, era stato troppo.

Adesso, però, era suo compito proteggerlo. Glielo doveva, per il danno che gli aveva provocato e che poteva provocargli ancora in seguito al ricatto di Falco. E lo doveva a sé stessa, per tenere viva la speranza di averlo di nuovo accanto, un giorno.

L'appuntamento al quale si stava recando aveva a che fare proprio con questo.

Falco le aveva indicato l'uomo al ricevimento, un ufficiale tedesco di bell'aspetto e che parlava un ottimo italiano. Poi per ottenere un suo invito erano bastati la presentazione di un'amica compiacente, un sorriso, qualche battuta e un ballo. Il piano prevedeva che lei lo avvicinasse, instaurasse con lui una piacevole amicizia, quindi approfondisse la confidenza fino a ottenere le informazioni desiderate. Un po' alla volta, si era raccomandato Falco. Senza fretta, senza correre.

L'autista le aprí la portiera riparandola con l'ombrello perché non si bagnasse. Aveva scelto l'abbigliamento con cura, optando alla fine per un vestito al polpaccio, color arancio scuro, stretto in vita da una cintura marrone come le scarpe, una giacca in tinta di foggia maschile, appena sagomata sui fianchi, e una stola di pelliccia appoggiata sulle spalle. L'impressione generale era di sobrietà, nulla di aggressivo, insomma, ma la scollatura era appena piú generosa del necessario. Livia era consapevole dei suoi punti di forza, e sapeva come e quanto servirsene. Doveva intrigare il maggiore, non sedurlo. Non ancora.

Manfred le venne incontro sulla soglia della sala da tè dove avevano stabilito di vedersi, non lontano dal consolato. Le sorrise, le fece qualche complimento e le porse il braccio per accompagnarla al tavolo; anche lei sorrise, rispose con finta modestia e si appoggiò a lui lasciando che il seno gli sfiorasse il gomito come per caso. Un copione fin troppo noto, di quelli che si recitano a memoria senza sforzo.

La conversazione si svolse piana e superficiale, mentre al di sotto delle parole i corpi dialogavano in modo ben diverso. Tutto secondo i piani.

Livia, pigramente, valutò l'uomo: gentile, molto galante, di bell'aspetto e consapevole di esserlo, colto e intelligente. Ma privo di una qualità che spiccasse sulle altre. Nessun fascino particolare, insomma. Nessuna scintilla.

Innanzitutto, però, veniva il dovere, quindi lo ascoltò interessata descrivere la sua giornata lavorativa: gli scavi archeologici ai quali stava collaborando, l'ambiente diplomatico, la situazione politica e sociale in Germania.

Poi, a un tratto, sorseggiando il tè, gli chiese:

– E il vostro tempo libero, Manfred? Come lo trascorrete, in questa bella e strana città? Dove preferite passeggiare?

Il tedesco fece un gesto vago con la mano.

– Oh, qua e là. Mi piace il mare, l'architettura dei palazzi. E fermarmi a mangiare quelle magnifiche pizze che friggono per strada. La gente è molto cordiale con gli uomini in uniforme, al contrario di quanto si potrebbe immaginare dopo la guerra.

Livia posò la tazza.

– Sí, capita anche a me di mettermi a chiacchierare con simpatici sconosciuti. E mi diverte andare vicino al porto a guardare le navi. Approfitto di un permesso speciale che un amico mi ha fatto avere per andare persino nelle aree proibite. La cosa mi eccita parecchio, devo ammetterlo.

A quelle parole Manfred ebbe come uno scatto e si sporse in avanti sulla sedia.

– Davvero, Livia? Anche a me piacciono molto le navi. Potrei accompagnarvi, qualche volta. Me lo consentirete?

La donna rise, vezzosa.

– Certi privilegi vanno meritati, non lo sapete? Non basta chiedere, anche quando si è un attraente ufficiale tedesco.

Il maggiore portò una mano al petto in modo teatrale.

– Livia, vi prometto che farò di tutto per ottenere il vostro favore. E con grande gioia, dato che ciò significherà frequentarvi.

– Vedremo. Bisogna capire se dopo il lavoro, gli scavi archeologici e le pizze fritte vi rimarrà anche il tempo per corteggiare una povera vedova. A proposito, e il cuore? Non vorrete darmi a intendere che un uomo come voi non ha alcun interesse femminile?

Manfred si agitò sulla sedia, un po' a disagio:

– No, no... sono libero.

Livia finse una smorfia di delusione.

– Ah. Peccato. Trovo piú intriganti gli uomini che hanno qualche impegno. Sono meno invadenti e piú portati a divertirsi. Quelli liberi manifestano spesso una preoccupante tendenza a diventare troppo seri.

Il tedesco parve rassicurato.

– In effetti, a essere precisi, dovrei dire che sono libero al momento. Ma ho... dei programmi a breve termine che mi faranno presto rientrare nella vostra categoria preferita.

Livia esibí una perfetta espressione meravigliata.

– Ma allora state per fidanzarvi! Congratulazioni, maggiore. Questo aumenta la mia curiosità nei vostri confronti. Mi raccomando, portate a termine il vostro programma: mi sentirò assai piú serena nel frequentarvi.

Manfred la fissò con felice sorpresa.

– Certo che siete proprio una donna straordinaria, Livia. Splendida e straordinaria. Allora, è deciso: io diventerò un uomo fidanzato e molto incline a godermi la vita, e voi mi condurrete in tutte le zone proibite che vi verranno in mente. Al porto e... altrove. Siamo d'accordo?

Livia rispose con un sorriso malizioso e bevve un altro sorso di tè. Nella stanza piú segreta del suo cuore due occhi verdi cominciarono a brillare.

XXXV.

Come per una benevola combinazione degli eventi, appena Ricciardi e Sannino uscirono dall'*Hotel Vesuvio* smise di piovere. O meglio, la pioggia si trasformò in un pulviscolo che restava a mezz'aria, si faceva respirare e rendeva tutto un po' grigio. Continuava a bagnare abiti e cappelli, ma non dava piú la sensazione delle gocce in faccia.

I due uomini si incamminarono a passo lento in direzione di Mergellina, lasciandosi alle spalle la dolce salita che portava in centro. Attraversarono la larga strada e proseguirono con il mare a sinistra: un compagno inconsapevole e pigro, increspato e scuro quanto il cielo.

Maione non aveva dato ordine alle guardie di seguirli, ma Ricciardi era certo che il brigadiere fosse da qualche parte dietro di loro, grande, grosso eppure invisibile grazie a uno strano sortilegio di cui era capace muovendosi in città.

Il commissario si domandò per quale motivo avesse accolto il desiderio di Sannino. Non era successo perché si illudeva di ottenere da lui qualche informazione che non sarebbe venuta fuori in un interrogatorio convenzionale. A convincerlo era stata la vena di disperazione che aveva colto nei suoi vivaci occhi neri. Disperazione e solitudine. Disperazione, solitudine e amore. I sentimenti che, ogni giorno, lui raccoglieva in giro e portava dentro di sé.

Lungo la via, resa solitaria dalla sera imminente e dal maltempo, spazzata dal vento e lucida di umidità, percepí un piccolo coro di morti. Accadeva sempre, vicino al mare. Erano le immagini dei pescatori portate a riva dalla risacca, e quelle dei suicidi dell'autunno che dalle sponde scrutavano l'orizzonte cercando gli amori perduti. Un ragazzo chiamava la madre, un altro bestemmiava un dio infame; un corpo reso livido e gonfio dalla lunga permanenza in acqua salmodiava un'incoerente preghiera; una donna in nero colava sangue dai polsi tagliati pronunciando il nome del marito.

L'inferno, si disse Ricciardi. Se l'inferno esiste, che cosa potrà riservarmi di peggio? Quanto dolore dovrò ancora sentirmi arrivare addosso prima di avere pace? Lanciò un'occhiata in tralice all'uomo al suo fianco. Tu credi di essere disperato, pensò. Dovresti affacciarti per un solo secondo sul panorama della mia anima.

Il pugile, come lui, non indossava il cappello, né il soprabito; aveva i lembi della giacca che sventolavano, ma non sembrava accusare disagio. I suoi occhi si spostavano dal mare ai palazzi agli alberi della Villa Nazionale, che sfilavano sulla loro destra. Ogni tanto il rombo di un'automobile lacerava l'aria.

Infine Sannino cominciò a parlare.

Vi sarà sembrata strana la mia richiesta, commissa'. Una passeggiata in un momento simile. Ma se sto per perdere la libertà, ho bisogno di andare in un posto. Se no potrei credere che libero non sono stato mai. E poi vi volevo spiegare una cosa. No, forse non la volevo spiegare a voi, ma a Dio. O a me stesso. O a Cettina. O a chissà chi.

Volevo spiegare la storia della serenata senza nome.

Io sono partito, commissa', ma non me ne sono andato mai. Partire e andarsene sono due cose distinte e separate, due idee diverse. Io ci ho messo un anno per capirlo, in quel luogo dove credevo di trovare certe cose e invece ne ho trovate altre; magari perché le cose che pensavo io non ho saputo cercarle bene, o perché non c'erano.

Un giorno che stavo sulla pedana a dare pugni quando avrei dovuto riceverne come una specie di sacco con le gambe, come uno strumento per allenarsi, ho compreso che quello poteva essere il modo per abbreviare il tempo, per riavere in anticipo la mia vita: schivare e colpire. Perché un uomo una vita sola tiene, commissa', non due; e se la mia vita era qui, come faceva a essere anche là? Allora ho schivato e colpito, e non ho smesso piú.

Guardate il mare, commissa'? Non è lo stesso che c'è dall'altra parte. All'inizio sembrano uguali, specialmente oggi che è autunno, fa freddo e pioviggina, che è grigio e non si vedono l'isola, la montagna e la linea di terra che si allunga davanti a noi. Non si vedono, ma io lo so che ci sono, e lo sapete voi, lo sanno tutti quanti. Il mare che c'è dall'altra parte, invece, è una finzione. Alle spalle i palazzi alti e pieni di gente, le strade grandi e piene di gente, e davanti una distesa inutile e piena di gente, che non ha anima e non ha mistero. Questo è mare, commissa'. Quella è acqua.

Sono stati cosí gli anni dall'altra parte. Anni di silenzio, di sorrisi e di parole senza significato. Anni a schivare e colpire. Anni senza essermene mai andato pur essendo partito. Anni trascorsi nella convinzione di essere in un intervallo della vita, un periodo sospeso in cui non avevo una vera esistenza. Ero come quei pezzi di carne, quei quarti di bue che si conservano nelle ghiacciaie per mangiarli nei giorni di festa. E quanti ne ho scaricati di quarti di bue, commissa'. Non ne avete idea.

E non avete idea della forza che ti dà sapere che non stai vivendo, e che verrà il giorno che prenderai di nuovo la nave e tornerai a casa. Quando sei stravolto dalla stanchezza e pensi: ecco, mo' cado a terra e non mi alzo piú, è il pensiero del ritorno che ti dà un altro respiro, e allora ti metti sulle spalle l'ultimo peso. Io cosí facevo, poi andavo a dormire in certe stanze piene di sconosciuti, con una puzza che ti toglieva il fiato, stanze per nottate senza sogni, dove ti svegliavi all'alba piú stanco di prima.

Un pensiero solo avevo in testa, commissa'. Una sola faccia, una sola persona. Una voce, un sorriso, una pelle, una bocca che mi ossessionavano e mi davano pace insieme; inferno e paradiso, dolore e gioia. Un pensiero di quelli che sta dietro agli altri in ogni istante e a un certo punto ti sembra quasi di non sentirlo piú, invece è sempre lí. Un pensiero solo.

Cettina è questo per me, commissa'. Il respiro. Se mi togliete il pensiero di Cettina, tanto vale che chiedete al brigadiere la pistola e mi tirate un colpo. Facciamo finta che volevo scappare e siamo tutti contenti: i capi vostri, lei, il fratello, il cugino, e pure io. Mi fate una grazia, se mi dovete togliere il pensiero di Cettina. Perché io senza quel pensiero non posso campare, ormai. Nemmeno un minuto.

Io sono partito, è vero. Però non me ne sono mai andato. Sono rimasto vicino a lei. L'ho vista e l'ho sentita mentre cambiava il modo di vestire e di pensare, mentre da ragazza si faceva donna e diventava pure mamma, anche se, invece, figli non ne aveva avuti. Io lo sapevo che si sarebbe sposata, me l'aveva detto. Cettina mia è onesta. Certo, speravo di no; ma che volete, le donne sono cosí, sono pratiche. Però, quando fossi tornato, lei avrebbe capito che non me n'ero andato mai. Che ero solo partito.

Ho sempre immaginato che la prima cosa che avrebbe riavuto di me sarebbe stata la mia voce. Le piaceva assai, da ragazzi, se le cantavo una canzone. La sua preferita era la serenata senza nome; faceva gli occhi pieni di lacrime, quando la ascoltava.

Ecco, lo vedete quello scoglio, commissa'? Quello laggiú. Ce ne venivamo qua di corsa, le sere in cui la bella stagione è tanto dolce che fa male al cuore, e la luna disegna un viale bianco sull'acqua scura e le stelle e le luci della città sono la stessa cosa, vicine e lontane. Se tenete qualcuno a cui volete bene, provate a venirci anche voi, di sera, nella bella stagione. State tranquillo, il permesso ve lo do io.

In quelle sere, tra i baci e le carezze e il dolore della carne che chiamava, tra il desiderio suo e il mio, con la voce all'improvviso adulta della donna che sarebbe diventata, mi diceva: «Vince', me la canti la serenata senza nome?» E io, solo con la musica del mare che a stento si muoveva, a voce bassa per non farmi sentire dalla strada e dalle barche con le *lampare*, gliela cantavo.

La conoscete, no, commissa'? Lui va sotto la finestra mentre lei dorme col marito, anche se il vero marito è lui, che sta in strada col cuore spaccato. Non preoccuparti, le dice, non preoccuparti, perché io non dirò il tuo nome. Ma tu la voce la riconosci, è la mia, la stessa di quando ci davamo del voi. E questa voce ti racconterà tutto il tormento di un lontano amore, tutto l'amore di un tormento antico.

Io quello sono andato a cantarle, sotto la finestra. Le ho cantato la sofferenza di ogni attimo che ho vissuto distante da lei, quando ero partito senza essermene andato, e tutto l'amore di adesso, la sofferenza che mi trascino da allora nel mio cuore spezzato. Solo quello, commissa'. *Tutto 'o turmiento 'e 'nu luntano ammore, tutto ll'ammore 'e 'nu turmiento antico.*

Cettina non è mia, commissa'. Cettina sono io. Cettina è ogni battito del mio cuore, ogni mio respiro. Ogni speranza e ogni ricordo. Magari non la vedrò piú, magari crederà davvero che sono stato io, ma non posso strapparmela da dentro.

Negli anni che ero partito senza essermene andato, l'altro me ha mangiato, ha respirato, ha avuto donne. Penny è solo una. È una brava ragazza, e mi dispiace per lei, ma io gliel'ho detto sempre che il mio cuore teneva un posto solo. Forse sperava di prenderselo, un giorno, ma se il cuore cresce attorno a una persona, il posto non si libera.

Quell'uomo, Irace, magari era una brava persona pure lui, chi lo sa. E non è colpa sua, o di Cettina, che dopo tanti anni pensava di non vedermi piú. Non è colpa di Jack, che mi segue perché torni a combattere, e nemmeno del povero Solomon Rose, che ha finito di respirare davanti a me, né di sua madre, che lo ha pianto un mese intero finché non è morto. Non è colpa dell'America, non è colpa del mare. Non è colpa di nessuno, commissa'.

Io ricordo di essere uscito. Ricordo la pioggia, ricordo la casa di Cettina, e ricordo di essermi fermato nello stesso punto della sera in cui ho cantato la serenata senza nome. Poi mi sono addormentato, credo, avevo bevuto, e mi sono svegliato perché ho visto lui che usciva. O forse l'ho sognato. Ho sognato che bussavo e che Cettina veniva ad aprire riconoscendo la bussata mia, quella di quando non ero ancora partito. Ho sognato che mi baciava e piangeva per l'amore e per il tormento, e che io pure piangevo. E ho sognato che me ne rientravo per le strade che conosco bene, perché io sono partito, commissa', ma non me ne sono mai andato.

Questo ho sognato, forse. Ero ubriaco, e quando è cosí mi pare che il passato e il presente si mischiano e diventano una cosa sola, quindi non lo so se era vero il bacio di Cettina, o se invece ho seguito il marito e l'ho ammazzato con le mani mie. Non lo so.

Perciò sono voluto venire allo scoglio. Per scoprire se me l'ero immaginata, quella sera di stelle e di silenzio, col vento caldo che arrivava dal mare e Cettina che mi fermava la mano e mi chiedeva la serenata senza nome. Forse era stato solo un sogno anche quello, per respirare quando ero dall'altra parte, quando, per campare, un sogno mi serviva.

Ma lo scoglio esiste, commissa', lo vedete pure voi, vero? Esiste. Allora esiste pure tutto il resto, e io non sono pazzo.

Scusatemi tanto se vi ho fatto perdere tempo. Adesso possiamo andare.

E grazie.

XXXVI.

Completate le procedure per il fermo di Sannino, Maione e Ricciardi si ritrovarono soli in ufficio.

Il brigadiere aveva l'aria un po' perplessa.

– Avete visto come sono arrivati di corsa i giornalisti appena hanno sentito che l'avevamo arrestato? Stanno ancora tutti qua fuori; ho detto ad Amitrano che se uno di loro si avvicina a meno di cinque metri dal portone o intralcia il normale flusso delle persone deve spararagli. Speriamo che quel deficiente abbia capito che stavo scherzando.

Ricciardi era in piedi alla finestra; guardava uomini, donne e fantasmi indifferenti alla pioggia che aveva ripreso a cadere.

– Sono avvoltoi. Spolperanno la carcassa e se ne cercheranno un'altra. Da noi, in ogni caso, non avranno notizie.

Maione rifletté un attimo, poi domandò:

– Commissa', se non è un segreto, si può sapere che vi ha detto Sannino vicino al mare? Da lontano si vedeva che stava parlando, che gesticolava. E cosa c'era in quel punto dove vi siete fermati? Pareva che si voleva buttare da come si sporgeva di sotto, sull'acqua.

Il commissario si voltò.

– Uno scoglio, Raffaele. Uno scoglio uguale a tutti gli altri. Che per lui, però, ha un significato particolare, perché ci andava con la moglie di Irace quando erano ragazzi.

– Voi che impressione avete avuto? È stato lui?

Ricciardi allargò le braccia.

– Non lo so. E il fatto è che non lo sa nemmeno lui. Non ricorda. È un uomo passionale, che però tiene tutte le emozioni chiuse dentro. Ha molto amato e ancora ama quella donna, ma negli anni ciò che prova per lei è diventato qualcosa di diverso da un semplice sentimento, per quanto profondo. Cosí come l'ho sentito, non mi pare una persona vendicativa, tuttavia non controlla appieno le sue reazioni. Sí, potrebbe anche essere stato lui. Magari con l'aiuto di Biasin, che sembra essergli molto devoto.

Maione sospirò.

– Siamo punto e a capo, allora. E adesso che facciamo, commissa'?

Ricciardi non ebbe il tempo di rispondere, perché bussarono alla porta. La guardia Cesarano si sporse annunciando visite.

Per prima entrò la vedova Irace, gli occhi bassi sotto il cappello nero con la veletta, le mani guantate che stringevano una piccola borsa rigida. Poi la donna si fece di lato e come una furia irruppe nella stanza l'avvocato Capone.

– Commissario, mi dovete delle spiegazioni per un comportamento che trovo inaccettabile. Io, come vi ho spiegato, non mi occupo di diritto penale, ma credo che un interrogatorio debba essere preceduto da atti formali di convocazione e non possa…

Maione fu il primo a riaversi dalla sorpresa.

– Calmo, avvoca', calmo, per favore. Tirate un respiro profondo e ricordatevi che qua state in questura, non in piazza, né tantomeno in casa vostra. Innanzitutto, buongiorno alla signora e a voi.

Capone tacque, stringendo le labbra, ma i suoi occhietti vivaci non smisero di lanciare fiamme. Era vestito con estremo ordine, anche se in modo un tantino antiquato: il colletto della camicia era inamidato e aveva le punte arrotondate. Scrollò le maniche del soprabito, grondante acqua e, dopo un'esitazione percepibile, si tolse il cappello grigio che copriva l'incipiente calvizie.

– Chiedo scusa, brigadiere. Avete ragione, buongiorno a voi e al commissario. Devo comunque protestare. Ho appreso che siete stati di nuovo a casa di mia cugina e le avete posto delle domande in mia assenza, nonostante io...

Ricciardi lo interruppe:

– Avvocato, avete detto bene: voi siete abituato a occuparvi di altre questioni. Noi stiamo indagando su un omicidio, e se riteniamo necessario ascoltare qualcuno non abbiamo l'obbligo di richiedere alcuna autorizzazione. Il nostro scopo è trovare l'assassino e metterlo nelle condizioni di non nuocere ancora. Avevamo urgenza di chiarire alcuni punti della vicenda, perciò ci siamo recati da vostra cugina. Non capisco quale sia il problema.

Era evidente che Capone stava vivendo un conflitto: era tentato di rispondere con foga, però si sforzava di conservare la calma. Dal collo, oppresso da un'ampia cravatta a righe, un crescente rossore gli risaliva verso le guance.

– Mia cugina, egregio commissario, è prostrata da una sofferenza grandissima. Dovrebbe essere lasciata in pace, invece è costretta a ricordare di continuo e addirittura a fare supposizioni su ciò che è accaduto al povero Costantino. Infliggereste questo supplizio a vostra sorella?

Ricciardi lo fissava senza mostrare emozione.

– Se servisse a trovare l'assassino del marito, sí, lo farei. Preferireste che per cautelare la signora rimanessimo fermi? In ogni caso, io non ho sorelle.

Capone strinse i pugni, ma riuscí a mantenere il tono della voce basso.

– Allora andate a prenderlo, l'assassino. Perché, a quanto pare, è chiaro a chiunque meno che a voi, chi sia il colpevole. Ha urlato al mondo intero che lo avrebbe ammazzato, che lo voleva morto. E dopo lo ha vigliaccamente aggredito quando nessuno poteva vederlo. Mi chiedo che cosa aspettiate a fare il vostro mestiere.

Maione ebbe uno scatto.

– Primo, e voi che siete avvocato dovreste saperlo bene, uno non è colpevole finché non ci sta una sentenza. Secondo, noi il nostro mestiere lo conosciamo e non siete voi che ce lo dovete insegnare. Terzo, se vi riferite al signor Sannino Vincenzo, vi informiamo che è stato arrestato, ma che le indagini non sono concluse, perché ci stanno molte cose da verificare.

La notizia ebbe l'effetto di una deflagrazione. Capone restò a bocca aperta e con gli occhi spalancati. La Irace, che fin lí aveva tormentato la borsetta tenendo lo sguardo sul pavimento, alzò la testa e si avvicinò alla scrivania del commissario.

– Lo avete arrestato? E con quale... Per omicidio?

Ricciardi rimase in silenzio; pareva studiare l'espressione della donna.

Fu Maione a rispondere.

– Certo non per disturbo alla pubblica quiete, signo'. Ma vi ripeto, ci stanno ancora indagini da fare.

Capone si riprese. Era visibilmente soddisfatto.

– Ah, ecco. Vi siete decisi. D'altra parte avete atteso anche troppo. Complimenti, allora.

Ricciardi incrociò le braccia sul petto.

– Non c'è da complimentarsi, avvocato. Non ancora. Una cosa è un fermo, un'altra è un rinvio a giudizio. Io, per esempio, non sono affatto convinto della colpevolezza di Sannino. E credo di non essere l'unico.

Capone aggrottò la fronte.

– Che intendete dire?

– Nemmeno vostra cugina, nella chiacchierata che abbiamo avuto a casa sua, mi è parsa certa che le cose siano andate come sostenete voi.

L'avvocato si voltò verso Cettina con aria sbalordita.

– Ma... ma come sarebbe? Se tu stessa... Commissario, mia cugina è una donna sconvolta dal dolore. Credetemi, nessuno la conosce meglio di me e le è piú affezionato. Non è in grado di essere obiettiva, in questo momento.

Ricciardi si rivolse alla donna:

– Signora, non è forse vero che durante il nostro colloquio avete affermato di non ritenere Sannino capace di una simile violenza?

Capone si inserí:

– Cetti', non rispondere. Non sei tu imputata, e non devi...

La donna annuí.

– Commissario, mio cugino ha ragione.

Ricciardi era stupito.

– Ma voi avete detto che...

– Ho detto che il ragazzo che conoscevo io non avrebbe mai fatto una cosa simile. Però sono passati sedici anni; piú o meno l'età che tenevamo allora. Non posso sapere di cosa è capace adesso. Le volte che l'ho visto, da quando è tornato, ci ho a stento parlato. Le persone cambiano, commissa'. Quelle minacce... il mestiere che ha fatto... Forse... forse è stato proprio lui ad ammazzare Costantino.

Capone sbottò:

– Forse? Forse? Non capisci che non c'è dubbio? Che magari quel delinquente è tornato apposta dall'America per...

Ricciardi lo interruppe, infastidito:

– Avvocato, fate il vostro mestiere e lasciate che sia il giudice, nel caso, a emettere la sentenza. Inoltre vi prego di non vendere la vostra idea come se fosse quella della signora.

La Irace era sconvolta. Le tremavano le mani; i suoi occhi andavano da Ricciardi a Maione per tornare sempre sul cugino. Cercò con affanno di ritrovare la calma.

– Commissario, la mia idea è questa: voglio che prendiate l'assassino di mio marito, chiunque sia, e voglio che marcisca in galera per sempre, chiunque sia. Non mi interessa altro.

Capone si sciolse in un'espressione di grande pena e tenerezza. Passò una mano sulla spalla della donna, commosso. Poi si rivolse a Ricciardi:

– Io ho piena fiducia nella giustizia, se no non farei il lavoro che faccio. Ma sono certo che l'assassino del cavalier Costantino Irace sia Vincenzo Sannino. Come me lo pensa mia cugina e lo pensa anche suo fratello, che non è qui solo perché non può abbandonare il lavoro finché lei non si sentirà pronta a riprendere il proprio posto all'interno dell'attività che è stata di suo padre e prima ancora di suo nonno. È necessario anche per Michelangelo, che ha pure la sua vita alla quale far fronte. Nel processo che verrà intentato contro quel vile omicida, Cettina si costituirà parte civile e io l'assisterò personalmente, andando fino in fondo. Sono certo, ripeto, che la colpevolezza di Sannino verrà dimostrata, e il risarcimento dovrà essere enorme.

La tirata di Capone era intrisa di un odio forte, violento. Ricciardi e Maione si guardarono. Poi il brigadiere disse:

– Spiegatemi una cosa, avvoca', da dove vi viene tutta questa certezza? Le prove non sono mica schiaccianti.

Capone parve sorpreso dalla domanda. Prima di rispondere si accostò alla Irace, quasi volesse stringersi a lei.

– Perché lo conosco. Lo conosco da quando lo conosce mia cugina: abitavo con lei da ragazzo. Non mi è mai piaciuto. È sempre stato fintamente cordiale, ma quello che voleva era solo... Voleva solo lei, e basta. Avrebbe perfino voluto portarsela via, in America, costringendola a una vita di stenti. E non si ama cosí, vi pare? Se si ama qualcuno, si vuole che stia bene.

Se si ama qualcuno, si vuole che stia bene, pensò Ricciardi. Sí. Si vuole che stia bene.

Capone aggiunse:

– E poi c'è la questione del colpo.

Il commissario drizzò la schiena sulla poltrona.

– Che volete dire? Quale colpo?

– Lo sapete meglio di me, commissario. Quando sono andato a riconoscere il cadavere di Costantino, il dottore incaricato dell'esame necroscopico, credo si chiami Modo, mi ha spiegato che a provocare la morte è stato un pugno sulla tempia destra. Un pugno uguale a quello che ha ucciso il pugile negro; la vicenda era su tutti i giornali, ne ha parlato pure la radio. È l'argomento principale che userò nel processo, condividendolo coi magistrati che formuleranno l'accusa.

Ricciardi lo fissò con attenzione, come per valutarlo meglio. Quindi replicò:

– Noi non sottovalutiamo alcun elemento, avvocato. Se lo credete, siete in errore. Abbiamo ben presente il quadro a carico di Sannino, tanto è vero che l'abbiamo arrestato. Ma vi ribadisco che le indagini sono ancora in corso. Ora, se non vi dispiace, abbiamo da fare.

XXXVII.

Ci aveva pensato tutta la giornata, il brigadiere Maione. Anche se era concentrato sul caso Irace, anche se aveva dovuto organizzare i turni di guardia in questura, una parte della sua mente aveva continuato a occuparsi del problema della sopravvivenza, possibilmente in uno stato di salute accettabile, di Donadio Gustavo, piú noto col discutibile soprannome di Zoccola.

Fra l'altro si rendeva conto che a determinare tanta preoccupazione non era solo l'accorata richiesta di Bambinella, con la conseguente, inquietante ammissione dell'esistenza e della profondità della loro amicizia, e nemmeno il fatto che Gustavo stesso gli fosse risultato quasi simpatico e in qualche modo affine nell'amore dolente per i figli.

Il pensiero che lo angustiava di piú era Lombardi Pasquale, detto 'o Lione. Il suo vecchio compagno delle elementari, il ragazzino con i capelli rossi con cui aveva giocato e marinato le lezioni per andare al mare; che aveva perso di vista e infine ritrovato dall'altra parte della barricata. Gli sembrava ingiusto e grave che il bambino di allora fosse diventato quell'uomo. Un uomo con un codice assurdo che gli imponeva di fare del male o addirittura di togliere la vita a un poveraccio come Gustavo per affermare un potere. E in piú, lui non era in grado di impedirglielo, perché non sapeva quando, dove e come avrebbe messo in atto il suo proposito.

Si era scervellato per immaginare una soluzione, e non era arrivato a capo di nulla. A un certo punto aveva pure pensato di parlarne a Ricciardi, che era sempre cosí lucido, ma se il commissario non fosse riuscito a trovare una via d'uscita avrebbe imposto a Maione di intervenire comunque, o lo avrebbe fatto lui. E non era cosí che funzionava, Maione lo sapeva: 'a Zoccola avrebbe subito il suo destino lo stesso e per Bambinella le conseguenze sarebbero state terribili.

Tuttavia, nel buio umido dell'andito in cui aveva parlato con Lombardi, dalla sagoma enorme del Leone erano uscite alcune parole che, forse, lasciavano intravedere un'ipotesi di salvezza.

Una dolorosa, difficile ipotesi.

Maione era appena arrivato a metà della salita, dove non c'erano piú ripari, quando riprese a piovere forte. Il brigadiere registrò l'evento accogliendolo come ineluttabile, mentre le scarpe gli si inzuppavano d'acqua. Ormai era sera, ma non c'era tempo da perdere: doveva provare a prospettarla, la soluzione che gli era venuta in mente. Poi magari sarebbe stata rifiutata, però un tentativo andava fatto.

L'interno della casa di Bambinella era ridotto anche peggio dell'ultima volta. Il civettuolo, pacchiano disordine che in genere ne caratterizzava lo stile si era trasformato in una cupa confusione di indumenti e oggetti. L'unica illuminazione giungeva dai lampioni appesi nella via e un'imposta sbatteva ritmicamente mossa dal vento. Sembrava ci fosse piú freddo che fuori. Maione chiamò il *femminiello* un paio di volte, e infine udí un flebile gemito. Preoccupato, si affrettò ad accendere la luce. Ai suoi occhi si offrí lo spettacolo che dentro di sé aveva temuto.

Bambinella era steso sul letto, coperto da un lenzuolo

sporco di sangue e vomito. Aveva il volto tumefatto, con un occhio gonfio, semichiuso, e il labbro spaccato.

– Per carità, brigadie', spegnete, – biascicò. – Non mi dovete vedere cosí.

Maione prese un fazzoletto e andò a bagnarlo nell'acquaio, poi si sedette accanto a lui e cominciò a pulirgli le ferite.

– Bambine', quando è successo? Chi è stato?

L'altro si lasciava curare senza lamentarsi, eppure doveva provare molto dolore. Maione si rassicurò notando che non aveva danni gravi come denti spaccati o peggio ancora uno sfregio.

– Ieri notte, brigadie'. Erano due, tenevano la faccia coperta. Si pensavano che non li riconoscevo, io però conosco a tutti quanti. Erano uomini d'o Lione; è inutile che vi dico il nome, meglio che non lo sapete.

Maione era arrabbiato.

– E non mi potevi mandare a chiamare? Per le fesserie spedisci subito uno scugnizzo in piena notte e per faccende come questa, invece, aspetti che uno passa per caso. Ma perché ti hanno conciato cosí?

Bambinella deglutí a fatica.

– Volevano Gustavo, brigadie'. Non si è presentato all'appuntamento perché gliel'ho impedito io. E quelli sono venuti a cercarlo qua. Sono riuscita a ritardarli un po', ma lo troveranno, e allora quello che è capitato a me sembrerà uno scherzo.

Maione lo aiutò a tirarsi su, cercando di capire se i delinquenti avessero infierito anche sul corpo. Bambinella capí e scosse la testa.

– No, no, solo in faccia, brigadie'. Hanno detto che cosí potevo uscire e andare ad avvertirlo di non mancare la prossima volta.

– E quando sarebbe questa prossima volta, si può sapere?

Il *femminiello* spalancò l'unico occhio che poteva spalancare.

– No che non si può. Se lo dico a voi combino un guaio enorme; siamo morti sia io sia Gustavo, e magari pure voi vi trovate in pericolo.

Maione serrò la mascella.

– Bambine', tu sei pazzo. È stando zitto che corri dei rischi. Come sono venuti possono tornare, tu ti devi difendere. Con il tuo atteggiamento non hai speranze, è solo questione di tempo.

L'altro cominciò a piangere, tirando rumorosamente su col naso.

– E allora che devo fare, brigadie'? Mica posso lasciare che lo ammazzano. L'ho messo in un magazzino sfitto qua dietro. Il proprietario è un cliente mio: mi sono fatta dare la chiave e...

Maione trasecolò.

– Cioè, hai preso Gustavo 'a Zoccola e l'hai chiuso in un magazzino vuoto? E chi ne è al corrente di 'sta cosa?

– Io e lui, e mo' pure voi, brigadie'. Ma gli ho lasciato da mangiare e da bere, e se vedo che in giro è tranquillo passo da lui. Oggi solo non ci sono andata, perché... perché è successa questa cosa. Ma tiene tutto quello che gli serve, e sta meglio là che per la strada, altrimenti finiva che ci andava, all'incontro, e gli aprivano la pancia.

Il brigadiere considerò le circostanze e dovette ammettere che, in fin dei conti, la cosa aveva un senso.

– E va bene, – disse. – Però la tua faccia è la prova che quelli non si fermeranno. Quindi bisogna trovare una soluzione definitiva, se no ve la vedrete brutta tutti e due, e brutta assai.

Bambinella accennò una smorfia, bloccandosi subito: il dolore al labbro era troppo forte.

– Lo so, brigadie', non vi credete che non lo capisco. Però, che posso fare, io? Che possiamo fare?

Maione prese un respiro.

– In verità una cosa ci sarebbe, credo. Ma devi decidere tu se la vuoi seguire.

E gliela disse.

Un bambino di una decina d'anni aprí la porta e, vedendo il vano d'ingresso occupato per intero da un poliziotto enorme, rimase impietrito. Poi si riscosse e corse via urlando: – *Mammà, mammà, currite!*

Dopo un attimo si udí il passo svelto di una donna e comparve la madre del piccolo, una ragazza giovane e scarmigliata, dal viso mobile e gli occhi vivaci. Squadrò Maione dall'alto in basso, senza mostrare alcun allarme, quindi disse:

– Brigadie', mi dispiace, siete venuto inutilmente. Non abita piú qua.

Maione annuí.

– Sí, lo so. Non sono passato in veste ufficiale: volevo proprio parlare con voi, signo'.

La donna indurí l'espressione.

– Se non siete qua in veste ufficiale, ve ne potete pure andare. Nessuno vi ha invitato. Buona serata.

Tentò di chiudere, ma Maione fu lesto a inserire il piede tra lo stipite e il battente, che gli schiacciò le dita.

Il poliziotto imprecò a mezza voce e aggiunse:

– Un poco di buona educazione non vi farebbe male. Ho detto che non sono passato in veste ufficiale, però questo non vi autorizza a chiudere la porta in faccia a una divisa, vi pare? Qualche problema ve lo posso sempre procurare, pure se vostro marito non sta piú con voi.

La donna si concesse il tempo di una breve riflessione, poi si girò tornando all'interno del basso. Maione la seguí.

L'appartamento si componeva di un'unica stanza, cosa tipica in sistemazioni del genere. Una tenda separava il letto degli adulti da quello dei bambini; in un angolo il focolare, in un altro la latrina, nascosta anch'essa dietro un pezzo di stoffa. Nonostante l'evidente povertà, l'ambiente era molto pulito e ordinato.

Maione lasciò vagare lo sguardo e, provando una piccola stretta al cuore, ritornò con la memoria alla casa in cui era cresciuto. La sua voce divenne piú dolce.

– Voi di nome come fate, signo'?

La donna, che si era messa a lavare piatti nell'acquaio, disse:

– Ines, mi chiamo. E adesso possiamo spicciarci? Tengo la creatura con un poco di febbre e quello grande, che vi ha aperto, non vuole andare a dormire.

Maione si rivolse al ragazzino, che se ne stava addossato al muro e lo fissava con un misto di paura e attrazione.

– Tu come ti chiami, giovanotto?

Poiché lui non rispondeva, la madre intervenne:

– Salvatore, si chiama. Peccato che il gatto si è mangiato la sua lingua e non può parlare.

Salvatore protestò:

– Non è vero, mammà! Io la lingua ce l'ho, vedete? – E la tirò fuori.

Maione scoppiò a ridere. Quando tornò serio si avvicinò all'acquaio con il cappello in mano.

– Signo', dovrei parlarvi di una cosa importante. Magari...

Ines gli lanciò un'occhiata fredda, continuando a strofinare le stoviglie.

– Brigadie', la mattina alle sei mia madre viene qua a tenersi i bambini perché io sto a servizio fino alle cinque del pomeriggio. Dopo vado in una trattoria dove fino alle otto lavo i piatti proprio come adesso. Quindi abbiate pazienza se non mi fermo per chiacchierare. Vi ripeto, se avete qualcosa da dire, ditela e andatevene.

Maione sospirò e si mise a contare per trattenere una risposta tagliente. Arrivato a cinque replicò:

– Signo', ognuno tiene i problemi suoi, e credetemi, io avrei ben altro da fare che stare qua a chiedervi udienza. Aggiungo che mi trovo anche in imbarazzo, perché io i delinquenti dovrei sbatterli in galera, non aiutarli. Però qui c'entra il futuro dei vostri figli. È un argomento che vi interessa? Se non vi interessa siate chiara, cosí io mi sento a posto con la coscienza e me ne torno dalla mia famiglia, che ho sonno e freddo.

La donna si bloccò un attimo con un piatto in mano, poi riprese il proprio lavoro.

– Dite, brigadie'. Dite pure. E scusatemi se non mi fermo, ma preferisco non guardarvi in faccia mentre parlate.

In poche battute Maione riassunse alla donna la situazione in cui versava suo marito Donadio Gustavo, detto 'a Zoccola, che lei aveva sbattuto fuori di casa: rapinatore e ricettatore di piccolo cabotaggio, era in odore di rappresaglia da parte di un gruppo di assassini.

Ines ascoltò dapprima con apparente disinteresse, poi, pur non voltandosi, smise di lavorare e strinse con le dita il bordo dell'acquaio fino a quando le nocche non sbiancarono. Maione non indorò la pillola: il problema esisteva, eccome se esisteva, e l'unica speranza di uscirne dipendeva da lei.

Il brigadiere concluse:

– Per carità, signo', la decisione sta a voi e solo a voi. Ma, se mi permettete un consiglio, una cosa è mandare via un uomo perché ha sbagliato, un'altra è passare l'esistenza guardando in faccia i propri figli e pensando di non aver fatto niente per salvare la vita del loro padre, che nemmeno ricorderanno di aver avuto.

La donna tacque a lungo, poi prese uno strofinaccio e si asciugò le mani. Infine si girò; sul suo viso, segnato dalla stanchezza e dalla sofferenza, Maione riconobbe all'improvviso, e con sorpresa, le tracce di una bellezza perduta.

– Brigadie', quello che mi chiedete è una cosa grande e difficile. Ma, come dite voi, riguarda i miei figli, e loro sono tutto quello che tengo. Va bene. Fatemici parlare.

Il poliziotto abbassò per un attimo gli occhi sul cappello e disse:

– Sta fuori. Non è il caso che discutete qua, uscite un momento. Io rimango sulla porta, cosí se i bambini chiamano li sento.

La donna infilò un soprabito liso che era appeso a un gancio sul muro, si legò un fazzoletto attorno alla testa e si avviò. Maione la seguí fino alla soglia. Nella penombra del vicolo battuto dalla pioggia la guardò percorrere qualche metro e fermarsi vicino alla figura che emerse dall'androne dove si stava riparando: pareva una donna, alta, con un lungo cappotto scuro e un eccentrico cappellino fiorato a tesa larga e con la veletta. Le due sagome si fronteggiarono, quindi Ines pose una domanda e si apprestò a sentire la risposta. Il suo atteggiamento era ostile, i pugni sui fianchi, la testa protesa in avanti. Maione sospirò, scuotendo il capo.

La figura alta cominciò a rispondere, accalorandosi via via. Dai gesti delle mani guantate si capiva che cercava di spiegare, di chiarire. Maione si chiese quali parole quel triste, sgraziato personaggio stesse cercando per esprimere il suo strambo sentimento. Poi vide che si alzava la veletta, e Ines che, per reazione, indietreggiava di un passo coprendosi la bocca. Trascorse un lento minuto, quindi la moglie di Donadio allungò un braccio, riabbassò la veletta con delicatezza e tornò verso il basso.

Arrivata davanti al brigadiere lo fissò. I suoi occhi erano pieni di lacrime.

Fece cenno di sí con la testa, una volta sola, entrò e chiuse la porta.

Maione sentí il chiavistello girare due volte.

XXXVIII.

Da un po' di tempo Ricciardi aveva la sensazione che la cucina di Nelide, che in un primo momento ricalcava esattamente nei contenuti e nelle forme quella di Rosa, stesse prendendo una deriva un tantino piú leggera. La cosa lo rendeva lieto, giacché per tutta la vita aveva combattuto contro l'eccesso di condimenti e di ingredienti attraverso i quali la dolce tata scomparsa gli comunicava il suo amore incondizionato, ma ogni tanto, in modo ozioso, se ne domandava il motivo.

Anche perché, per il resto, la ragazza non mostrava alcun segno di cedimento e continuava a operare secondo quanto la zia le aveva insegnato, non concedendosi deroghe. L'identicità dei comportamenti e l'incredibile somiglianza fisica tra le due donne davano talvolta a Ricciardi l'impressione che Rosa, la vera madre della sua solitaria adolescenza, non fosse mai andata via. E in effetti, per qualche oscuro motivo, la sentiva ancora presente, come se il suo spirito aleggiasse fra le pareti di casa per tenergli compagnia.

Quando il commissario consumava un pasto, Nelide rimaneva in piedi, silenziosa, al suo fianco, e vegliava affinché mangiasse tutto quello che aveva davanti. La regola era una sola e molto semplice: se il piatto non si svuotava, veniva rimosso e sostituito con un altro; e cosí via, fino alla bandiera bianca, alla supplica, alla resa. Tanto valeva finire la prima pietanza sottoposta, rassegnandosi a ingerire un boccone in piú di quanto umanamente sopportabile e sperando che la naturale tendenza alla magrezza e le lunghe passeggiate potessero essere d'aiuto nella difficile, quotidiana impresa della digestione. Adesso però, per fortuna, qualche oscuro motivo stava appunto indirizzando le arti culinarie della ragazza verso piatti a base di verdura di stagione, invece che di carne. La base restava cilentana, per carità, ma almeno i vegetali stemperavano la pesantezza delle ricette.

Per tale ragione il commissario si guardava bene dal mostrarsi perplesso o sorpreso, e anzi non perdeva occasione per dichiarare il proprio gradimento. Solo che i suoi commenti parevano cadere nel vuoto. In questo Nelide era ancora piú imperscrutabile di Rosa. Si limitava ad annuire, le labbra serrate e il monociglio aggrottato, e andava in cucina a preparare il caffè.

Insomma, le cause di quella svolta alimentare non sembravano destinate a chiarirsi. Avrà trovato un fornitore conveniente, pensò Ricciardi alzandosi da tavola. Meglio cosí.

Comunque, tenersi la curiosità riguardo a un argomento simile non costituiva certo un problema. C'era ben altro che angustiava il commissario.

Quella sera, per esempio, sentiva in petto un'inquietudine nuova. E come spesso accadeva, andò alla finestra della sua camera.

Da tempo, la serenità che calava come un lieve tramonto sulla sua anima quando osservava la ragazza nell'appartamento di fronte mentre eseguiva gesti quotidiani, mentre rigovernava, ricamava o leggeva, era stata sostituita da qualcosa di diverso. Per mesi, forse anni, aveva creduto di spiarla senza che lei se ne accorgesse, con lo stesso animo di un bambino povero che fissa i giocattoli nella vetrina di un negozio del centro. Per mesi, forse anni, aveva tratto da quella ragazza alta e gentile, dai modi misurati e dal sorriso dolcissimo, la forza di affrontare il dolore che gli pioveva addosso in ogni angolo della città. E lo aveva fatto nell'incoscienza dei sentimenti di lei.

Ma ora sapeva. Sapeva che cosa conteneva il suo cuore. Sapeva della sua voglia di avere un uomo che la conducesse in una vita normale. Sapeva dei suoi desideri, e aveva perfino conosciuto il sapore delle sue labbra. L'immagine dietro i vetri al di là della strada era diventata concreta, e la ragazza alta era ormai Enrica. Per lui, per il suo cuore, per la sua mente. E dopo erano venuti il tormento della gelosia e la frustrazione per una vita che non poteva avere ma desiderava con tutte le forze.

Gli tornarono alla memoria le parole mormorate da Sannino nei pressi di uno scoglio uguale a tanti altri eppure cosí diverso: tutto il tormento di un lontano amore, tutto l'amore di un tormento antico.

Anche la finestra che Ricciardi stava guardando in quel momento era uguale a tante altre eppure diversissima.

In casa Colombo fervevano dei preparativi. Ricciardi scorgeva la madre e le sorelle di Enrica andare avanti e indietro nel salotto; spostavano tavoli e tavolini, discutevano e li spostavano di nuovo. Si domandò quale avvenimento potesse determinare quelle concitate manovre. E si domandò perché Enrica non vi partecipasse e se ne stesse invece in disparte, seduta su una sedia in un angolo, un libro in mano ma senza leggere. Un paio di volte la madre le si rivolse, sollecitando forse la sua opinione, e lei mosse le labbra per rispondere. Anche da lontano, però, si capiva che non era presa da un particolare trasporto.

Invece di placarsi, l'inquietudine che Ricciardi percepiva dentro di sé crebbe. In quel panorama familiare avvertiva una nota che gli aggiungeva disagio, e lo stesso doveva essere per il padre di Enrica, che a un certo punto si alzò seccato dalla sua poltrona e uscí dalla stanza.

Il commissario, colto da un impulso, afferrò il soprabito e si diresse alla porta dicendo a Nelide che aveva qualcosa da sbrigare e che sarebbe tornato presto. Le disse anche di andarsene pure a letto, anche se era sicuro che al suo rientro l'avrebbe trovata in piedi ad attenderlo, proprio come aveva sempre fatto Rosa.

Fuori non c'era quasi nessuno. L'inclemenza del tempo toglieva dalla via i perdigiorno, e anche i caffè e le trattorie ospitavano pochi clienti. Ricciardi incrociò solo alcuni frettolosi passanti intabarrati, che camminavano diffidenti tenendosi lungo i muri e si riparavano con l'ombrello dalla pioggia sottile. La città, a quell'ora della sera, si trasformava. Diventava qualcosa di infido e sottilmente feroce, di alieno e distante. Qualcosa da temere, da tenere fuori. Qualcosa da evitare.

Eppure Ricciardi le andava incontro a capo scoperto, con i pensieri che seguivano tracciati sconosciuti, privi di una direzione precisa. Di tanto in tanto gli apparivano immagini appena luminescenti di cadaveri che protestavano la propria innocenza, che invocavano la carezza di un amante o il perdono di una madre, che imprecavano contro un destino infame. Cavalli imbizzarriti, ringhiere scavalcate, impalcature troppo fragili: cause di morte, cause di pianto, cause di nuovi pesi sul suo cuore.

Sono pazzo, si disse per l'ennesima volta. Sono un povero pazzo. Un folle che nasconde la propria follia invece di farsi rinchiudere in una stanza con le sbarre, come sarebbe giusto. Un disgraziato che ha ereditato la propria malattia dalla madre come altri ereditano il colore dei capelli o la statura. Tu, Sannino, pensò, hai voluto controllare con i tuoi occhi se uno scoglio esisteva davvero perché eri arrivato a dubitarne, e per questo ti sentivi disperato. Ma io non ho neanche uno scoglio da andare a vedere, non ho nulla di cosí fermo e solido come una roccia incastonata nel mare. Non ho nessun ricordo dolce da tenere vivo. Tra noi due, tu in galera e io qui a passeggiare, chi sta peggio?

Mentre camminava, le mani affondate nelle tasche del soprabito e gli occhi a terra per evitare i vivi e i morti, il buio si intensificò. Le strade divennero strette, poi ancora piú strette, e senza accorgersene girò un angolo e si trovò di fronte al fantasma di Irace, in ginocchio dov'era stato assassinato, le braccia lungo i fianchi, il volto tumefatto e ferito.

Ricciardi si bloccò. Un paio di giovinastri che fumavano e ridevano al riparo di un cornicione lí vicino si voltarono verso di lui, poi si guardarono e se ne andarono, colti da un improvviso imbarazzo che non avrebbero saputo spiegare.

Il morto, ancora ben visibile nel suo cappotto nuovo e bagnato, ripeteva in modo incessante la stessa frase: *tu, di nuovo tu, tu, di nuovo tu, un'altra volta tu, di nuovo tu.*

Con chi ce l'hai?, pensò Ricciardi. Chi ti si è presentato di nuovo davanti? Te lo aspettavi o sei stato sorpreso? E se è vero che ti hanno trascinato in due, per quale motivo parli a uno?

È stato Sannino? Sí, era ubriaco e ti ha ucciso prima che Biasin arrivasse a impedirglielo. Poi insieme hanno spostato il tuo cadavere perché non fosse trovato subito. Sannino, annichilito di fronte alle macerie di una vita a cui tu, sposando Cettina, avevi tolto l'unico, vero scopo. Sannino: tutto il tormento di un lontano amore, tutto l'amore di un tormento antico.

Oppure è stato Merolla, spinto dalla disperazione per una rovina annunciata e prossima? Merolla, certo, con due figlie che non troveranno mai marito. Merolla, ridotto alla fame da un affare che tu stavi andando a concludere quando a lui avrebbe risolto ogni problema. Merolla, che magari era venuto a chiederti grazia e al quale tu, invece, hai concesso disprezzo. Chissà, forse lo accompagnava il commesso infedele che si era pentito.

Da sempre il commissario identificava nella fame e nell'amore i nuclei attorno ai quali l'odio costruiva i delitti in modo lento, faticoso ma ineluttabile, come un'ostrica con la sua perla.

La fame e l'amore, istinti primari quanto l'omicidio.

Chi è stato, cavalier Irace? Chi ha sfogato la propria rabbia fino ad ammazzarti cosí? Sono venuti con l'intenzione di ucciderti o volevano solo parlarti e la discussione è degenerata?

Qualunque fosse la domanda, il cadavere rispondeva sempre nell'identico modo: *tu, di nuovo tu, tu, di nuovo tu, un'altra volta tu, di nuovo tu.*

No, gli disse Ricciardi nel pensiero. Non io. Io non ti ho mai conosciuto, se non in questa misera veste.

All'improvviso gli venne in mente Bianca. Chissà perché quando incrociava i suoi occhi viola provava una lieve scossa, come se intuissero qualcosa della melma che aveva in fondo all'anima. Bianca, che aveva sofferto, soffriva e avrebbe sofferto. Che era estranea al mondo che la circondava. Che aveva un desiderio d'amore contro cui non riusciva a combattere.

Chissà, forse a lei avrebbe potuto dirlo. Forse avrebbe capito. Forse, dopo tanto tempo, tante parole, tanti sussurri nel buio, era Bianca la persona capace di accogliere il suo dolore e dargli finalmente ricovero.

La fame o l'amore?, chiese Ricciardi al fantasma di Irace. Quale sentimento ti ha ucciso? Quale sentimento hai provato, prima di morire?

Tu, di nuovo tu, tu, di nuovo tu, un'altra volta tu, di nuovo tu.

Chi? E perché?

Si voltò e riprese a camminare, seguito nel buio da qualche occhio e da un dolore mozzato.

Secondo interludio

La notte ormai è padrona della strada, e piove. Il vecchio sembra infine essersi accorto del freddo che domina la stanza portato dal vento, e ha chiuso la finestra. Adesso osserva le gocce che percorrono i vetri, tutte uguali ma ognuna diversa, segnando vie autonome e confuse. Le luci della città viaggiano sul soffitto infrante dall'acqua in mille riflessi.

La donna è entrata all'improvviso, come se dentro non ci fosse nessuno. Ha ciabattato lungo la parete, dalla porta all'interruttore della lampada sullo scrittoio, ha acceso e se n'è andata senza alzare gli occhi. Il ragazzo avrebbe voluto dirle: guarda che ci siamo noi. Siamo due esseri umani, non una scultura o un quadro o uno spartito o un libro. Due persone.

Ma a volte il ragazzo ha l'impressione di diventare un fantasma, quando è con il vecchio. Di entrare anche lui a far parte di un aneddoto, di un ricordo, di una canzone, come un verso o un accordo. Forse è cosí. Forse l'unica persona reale, lí, è la donna senza età, che accudisce un pensiero quasi dimenticato perché non sparisca nel nulla.

Il vecchio ritorna alla sua poltrona, la cui sagoma si staglia nel cono di luce polveroso della lampada. Si siede con cautela, piano, le mani deformi sui braccioli, il corpo ossuto che scricchiola come il legno che lo accoglie.

La notte, l'autunno e la perdita, mormora, continuando il discorso che ha fatto da solo e pretendendo che il ragazzo lo segua. La serenata, la serenata di cui parliamo, ha questi ingredienti, e tu devi farli sentire. Hai capito?

Ho capito, dice il ragazzo, sí, ho capito. La notte, l'autunno e la perdita. Ma voi, Maestro, dovete dirmi della disperazione e della speranza. Scusate se insisto, ma è un aspetto che non mi è chiaro. Se non c'è alcuna speranza, a che scopo vado a cantare la serenata sotto la finestra? E che senso ha avere tanta attenzione per lei? Perché devo curarmi di non darle problemi, di non usare il suo nome, di stare attento a ciò che penseranno gli altri?

La sua voce è stata un sussurro, forse nemmeno le ha pronunciate, quelle frasi. Forse le ha solo pensate.

Ora il profilo aquilino del vecchio lo spaventa. Si sente come se fosse rimasto chiuso in un cimitero, come se si fosse assopito durante la visita a un parente e si fosse svegliato di soprassalto alla luce di un lumino votivo, condannato ad aspettare l'alba tra cadaveri impazienti di scoperchiare le lapidi e di danzare nel buio stregato.

Rabbrividisce, vorrebbe essere fuori, anche con quel tempo.

Il vecchio non sembra avere sentito niente. Continua a rivolgere gli occhi velati al di là delle strade che le gocce scavano nei vetri.

Hai ragione, mormora all'improvviso. Hai ragione. Ma hai torto.

Il ragazzo aspetta. Ha imparato che dietro quegli ossimori, in genere, c'è una spiegazione, e che gli verrà inflitta come una specie di sentenza.

Hai ragione sulla base di quello che ti ho detto. Hai ragione se ci metti dentro solo la notte, la perdita e l'autunno. Ma manca un fattore, non credi? Bisogna considerare un'altra cosa importante. La piú importante. Pensaci, mentre dormo.

Appoggia la testa allo schienale, chiude gli occhi e in breve il suo respiro si fa pesante; le sue mani adunche sono ap-

poggiate sullo strumento che ha preso e si è messo in grembo come un grosso gatto domestico.

Il ragazzo è sbalordito. Si è addormentato davvero. Ma non lo sa che fuori da questo cimitero si vive? Che io sono giovane, che sono famoso, che ho da fare? Non lo sa che non posso stare qui ad ascoltarlo russare, riflettendo su cosa diavolo ci sta in una canzone?

Eppure, costretto da chissà quale legaccio impalpabile, da chissà quale sortilegio, resta lí, in silenzio. E la sua mente si concentra per scoprire la cosa piú importante di cui bisogna tenere conto per comprendere la serenata senza nome. Dopo un tempo che non saprebbe quantificare, un minuto o un'ora, il ragazzo pensa: l'amore. L'amore, certo.

Il tormento non esiste, senza l'amore. L'amore è l'altra faccia.

Forse ha parlato ad alta voce, forse il vecchio non dormiva davvero, attendeva. Sta di fatto che ruota il suo profilo da uccello e, nella luce giallastra, sussurra: sí, proprio l'amore.

L'amore è un sentimento vigliacco, guaglio'. È come un liquido: pensi di tenerlo in mano e quello ti scivola attraverso le dita. L'amore è sempre disperato, però ha sempre qualche speranza. L'amore non si rassegna. E allora, anche se non vuole darle problemi, anche se pensa di averla perduta, anche se è notte ed è autunno e tra il mare e il cielo non c'è una linea di confine, lui sa che lo scoglio è là, al suo posto. Cosí glielo dice come se la schiaffeggiasse, perché uno schiaffo e una carezza sono lo stesso movimento, hanno solo forza diversa.

Finendo di parlare il vecchio porta lo strumento in posizione.

Si 'sta voce, che chiagne 'int'a nuttata,
te sceta 'o sposo, nun ave' paura!
Dille ch'è senza nomme 'a serenata,
dille ca dorme e ca se rassicura!

Dille accussí: «Chi canta 'int'a 'sta via,
o sarrà pazzo o more 'e gelusia.
Starrà chiagnenno quacche 'nfamità.
Canta isso sulo. Ma che canta a ffa'?»

(Se questa voce, che piange nella notte,
sveglia il tuo sposo, non aver paura!
Digli che è la serenata senza nome,
digli che dorma e che si rassicuri!

Digli cosí: «Chi canta in questa strada,
o sarà pazzo o muore di gelosia.
Starà piangendo per qualche infamia.
Canta da solo. Ma perché canta?»)

Mentre ascolta i battiti del cuore volare a tempo con quel canto senza età, il ragazzo si rende conto che piove sulla sua faccia. Proprio come piove sui vetri della finestra.

XXXIX.

Quando Maione si presentò in questura, ancora prima del solito, l'assonnato piantone alla fine del turno lo informò che Ricciardi era già lí.

Il brigadiere salí le scale di fretta, senza neanche portare il surrogato; se nel corso di un'indagine per omicidio il commissario anticipava cosí tanto il proprio arrivo, un motivo c'era per forza.

Si affacciò nell'ufficio dopo aver bussato e vide il superiore in piedi vicino alla finestra, le mani in tasca, gli occhi fissi sulla piazza e sugli alberi percossi dalla pioggia nella luce fredda dell'alba.

Ricciardi era assorto nei suoi pensieri e nemmeno rispose al buongiorno.

– Commissa', tutto bene? – domandò Maione. – È successo qualcosa? Mi pare presto pure per voi, stamattina.

A quel punto Ricciardi si voltò, fece un cenno di saluto, si sedette alla scrivania e cominciò a consultare degli appunti. Dopo un po' disse:

– Raffaele, che sappiamo noi? Cioè, sappiamo di Sannino e della moglie di Irace, d'accordo. E sappiamo di Merolla e dell'affare della fornitura di tessuto. Ma in realtà, che sappiamo di nuovo?

Maione era perplesso.

– Commissa', sono sincero: non capisco che intendete.

Ricciardi impilò i fogli che aveva davanti e ci picchiettò sopra con un dito. Aveva un'aria quasi accigliata.

– C'è questa storia di una vecchia passione, va bene; un ragazzino e una ragazzina sedici anni fa. Sedici anni sono molto tempo, e non ho dubbi che di Sannino fossero al corrente diverse persone. Anche l'affare della fornitura era importante, fondamentale anzi. Ma restava sempre un affare. Un affare come altri.

Maione annaspava alla ricerca di un filo logico.

– Sí, commissa'. Certo. Quindi...?

– Quindi che c'era, in realtà, di nuovo? Perché Irace si sentiva sicuro, se si è addentrato in quei vicoli da solo, la mattina presto, e con tanti soldi addosso. E com'è che uno si sente cosí sicuro?

Ricciardi si alzò e si mise a camminare avanti e indietro. Maione iniziava a essere parecchio inquieto.

– Quello, Irace, era una specie di pescecane, commissa'. Uno che non guardava in faccia nessuno.

Ricciardi annuí, senza fermarsi.

– Sí, sí, certo. Con questa transazione avrebbe costretto Merolla a chiudere. Ma la sera precedente era stato minacciato.

Maione bilanciò il peso da un piede all'altro.

– Forse non lo temeva, a Sannino. E poi doveva pur lavorare, no? L'appuntamento con Martuscelli l'aveva preso, ormai, e...

Ricciardi si bloccò, come colpito da un'illuminazione.

– Esatto, Raffaele: doveva pur lavorare. Hai ragione! Perciò all'appuntamento ci doveva andare.

Il brigadiere era imbarazzato. Tossicchiò.

– Sí, commissa', ci doveva andare. Ma voi siete sicuro di sentirvi bene? Magari vi siete preso un poco d'influenza, è una malattia di stagione. Il dottor Modo ha detto che...

Ricciardi allargò le braccia.

– Ma certo, il dottor Modo! Che adesso dovrebbe proprio essere a fine turno. Sbrighiamoci, forse lo troviamo ancora.

Modo li incrociò sul portone mentre stava uscendo dall'ospedale. Aveva il volto segnato dalla stanchezza, ed ebbe un moto di sconforto. Il cane bianco e marrone che non lo lasciava mai si avvicinò scodinzolando ai due poliziotti.

Maione si abbassò per accarezzarlo.

– Ciao, piccolo. Tu sí che quando incontri un amico gli fai festa. Altri, come il padrone tuo, gli mostrano la faccia storta.

Modo sbuffò.

– Brigadie', prima di tutto questo cane un padrone non ce l'ha. Lo vedete da voi: né collare né guinzaglio. È un amico e ci teniamo compagnia. In questo Paese disgraziato, comandato dai fascisti, di libero c'è rimasto solo lui. Anzi, se volete sapere la verità, quando siamo soli io proprio cosí lo chiamo: Libero. E lui mi risponde subito.

Maione arruffò il pelo corto e pezzato della bestiola, che si scrollò la pioggia di dosso schizzandolo.

Modo scoppiò a ridere.

– Bravo, Libero, buona idea. Cosí magari lo capiscono che uno se ne vorrebbe pure andare a casa a dormire, a volte.

Ricciardi si accostò al dottore.

– Scusami, Bruno, lo so che sei stanco. Però volevo chiederti due cose brevi. Non ti farò perdere tempo, lo prometto.

Modo allargò le braccia.

– Posso rifiutarmi? Vieni, cane, torniamo dentro. Sei stato poco furbo, ti conveniva diventare amico di un ragioniere, invece che di un medico. O magari di un poliziotto, cosí di notte potevi dormire tranquillo e di prima mattina rompere le scatole agli altri.

Quando furono di nuovo all'interno, il commissario domandò:

– Spiegami una cosa, Bruno. Hai detto che Irace è stato colpito alle gambe, ma da dietro. È cosí?

Modo sospirò.

– L'ho detto e te l'ho pure scritto sul verbale dell'esame necroscopico: frattura del terzo distale del femore destro e una forte contusione al sinistro.

– Può essere stata una botta sola?

– Certo, inferta alle spalle e dal lato destro della vittima. Il che spiega il maggior danno per la gamba colpita per prima.

– È probabile che abbiano usato una mazza, un bastone o qualcosa del genere?

– Sí, anche perché il colpo è giunto trasversale.

– E la vittima doveva essere ferma, vero? Se fosse stata aggredita mentre camminava, solo la gamba dietro sarebbe stata centrata.

Modo scambiò uno sguardo con Maione, che si strinse nelle spalle.

– Sí, penso di sí. Penso che Irace fosse fermo. Ma mi spieghi cosa...

Ricciardi fece un gesto con la mano.

– Lascia perdere, cerco solo di immaginare com'è andata esattamente. Ora mi serve un secondo favore: vorrei dare un'altra occhiata ai vestiti di Irace.

Il dottore lo studiò un po' preoccupato.

– Commissario, sei sicuro di stare bene? Mi sembri un

po' alterato. Perché non lasci che ti misuri la febbre? Magari hai preso l'influenza.

Maione batté le mani.

– Oh, bravo il dottore, l'ho detto pure io! Il contagio gira, i figli miei hanno appena finito e già cominciano con le ricadute. Adesso...

Ricciardi lo interruppe:

– Sto benissimo e non ho alcuna intenzione di misurarmi la febbre. Allora, possiamo vedere questi vestiti?

Modo accompagnò i poliziotti nella stanza dove erano custoditi gli abiti inzaccherati e insanguinati di Irace, e Ricciardi iniziò a frugare con foga nel mucchio.

Maione provò a intervenire:

– Commissa', gli effetti personali sono stati restituiti alla famiglia. Però teniamo l'inventario in questura, già sottoscritto, con pure i numeri di serie delle banconote e...

– Ecco. Ecco qui, – esclamò all'improvviso il commissario, con gli occhi che brillavano. – Proprio come immaginavo. Bruno, per favore, puoi tenermi da parte questi?

Modo era disorientato, ma rispose di sí e prese quello che Ricciardi gli porgeva.

Erano i pantaloni di Irace.

XL.

In strada Ricciardi si avviò con sicurezza in direzione opposta rispetto alla questura. Maione, che aveva appunto preso la via dell'ufficio, si fermò di botto quando si accorse che il superiore non era con lui e lo raggiunse di corsa.

– Commissa', perché di qui? Dove stiamo andando?

Ricciardi rispose senza rallentare:

– Al porto, è chiaro. Pensavi di andare al negozio? No, ci conviene prima verificare la cosa dell'appuntamento.

Il brigadiere si portò le mani sui fianchi.

– E no, cosí non andiamo d'accordo: non mi fate capire niente. Che c'entrano il porto e il negozio, adesso? Per quale motivo avete cercato i pantaloni di Irace? E che significavano tutte quelle domande sulla gamba destra e la gamba sinistra, se camminava o stava fermo?

Ricciardi sembrò pensarci un po' su, poi disse:

– Hai ragione, Raffaele, scusami. Ero perso nei miei ragionamenti. Vieni, mentre camminiamo ti spiego.

E camminando, gli spiegò.

Quello che Martuscelli Nicola definiva pomposamente «il mio ufficio» era in realtà una stanzetta ricavata all'interno di un magazzino dove, nei tempi floridi del grande commercio via mare con l'Africa, si tenevano gli animali in attesa di smistarli nei macelli della città. L'ultimo bue passato di lí era stato destinato a sommaria esecuzione piú di vent'anni prima, ma nel luogo, come per uno scrupolo di coscienza, era rimasto un tanfo di letame che faceva da retrogusto a ogni altro odore, provocando una vaga nausea in chiunque lo respirasse per piú di un quarto d'ora.

Davanti alla porta del mediatore c'era una piccola fila gestita da un'inverosimile segretaria con gli occhiali spessi e i capelli color topo raccolti in una crocchia. Trovandosi di fronte Ricciardi e Maione, la donna assunse un'aria diffidente.

– Il signor Martuscelli riceve solo per appuntamento, – disse, prima ancora di essere interpellata. – È occupatissimo e non potrà vedere nessuno né oggi né domani. Se volete lasciarmi il nome...

Maione si domandò che cosa avesse fatto di male in una precedente vita per essere costretto ogni santa volta a minacciare la gente per svolgere il proprio lavoro.

– Signora, come forse avrete capito dalla mia divisa, noi siamo della pubblica sicurezza. Non abbiamo bisogno di appuntamenti.

Quella appoggiò le mani sul tavolino che aveva davanti e si sollevò in tutto il suo metro e mezzo di altezza.

– Signorina, prego. E non mi importa chi siete, il signor Martuscelli riceve solo per appuntamento. Ripeto, è occupatissimo e...

– ... non potrà vedere nessuno né oggi né domani; ho riconosciuto il ritornello. Allora facciamo cosí: favoritemi il vostro nome e cognome, i libri contabili e le copie dei contratti. Scopriamo se state a posto con le tasse doganali e con le regole sanitarie.

Alle parole «tasse doganali» l'anticamera si svuotò all'istante. Il brigadiere esibí un largo sorriso.

– Mi pare che non ci sta piú bisogno di aspettare, eh, signori'? Se ci volete annunciare...

Lei gli rivolse un ultimo sguardo aggressivo, poi fece tre minuscoli passi e aprí la porta scostandosi di lato. I due poliziotti furono investiti da una nube di fumo.

Non contento del fetore che lo circondava, Martuscelli fumava un pestilenziale mezzo toscano, il cui aroma si fondeva con il puzzo esterno e con quello derivato dalla scarsa igiene che l'uomo riservava alla stanza e a sé stesso; ad aggravare la situazione, il locale non aveva finestre. Maione sospettò che fosse una tattica per abbreviare gli appuntamenti.

Il sensale sventolò un paio di volte la mano davanti agli occhi.

– Commissario, brigadiere, buongiorno. Come mai da queste parti? Ci stanno novità sul fatto del povero Irace? Ho letto che avete arrestato Sannino, il pugile.

Ricciardi rispose attraverso il fazzoletto che si premeva sul naso:

– Buongiorno a voi, Martuscelli. Per la verità stiamo ancora indagando. E siamo qui proprio per questo: avremmo bisogno da voi di qualche informazione aggiuntiva.

L'uomo assunse un tono sbrigativo.

– Sí, ma facciamo presto, commissa'. Sapete com'è, noi uomini d'affari andiamo sempre correndo. E poi, se posso essere sincero, non è che la vostra presenza sia proprio una bella pubblicità, per la ditta.

Maione sorrise verso la porta, che la segretaria aveva lasciato volutamente aperta per ascoltare.

– Sí, ce ne siamo accorti. Ma è sempre meglio che mandarvi a prendere, no?

Un lieve pallore si impossessò dell'uomo, che divenne subito piú disponibile.

– Dite pure, commissa', a vostra disposizione.
– Entriamo un po' nel merito dell'affare che dovevate concludere l'altro giorno con Irace. Ci avete raccontato che il cavaliere era disponibile a pagare un prezzo maggiore di quello che aveva offerto Merolla, è cosí?
– No, commissa', non è cosí. Anzi, Merolla aveva offerto di piú. Erano le modalità di pagamento che erano diverse, molto diverse. E siccome il commercio dei tessuti non attraversa un buon momento...
Ricciardi tagliò corto:
– Giusto, giusto. Insomma, Irace aveva i contanti, mentre Merolla offriva cambiali.
– Esatto. E il venditore, dietro mio consiglio, per la verità, ha ritenuto di scegliere l'offerta di Irace. Meglio meno soldi ma sicuri che piú soldi ma incerti. Merolla, per far fronte agli impegni, avrebbe dovuto vendere tutta la merce.
– Possiamo sapere che differenza c'era fra le due offerte?
Martuscelli cercò tra le carte sulla scrivania, tirando vigorose boccate dal mezzo toscano che continuava a masticare; Maione aveva il mal di mare.
– Ah, ecco qua. Dunque, la fornitura è di centocinquanta pezze da trenta metri l'una per un metro d'altezza; si tratta di lana pettinata fine di tipo whipcord, tra le migliori. È un tessuto raffinato e leggero, ma molto caldo, ideale sia per i vestiti sia per i soprabiti. Il prezzo di partenza era di... vediamo... seicentoventi lire a pezza, ma io avevo già spiegato agli scozzesi che per il mercato attuale era troppo. Il mio lavoro, commissa', è difficile. I compratori pensano che sei d'accordo coi venditori, i venditori che lo sei coi compratori.
Ricciardi cercò di evitare le divagazioni.
– Quindi la richiesta superava le novantamila lire. È cosí?

Martuscelli annuí, controllando un calcolo a margine del foglio che aveva davanti.

– Per l'esattezza novantatremila lire, commissa', complimenti per la velocità. Io se non le faccio per iscritto, le moltiplicazioni, non ci arrivo mai.

– E Merolla quanto aveva offerto?

– Merolla avrebbe accettato le condizioni originali, con pagamento a sei mesi e un anno comprensivo degli interessi. In pratica avrebbe firmato cambiali per centomila lire, piú o meno. Certo, un tessuto cosí fine lo poteva vendere bene, guadagnandoci, ma ha già troppi debiti, commissa'. La tentazione di usare gli incassi per fronteggiare la situazione sua sarebbe stata forte.

– Quindi, – intervenne Maione, – avete sconsigliato al produttore di concludere con lui.

Martuscelli si strinse nelle spalle.

– Brigadie', io guadagno a percentuale. Avrei preso piú soldi, certo: ma se poi Merolla non pagava, e secondo me non pagava, perdevo la fiducia del cliente. Alla lunga non mi conveniva. Nel mestiere mio la fiducia è tutto, e io ci tengo assai a figurare bene.

Maione si guardò intorno e sospirò, chiedendosi quando sarebbero usciti di lí.

– E Irace, invece? – domandò Ricciardi.

Martuscelli sorrise, mettendo in mostra i denti ingialliti dal fumo:

– Ah, Irace era tutta un'altra cosa. Con lui trattare era un piacere. Certo, era furbo come una volpe, ma se diceva una cosa quella era. Ha fatto una prima offerta troppo bassa, poi ha alzato un po' e abbiamo raggiunto un'intesa.

– Ha voluto controllare la qualità della merce?

Il mediatore scosse il capo con vigore.

– No, no, commissa'. Per gli aspetti tecnici, chiamiamoli cosí, io parlo con Taliercio, il socio, che è nel settore da quand'era piccolo. Il negozio prima era di suo padre; un galantuomo, pace all'anima sua. Con Irace discutevo solo di soldi, ed era un osso duro.

Ricciardi lo fissò.

– Per che cifra vi siete accordati?

Martuscelli fece una smorfia.

– Lui ha proposto settantacinque, io gli ho detto che sotto le ottanta non si poteva scendere e abbiamo chiuso. Però dovevano temere che Merolla rilanciasse, perché hanno anticipato l'orario dell'appuntamento.

Ricciardi strinse gli occhi.

– Sono stati loro, quindi, a volervi incontrare cosí presto?

Il mediatore confermò.

– Sí. Secondo me temevano che Merolla potesse in qualche modo trovare la somma. Irace ci teneva assai a liberarsi della sua concorrenza. Mi chiedo poi perché: erano anni che non gli dava piú alcun fastidio. E poi, commissa', detto tra noi, ma avete visto quanto sono brutte le figlie? Io nemmeno se mi dessero la stoffa gratis ci andrei, a comprare là.

E scoppiò in una risata fragorosa che si perse nel fumo del sigaro.

XLI.

Stavolta, essendo a conoscenza dell'ipotesi investigativa che animava Ricciardi, Maione non ebbe esitazioni su quale direzione prendere quando lui e il commissario uscirono dal porto. Si avviò subito verso il Rettifilo, lungo un tragitto che passava per la zona dell'omicidio.

Il brigadiere si fermò nel luogo in cui era presumibile che Irace fosse stato aggredito.

– Quindi, commissa', voi siete convinto che sia stato ucciso qua e trascinato cadavere nel vicolo.

Ricciardi fissava un punto a mezz'aria, vicino a dove si trovava il collega. Maione non poteva immaginare che in quel momento le orecchie del commissario percepivano con chiarezza un mormorio che usciva da una bocca contorta dal dolore, con i denti spezzati: *tu, di nuovo tu, tu, di nuovo tu, un'altra volta tu, di nuovo tu.*

– No, Raffaele, non è detto. Magari qui sulla strada lo hanno solo messo in condizioni di non reagire, per poi finirlo là dietro. L'unica cosa certa è che erano in due, come ci ha spiegato Modo. E il fatto che quando l'hanno colpito alle gambe non stesse camminando, ma fosse fermo, in piedi, mi lascia supporre che uno l'abbia fermato e l'altro fosse nascosto... Forse qui, in questa rientranza del muro.

Maione guardò una piccola colonna ornamentale e calcolò che di notte, o di prima mattina, quando è ancora buio, potesse offrire riparo alla vista a un uomo piccolo o accovacciato, poiché controluce rispetto al lampione.

– Sí, può essere andata cosí, commissa'. Quindi è stata un'imboscata?

Ricciardi annuí, ipnotizzato dal fantasma di Irace in ginocchio davanti a lui.

– Esatto. Un agguato vero e proprio. Andiamo, ora, non abbiamo ancora finito.

Dopo che erano stati da Merolla, a Ricciardi e Maione il negozio di Irace sembrò ancora piú florido.

Dentro c'erano sei clienti, quattro donne e due uomini, intenti a esaminare pezze di stoffe invernali. Era evidente che il clima degli ultimi giorni induceva chi poteva permetterselo a infoltire il guardaroba prima del solito. Maione immaginò schiere di sarti pronti a ricevere quei tessuti per poi mettersi al lavoro, e con una punta di malinconia pensò anche ai suoi pochi capi pesanti, che di sicuro sarebbero risultati stretti anche quell'anno, e ai figli che crescevano a vista d'occhio e andavano rivestiti integralmente ogni stagione.

Ricciardi si guardò attorno alla ricerca di Taliercio, il fratello di Cettina, ma non lo scorse. Dietro al mastodontico registratore di cassa nero e cromo, con i pulsanti e la manovella in ottone, c'era un uomo distinto, di cinquant'anni circa, azzimato e con lunghe basette grigie; portava un paio di occhiali a *pince-nez*, agganciati con un cordino al primo bottone del panciotto. Appena li vide lasciò la sua postazione e si avvicinò con un sorriso professionale.

– Buongiorno, signori. Posso esservi d'aiuto?

Ricciardi replicò con un frettoloso cenno del capo.

– Il signor Taliercio, per cortesia. Dobbiamo parlargli.

– Mi dispiace, signore. Il titolare si è allontanato e non

sarà qui prima dell'apertura pomeridiana. Posso fare qualcosa io? Vi ho riconosciuti, siete venuti l'altro ieri dopo... dopo la disgrazia.

Maione si toccò la visiera del berretto in un saluto formale. Quell'uomo, con i suoi modi ricercati, lo metteva un po' a disagio.

– Brigadiere Maione e commissario Ricciardi, della questura. Voi siete?

L'uomo si esibí in un mezzo inchino rigido e rispose:

– Sono Paolo Forino, il capocommesso dell'esercizio, a servirvi.

Ricciardi mascherò a fatica il proprio disappunto. Odiava i contrattempi quando era nel pieno di un'indagine.

– Avremmo bisogno di qualche notizia in merito alla trattativa che il cavalier Irace stava andando a concludere quando è stato assassinato, ma dubito che voi ne siate a conoscenza. Ripasseremo piú tardi.

Forino sembrò piccato.

– Come preferite, commissario. Ma, per vostra informazione, non esiste movimentazione di merce, in questa ditta, di cui io non sia al corrente. Ho un'esperienza piú che ventennale nel settore, e sia il signor Taliercio sia il povero cavalier Irace hanno sempre fatto pieno assegnamento su di me. Anzi, posso affermare di essere io a stabilire con precisione le varie esigenze e a provvedere di conseguenza. Buona giornata.

Ricciardi e Maione si scambiarono un'occhiata. Poi il commissario disse:

– In tal caso, forse, potreste risparmiarci di tornare nel pomeriggio, cosí eviteremmo anche di disturbare il signor Taliercio, che avrà altro da fare. A proposito, sapete dov'è andato?

Forino assunse un'espressione triste.

– Il signor Taliercio è costretto ad allontanarsi ogni giorno alle dodici: rientra dopo pranzo. In quell'intervallo mi occupo io di tutto, e sono l'unico abilitato ad accedere alla cassa. Si tratta di un atto di enorme fiducia da parte di un proprietario. È un compito delicato.

Maione lo fissò. Forino gli pareva un pinguino stupido. Al brigadiere sorse un dubbio.

– Ma non è che per caso voi prima lavoravate da Merolla, qui di fronte?

L'altro si irrigidí.

– Sí, ma non dovete pensare che io sia uno che lascia un posto di lavoro per infedeltà, sia chiaro. E tantomeno che Merolla mi abbia cacciato per qualche comportamento indegno, come aver rubato o essere stato negligente. Semplicemente qui c'era bisogno di un capocommesso che avesse la funzione di dirigere il negozio, e il signor Taliercio mi ha fatto un'ottima offerta. D'altra parte là non ricevevo lo stipendio da quasi tre mesi, quindi...

Ricciardi alzò una mano.

– Signor Forino, ci racconterete un'altra volta le vostre vicende lavorative, che sono di sicuro molto interessanti. Adesso andiamo un po' di fretta e, dopo quello che ci avete spiegato sulla vostra posizione qui, non abbiamo piú dubbi che possiate esserci d'aiuto.

Il riconoscimento del suo valore professionale sciolse il viso del commesso in un sorriso grato.

– Dite pure, commissario.

– Il giorno della sua morte il cavalier Irace si stava recando al porto per saldare una transazione commerciale, giusto?

– Giusto. Centocinquanta pezze di whipcord pettinato. Una cosa grossa, ci facevamo quest'inverno e forse pure il prossimo.

Maione si inserí:

– Perché «ci facevamo»? L'affare è saltato?

Forino allargò le braccia.

– Non saprei, brigadiere. Ho chiesto stamattina al signor Taliercio e mi ha risposto che per ora non vuole pensarci. Credo sia rimasto molto impressionato da quanto è accaduto, e forse, prima di prendere una decisione, preferisce aspettare che pure la sorella, la signora Cettina, torni a lavorare al negozio per parlarne con lei.

Ricciardi insistette:

– Pure Merolla era interessato a quella stoffa, lo sapevate?

– Certo che lo sapevo, commissario. Ero presente quando il cavalier Irace e il signor Taliercio discutevano di come agire per essere sicuri che non si intromettesse. Durante l'inventario, domenica scorsa, abbiamo parlato dell'argomento per tutto il tempo.

– Quindi il timore c'era.

– Sí, c'era, in effetti. Secondo il signor Taliercio, Merolla avrebbe offerto di piú, anche se in cambiali, e magari si sarebbe fatto prestare i soldi per un anticipo. Per questo volle affrettare i tempi e prendere appuntamento a prima mattina.

Maione strinse gli occhi.

– E secondo voi qualcuno avrebbe potuto informare Merolla della cosa?

Forino drizzò la schiena.

– Non penserete che... No, io non credo proprio. Comunque era solo una strategia commerciale, brigadiere, tanto per essere sicuri.

Ricciardi stava fissando l'uomo in faccia. La pressione dei suoi occhi verdi, quasi di vetro, agitava molto il capocommesso, che cercava di evitarli. Un atteggiamento che a Maione ricordò in modo spiacevole quello di Ponte.

A un certo punto il commissario chiese:

– Dunque si decise di anticipare il saldo e di trovare i soldi. Li avevate in cassa?

A Forino scappò una risatina.

– Ma no, che dite commissario, vi credete che siamo una banca? Era il cavaliere che si occupava di certe cose. Si mise in contatto con l'avvocato Capone, il cugino del signor Taliercio, che è esperto di commercio dal punto di vista legale e tiene i conti dell'azienda, e fece prelevare la somma. Mi occupai io stesso di registrare l'uscita sul libro mastro. Ottantamila lire, secondo gli accordi. Ma per un prodotto con cui ricaveremmo almeno il doppio. Sarebbe un grande affare, se lo concludessimo.

– Siete certo che nessun altro fosse presente quando fu presa la decisione di anticipare l'appuntamento?

– Sí, commissario, ne sono certo.

– Però poi ve ne siete tornati a casa tutti e tre, – commentò Maione. – E qualcuno di voi potrebbe averlo raccontato a qualcun altro.

Forino arrossí, ma sostenne lo sguardo del poliziotto.

– Io no, brigadiere. Ve lo posso assicurare: io no.

XLII.

Ormai non potevano piú fare molto. Dovevano per forza aspettare il giorno dopo.

Ricciardi e Maione concordarono la strategia e decisero di impiegare il tempo rimasto assumendo alcune informazioni che ancora mancavano. Fu il brigadiere a occuparsene, utilizzando la propria rete di rapporti personali, consolidati in decenni di attività sul campo: custodi di palazzo, autisti di vetture pubbliche, ambulanti. Gente che per un motivo o per l'altro gli doveva gratitudine. Impiegò un po' di piú di quanto ci avrebbe messo se si fosse servito di Bambinella, che sotto questo aspetto non conosceva rivali, ma non aveva il cuore di disturbare il *femminiello* in un momento cosí difficile della sua vita.

Era ormai sera quando riferí a Ricciardi i risultati del suo lavoro e tutto risultò piú chiaro. Come sempre, però, i riscontri e le conferme all'ipotesi di soluzione del caso non portarono loro alcun sollievo, anzi, lasciarono addosso a entrambi una profonda amarezza.

I due poliziotti si salutarono in modo laconico, dandosi l'arrivederci alla mattina successiva. Maione affrontò, al solito controvento, la salita verso casa, risoluto a dormire qualche ora in piú. Ricciardi s'incamminò verso via Santa Teresa degli Scalzi e verso una cena che, con ogni probabilità, era di nuovo a base di legumi e della quale non aveva nessuna voglia.

Il commissario aveva appena superato il largo della Carità e stava procedendo rasente al muro di un palazzo quando sentí una voce bassa, alle proprie spalle, che gli fece saltare il cuore in gola.

– Buonasera, signore. Scusatemi.

In un primo momento credette di averlo solo immaginato, quel saluto. Poi pensò che non fosse rivolto a lui e fece altri due passi. Infine si fermò e si voltò.

Il fatto che Enrica fosse uscita a quell'ora aveva rappresentato una specie di piccola rivoluzione domestica. Non le andava di dire bugie, perciò non aveva inventato una visita a qualche insegnante inferma o un'improrogabile commissione alla quale doveva attendere; era andata da suo padre e, senza giri di parole, gli aveva detto che voleva fare una passeggiata. Anche se era già sera, sí. Anche se forse avrebbe tardato per la cena, sí. Anche se continuava a piovere, sí.

Maria aveva accennato a una protesta, ma per una volta Giulio l'aveva zittita: se la loro figlia maggiore desiderava fare una passeggiata aveva tutto il diritto di farla. Non era proprio lei a ripetere sempre che ormai aveva l'età per considerarsi una donna adulta?

Cosí Enrica aveva preso il cappello, il soprabito, la borsetta e l'ombrello ed era scesa in strada. Non certo per andare a zonzo sotto la pioggia: aveva bisogno d'aria, non di acqua. Ferma nelle proprie intenzioni, si era diretta verso via Toledo, ma dopo qualche centinaio di metri, mentre la folla, per via dell'ora, si diradava, i dubbi avevano cominciato ad assalirla come un piccolo, agguerrito esercito nemico che supera lo sbarramento delle trincee.

Che cosa avrebbe pensato lui? Quella era la domanda. I loro incontri erano stati pochissimi e quasi sempre casuali; le loro conversazioni assurde e surreali. In pratica non si conoscevano, nessuno li aveva presentati in modo formale. C'erano stati giorni, mesi, anni di sguardi nascosti e da lontano, certo, ma era lo stesso che parlarsi davvero guardandosi negli occhi?

Avvicinandosi al largo della Carità, il punto di non ritorno, aveva cominciato a rallentare il passo, intanto che nella sua mente immagini e ricordi si affollavano. La prima volta, nei pressi dell'ambulante di verdura, con lui che era scappato spargendo broccoli intorno. La convocazione in questura, in occasione dell'assassinio della vecchia cartomante; la sua rabbia per essersi fatta cogliere impreparata e il silenzio attonito che si era impadronito di lui nel vederla lí. La sera di Natale quando, e ancora le tremava il cuore, travolgendo ogni barriera e convenzione gli aveva accarezzato il volto e deposto un bacio sulle labbra. L'estate precedente in riva al mare, dove era andata per trovare conforto e aveva invece trovato lui, e dove gli aveva posto una domanda assurda: «A che serve tutto questo mare?» Infine poco piú di un mese prima, sotto casa; era stato lui ad attenderla, per farfugliarle frasi senza senso su fiamme e falene, e le aveva addirittura regalato un sorriso.

Un sorriso che Enrica sentiva sul cuore come un marchio a fuoco. Un sorriso attraverso il quale aveva riconosciuto l'uomo dolce, gentile e sensibile che viveva rinchiuso in quella gabbia di tetra sofferenza. Un sorriso capace di convincerla che, con calma e perseveranza, mattone dopo mattone, sarebbe riuscita a smantellare la fortezza costruita da Ricciardi attorno a sé.

Intanto era arrivato Manfred. Solare e sorridente, pieno di programmi, leggibile e ordinato come l'uomo che qualsiasi ragazza desidererebbe. Manfred il sicuro, Manfred il forte, Manfred il sereno. Manfred che voleva dalla vita proprio quello che lei stessa aveva sempre voluto.

Eppure lei, Enrica, all'apparenza cosí solida e concreta, cosí quieta e determinata ad avere un'esistenza normale, non pensava che a quell'unico, tenero sorriso e a quel bacio rubato. Forse era troppo romantica, come diceva la madre; forse avrebbe dovuto dare maggiore ascolto al proprio corpo, che nelle notti reclamava un'unione per la quale era ormai scoccata l'ora; forse avrebbe dovuto cedere alla necessità che sentiva di avere una casa sua. Ma quel bacio, e ancor piú quel sorriso, erano difficili da dimenticare, e in qualche strana maniera non convenzionale le suscitavano il bisogno di un risolutivo, aperto colloquio.

Ci aveva messo un po' a prendere quella decisione. Temeva che lui potesse considerare inammissibile una condotta tanto azzardata da parte di una ragazza. Forse avrebbe pensato: ma chi è questa? Cosa vuole da me? Per una parola, un sorriso, un bacio sotto la neve viene a parlarmi di certi argomenti in mezzo alla strada? A raccontarla sarebbe parsa una follia.

Se si era persuasa era stato per la chiacchierata che aveva avuto con suo padre, che la conosceva meglio di quanto non si conoscesse lei stessa. I figli, le aveva detto lui. Quanto conta, per te, avere un futuro con dei figli? Quanto è necessario, per te, formarti una famiglia? Era ciò che aveva sempre desiderato e sognato fin da bambina. L'amore non poteva essere il contrario di questo, l'amore doveva esserne il completamento.

Ecco allora che due forze uguali e contrarie l'avevano costretta a fermarsi all'incrocio di largo della Carità. A farla avanzare c'era la volontà di liberarsi dai dubbi, di avere ben chiaro nella mente cosa ci fosse su entrambi i piatti della bilancia. A respingerla indietro, tra le rassicuranti mura di casa sua e le salde braccia di Manfred, la paura di infrangere con un comportamento avventato ogni norma di buona educazione, dando di sé un'idea sbagliata e deludente.

Era lí, indecisa, quando lo aveva scorto sull'altro lato della strada. Insieme all'abituale tuffo al cuore, aveva sentito forte la certezza di avere ricevuto un segno: se era vero ciò che temeva (temeva o sperava?), cioè che Manfred si sarebbe dichiarato a breve, in occasione del suo compleanno, lei doveva sapere. Per questo aveva attraversato la strada. E ora lo aveva di fronte, la pioggia che gli scorreva sui capelli scoperti e sulle spalle del soprabito, l'espressione sorpresa e un po' terrorizzata, come immaginava fosse anche la sua.

Sentí la propria voce che diceva:

– Avrei bisogno di parlarvi un momento. Se non vi dispiace. Cioè, se avete tempo.

Ricciardi non capiva se Enrica fosse vera o una proiezione della sua mente. In maniera diretta o indiretta aveva pensato a lei ancora piú del solito, in quei giorni, e come se non bastasse l'omicidio di Irace lo aveva costretto a osservare la disperazione dell'amore molto da vicino. Soprattutto lo aveva colpito la storia di Sannino, della sua vita sostenuta dal lontano ricordo di un volto di ragazzina che gli sorrideva su uno scoglio. Anche per lui l'immagine di Enrica alla finestra era diventata l'appoggio indispensabile per tirare avanti in mezzo al dolore che lo assediava da ogni lato. E quanto era straziato dalla gelosia, doveva ammetterlo, se gli tornava alla mente la scena di lei che si lasciava baciare da quel maggiore tedesco, al chiaro di luna pieno di cicale e di profumi dell'isola, nel luglio precedente.

– Signorina, buonasera. Non mi... non mi aspettavo... Certo che sí, certo. È successo qualcosa? Avete bisogno di me per... Avete bisogno della polizia?

Enrica era disorientata.

– No, no, certo che no. Io volevo parlare con voi, proprio con voi. Se potete.

Ricciardi si riscosse e si guardò attorno. A una decina di metri vide l'insegna di un piccolo caffè che resisteva eroicamente aperto alla penuria di clienti e all'incombere della sera.

– Posso offrirvi qualcosa? Cosí... cosí state al riparo dalla pioggia. Sí?

Enrica pensò che di ripararsi avesse molto piú bisogno lui, giacché non aveva neppure l'ombrello, ma sorrise e mormorò un ringraziamento.

Ricciardi le porse il braccio e lei gli passò la mano tra il corpo e il gomito. Un gesto semplice, usuale. Eppure entrambi temettero che l'altro avvertisse il rumore martellante del proprio cuore, che sembrava voler sfondare il torace.

L'ambiente era piccolo e fumoso, ma anche caldo e asciutto. Sedettero a uno dei tre tavolini nei pressi della vetrina e ordinarono del tè per Enrica e un caffè per Ricciardi. Poi rimasero in silenzio, imbarazzati. Dopo averci tanto riflettuto, la ragazza non sapeva piú cosa dire. Mentre il commissario non riusciva a togliersi dalla mente lo scoglio di Sannino.

Enrica decise che l'assurdità della situazione era tale da non lasciare spazio alle forme. Tirò un respiro e sussurrò:

– Io sono cosciente che tutto questo sembra folle. Siamo qui, ora, noi due. Io... io forse avrei dovuto scrivervi, invece di venire a cercarvi, ma cosa avrei scritto? Che frasi avrei usato?

Ricciardi, abituato nel suo lavoro a comprendere le intenzioni e i pensieri al di là delle parole, annaspava inseguendo un briciolo di senso. Ma non voleva correre il rischio di offendere Enrica, o peggio ancora di farla scappare via con una domanda inopportuna. Quindi rispose:

– Certo. Di persona è meglio. Forse. Non credete?

Enrica annuí. Teneva stretta la borsa in grembo con entrambe le mani e non si era tolta il cappello.

– Sí. Perché, vedete, tra qualche giorno sarà... Tra qualche giorno riceveremo persone a casa. E tra queste persone... Io devo sapere, capite? Devo sapere. Perché se non lo so, se davvero non me lo dite voi, guardandomi negli occhi... io non ne sarò mai sicura.

Ricciardi si domandava di che cosa stesse parlando, ma sentiva aumentare in petto una strana inquietudine, come quando ci si aspetta una brutta notizia e si tenta in ogni modo di differire il momento in cui la si riceverà.

– Signorina, voi non dovete per forza...

Enrica lo interruppe con veemenza:

– Sí, invece. Io devo. Devo. Altrimenti succederà che... Noi ci guardiamo, no? Io e voi, intendo: ci guardiamo. Ci guardiamo tanto. Non è cosí?

Il commissario sentí un tonfo in fondo all'anima. Non avrebbe saputo trovare una definizione migliore di ciò che c'era tra loro. Si guardavano. La sua voce divenne malinconica.

– Sí. Sí, io e voi ci guardiamo. Almeno, io vi guardo. Vi guardo sempre. Anche quando non ci siete. Soprattutto quando non ci siete.

Quelle parole, pronunciate in un sospiro, diedero a Enrica la forza di continuare e le scaldarono la pelle piú del tepore del locale quando vi era entrata.

– Non è giusto far finta di no, secondo me. Io penso che sia una cosa bella... Per me lo è. E state certo che pure io vi guardo e penso a voi. Molto. Ma io... Mia madre dice che alla mia età dovrei... Ho conosciuto una persona, un uomo... È straniero. Lui...

Il viso di un uomo dai capelli biondi si materializzò davanti agli occhi di Ricciardi. Diede un colpo di tosse.

– Sí. Sí, lo so. L'ho visto.

Enrica arrossí, ma continuò:

– Tra poco sarà il mio compleanno. Noi in genere, come tutti, festeggiamo piuttosto l'onomastico, ma stavolta lui... E mia madre ha subito accettato, non ho potuto... Insomma, verrà. E probabilmente, da quello che ha fatto capire, parlerà di... di futuro. Di futuro con me.

Ricciardi provò un senso di vuoto alla testa, come se fosse ubriaco. Eccola, la cattiva notizia. Per un attimo fu tentato di raccontarle di averlo visto danzare tra le braccia di Livia solo due sere prima, e che non sembrava proprio uno che stava per fidanzarsi; ma ebbe subito orrore di sé per averlo pensato.

Il suo tono si fece piú freddo di quanto avrebbe voluto.

– Capisco. E voi ne siete felice, immagino.

Enrica abbassò un attimo lo sguardo, per poi rialzarlo.

– Se ne fossi stata davvero felice, felice in modo assoluto, allora perché diavolo sarei qui?

Ricciardi si sentí come schiaffeggiato dalla logica di quella risposta, ma l'astio appuntito della gelosia non era facile da rimuovere.

– Dovrei darvi un consiglio, quindi? O fare qualcosa per impedirvelo?

Gli occhi di Enrica si riempirono di lacrime.

– Io dovrei essere felice, sí. Perché ciò che Manfred... ciò che quell'uomo mi offre l'ho sempre sognato. Sono sogni semplici i miei, sapete? Nessun regno, nessun cavallo bianco. Dovrei essere felice. E voi, solo voi, potete spiegarmi per quale motivo non lo sono. Per questo sono qui. Per questo e basta.

Ricciardi sentí uno scroscio di pioggia sulla vetrina a pochi centimetri di distanza. Lei e Manfred, pensò. L'immagine di loro due che si baciavano al chiaro di luna. Lei e Manfred, mano nella mano. La finestra chiusa per sempre. Lei e Manfred, sposati e genitori. L'ho persa. Lei e Manfred, non potrò piú nemmeno sognarla.

Nella mente gli fiorirono le parole della serenata senza nome, quella che Sannino cantava per Cettina, che non aveva mai smesso di cantare e che cantava ancora. La perdita, la notte e l'autunno.

Enrica riprese, a voce bassa ma senza incertezze, scandendo ogni singola parola.

– Io devo sapere se voi, nella vostra vita, volete una famiglia. Se volete dei figli. Quello che sentite per me, lo so già. Non chiedetemi perché, non chiedetemi come, ma lo so. E voi sapete di me, e se non lo sapete io ve lo ripeterò ogni minuto di ogni giorno che mi attende. Ma ciò che devo sapere ora, prima di essere chiamata a dare delle risposte, è cosa vi aspettate voi dal vostro futuro.

Appoggiò la schiena alla sedia e lasciò cadere le spalle, come spossata da uno sforzo immenso. Aveva fatto la sua assurda domanda in quell'assurda situazione. Ora stava a lui.

Ricciardi aveva gli occhi spalancati, il cuore in tumulto, la testa piena di vento. La domanda diretta, violenta, trasparente non ammetteva rinvii nella risposta. Era vero, Enrica aveva il diritto di sapere. Enrica aveva una vita da vivere, sogni da realizzare, tempo da trascorrere. Era una ragazza normale, sentimentale e sensibile. Per quello, del resto, si era innamorato proprio di lei.

Ma davanti a Ricciardi passò in un lampo l'esistenza di sua madre, le volte che era stato con lei, la sua malattia e la terribile morte. La rivide giovane, bellissima e triste, con i grandi occhi verdi disperati. La rivide condurlo in una fattoria devastata dai briganti, e ricordò il suo strazio quando capí che anche lui percepiva i morti e il loro dolore. La rivide ingrigita, sdentata e folle nel suo letto d'ospedale.

La tua eredità, mamma. Il tuo dono terribile. La condanna che mi hai inflitto, che porto su di me come una croce.

Poi gli apparvero uno dopo l'altro i cadaveri che gli avevano mormorato i loro ultimi pensieri spezzati. E sentí tutte insieme le cicatrici che aveva sul cuore e sull'anima, come se fossero ferite fresche: sanguinavano e avrebbero sanguinato ancora.

Vuoi questo per tuo figlio, Enrica? Vuoi che ti parli di denti rotti, di schiene spezzate e di rivoli di bava dalla bocca mentre tu gli racconti favole per farlo dormire? Vuoi figli pazzi, che ogni giorno della loro vita ti maledirebbero e maledirebbero me per averli costretti a nascere?

Per una frazione di secondo Ricciardi si domandò perché non era abbastanza egoista da trovare il coraggio di allungare una mano sul tavolino, attraverso le tazze e la teiera che non avevano nemmeno sfiorato, per prendere la sua strappandola dal manico della borsetta, e di sussurrarle slealmente che sí, anche lui voleva dei figli. Perché, per una volta, non poteva pensare solo a sé stesso e regalarsi la felicità. Perché non era capace di fingere, magari nella speranza che poi i figli non venissero, o che non fossero come lui.

Ma fu una frazione di secondo, appunto.

Se mi avessi chiesto se ti amavo. Se mi avessi chiesto se il tuo sguardo, il tuo viso mi girano nelle vene insieme al sangue. Se mi avessi chiesto se la sola idea di te fra le braccia di un altro mi fa impazzire. Allora ti avrei risposto di sí ogni volta. Non avrei avuto dubbi, e ti avrei presa e portata via.

Ma mi hai chiesto dei figli. E io ricordo bene mia madre, e conosco la mia anima folle.

Fissò la ragazza e disse, calmo:

– Io? No, signorina. Io non avrò dei figli. Non ne avrò mai.

Enrica abbassò gli occhi. Si alzò e se ne andò piangendo nella pioggia.

Ricciardi non la seguí.

La sua notte infinita era cominciata. Dentro di sé cantava una muta serenata senza nome, e non avrebbe piú smesso di cantarla.

XLIII.

Maione aveva dormito poco e male. Tanto per cambiare.

In realtà, stavolta, il tempo di riposare l'avrebbe pure avuto, solo che, dopo aver assistito uno per uno i figli, ammalatisi in sequenza, e dopo aver fronteggiato da sola tutte le necessità di una casa parecchio popolata, anche Lucia si era presa un febbrone, e a Raffaele era toccato fare l'infermiere. Aveva trascorso la notte preparandole impacchi freddi, dandole da bere acqua fresca e misurandole la temperatura ogni due ore. Poi, all'alba, l'aveva affidata alle cure di una vicina di casa e delle figlie maggiori, ormai ristabilite.

Era quindi un brigadiere ridotto a uno straccio quello che arrivò in questura con grande anticipo sull'orario d'ufficio. Quasi quasi meglio essere sparati, aveva pensato percorrendo la strada in discesa, umida e scivolosa, per avere un po' di pace.

Non fu tanto sorpreso dal fatto di trovare Ricciardi già al suo posto, quanto piuttosto dal suo aspetto. Sembrava davvero un fantasma; pallido e smunto, i capelli che gli pendevano umidi e spettinati sulla fronte, gli occhi cerchiati di nero ancora piú profondi e senza vita del solito. Gli abiti che indossava erano gli stessi del giorno precedente, stazzonati e ancora bagnati di pioggia.

I due poliziotti si scrutarono, ed entrambi, con preoccupazione, rifletterono che l'altro aveva proprio una brutta cera, ma senza avere il coraggio di dirlo e di chiederne la causa.

Scambiatisi un breve saluto, passarono subito a studiare le mosse per provare la teoria elaborata dal commissario. Naturalmente sapevano che questa poteva anche essere smentita, e in tal caso si sarebbero trovati a dover ricominciare daccapo; ma è un rischio che chi indaga corre sempre, e loro ne erano consapevoli.

Ricciardi chiarí che la prima delle operazioni da mettere in atto avrebbe dovuto compierla da solo. Maione protestò, ma l'altro non volle sentire ragioni. Bisognava procedere a un lungo pedinamento, e se fossero stati in due le probabilità di essere scoperti sarebbero aumentate: un fallimento avrebbe vanificato tutto. Il brigadiere si offese e fece notare, con rispetto, che tra loro il piú abile a dissimulare la propria presenza era appunto lui. Il superiore glielo concesse, ma ribatté che, per poter condurre il successivo interrogatorio sul posto, era necessario che si occupasse della cosa direttamente. Fu soltanto perché non parevano esserci particolari rischi che, alla fine, l'istinto protettivo di Maione nei confronti di Ricciardi venne messo a tacere.

Il brigadiere sarebbe subentrato nella seconda fase, quella che, se la teoria si fosse dimostrata esatta, avrebbe chiuso la faccenda.

Maione spiegò a Ricciardi quali fossero i percorsi possibili per arrivare al luogo che, presumevano, fosse la destinazione di chi il commissario intendeva seguire; questo nel caso perdesse di vista il soggetto, eventualità che il brigadiere non si sentiva di scartare. Il superiore prese nota, fingendo di non cogliere la scarsa fiducia del sottoposto; in fondo poteva pure tornargli utile.

Ben prima dell'ora che ritenevano essere quella giusta, Ricciardi si avviò. Anche la pioggia e il vento, che avevano ripreso il loro ormai quotidiano spettacolo, erano meglio che starsene lí a rimuginare su quanto era accaduto la sera prima. Il ricordo di Enrica che usciva dal caffè con gli occhi bassi, sforzandosi di trattenere un singhiozzo arrivato invece chiarissimo alle sue orecchie, non lo abbandonava.

Per una volta si era munito di ombrello. Non per ripararsi dall'acqua, che non lo infastidiva in modo particolare, ma per non dare nell'occhio e coprirsi il viso in caso di necessità. Cosí attrezzato, raggiunse la posizione suggeritagli dal brigadiere, una rientranza dalla quale poteva sorvegliare il punto che gli interessava senza essere visto, e si dispose ad aspettare.

Il lavoro svolto da Maione tramite la sua rete di informatori era stato ottimo, e aveva completato il quadro degli indizi a disposizione. Ciò che aveva scoperto riguardava questioni personali e riservatissime.

In base alle supposizioni del brigadiere, trascritte da Ricciardi sul foglietto che teneva in tasca, la persona da pedinare avrebbe potuto scegliere tra due percorsi, se davvero era diretta dove supponevano.

Il primo era piú comodo, ma un po' piú lungo. In questo caso il soggetto avrebbe usato il tram numero 8, nero o rosso, proveniente dalla Stazione Centrale e diretto alla nuova piazza Vanvitelli sulla collina del Vomero, avrebbe percorso via Duomo e sarebbe sceso in via Foria, quindi, passando il largo del Tiro a Segno e superando l'Orto botanico, avrebbe raggiunto a piedi piazza Carlo III. Poi avrebbe continuato con la tramvia provinciale e, superata la Doganella, sarebbe giunto a Capodichino.

Il secondo percorso era piú breve, ma implicava il passaggio per la piazza antistante la stazione, che era assai piú trafficata. In questo caso sarebbe salito sul tram numero 5 a piazza Nicola Amore fino a piazza della Ferrovia. Da lí si sarebbe recato a piedi fino a Porta Capuana per prendere la tramvia provinciale.

Maione era stato categorico: a meno di avere un'automobile, e non risultava che la persona ne possedesse una, non c'erano altri tragitti ipotizzabili. Certo, esisteva sempre la vettura pubblica, ma non avrebbe avuto senso, data l'esigenza pressoché quotidiana e la situazione generale che si erano andati figurando.

Quando l'ora che il commissario aveva bene in mente scoccò, con precisione cronometrica una figura aprí la porta, lanciò un saluto frettoloso all'interno e si incamminò.

Scelse il percorso piú breve: piazza Nicola Amore e il tram numero 5.

Ricciardi si augurò che, a quell'ora, il mezzo fosse affollato, cosí avrebbe potuto nascondersi. Il principale dei motivi per cui aveva chiesto a Maione di rinunciare a venire con lui era proprio la mole del brigadiere e il fatto che portasse la divisa, entrambe caratteristiche piuttosto evidenti.

Per fortuna il tram era stipato all'inverosimile. Qualche passeggero era addirittura rimasto sul predellino, preferendo prendere l'acqua piuttosto che rischiare il soffocamento. La persona che Ricciardi seguiva, evidentemente esperta, si fece strada nel muro umano riuscendo ad accedere all'interno della vettura. Un attimo dopo, utilizzando un'altra porta, il commissario la imitò e, come Maione gli aveva suggerito, si mise esattamente alle sue spalle; quando è costretta in un luogo gremito, sosteneva il brigadiere, la gente tende a non girarsi, mentre è piú facile che si lasci attrarre dal viso di chi gli sta davanti, magari un po' lontano.

La persona non si girò. Rimase ferma nell'identica posizione per tutto il tragitto, la mano stretta al sostegno, le spalle un po' curve, lo sguardo fisso sul finestrino semiaperto dal quale entravano l'aria e la pioggia fine; Ricciardi si domandò a cosa pensasse, e arrivò a intuirlo con una compenetrazione maggiore di quella che avrebbe voluto.

A piazza della Ferrovia, come Maione aveva supposto, la persona scese. Ricciardi, che si era preparato per tempo, la seguí un attimo prima che il tram ripartisse, quando già si era allontanata di qualche metro in direzione di Porta Capuana. Il cammino non fu agevole, a causa del numero degli ambulanti che tentavano la difficile impresa di attirare compratori e di riparare nel contempo sé stessi e la merce.

Anche la tramvia provinciale era presa d'assalto, e il commissario riuscí di nuovo a rendersi invisibile, complimentandosi mentalmente con Maione per la perfezione delle sue previsioni e convincendosi una volta di piú che un collaboratore cosí valeva tanto oro quanto pesava, quindi non poco.

Giunsero infine alla fermata in piazza Capodichino, sulla cima della collina omonima.

Il luogo era assai meno congestionato e il vento portava gli odori della vicina area boschiva. Le larghe strade erano percorse da rari passanti, qualche carretto e poche automobili. Non lontano, dimostrando un ammirevole ottimismo, due carrozze aspettavano un noleggiatore, con i cocchieri che fumavano chiacchierando e riparandosi alla meglio sotto le pensiline.

I passeggeri si dispersero in tutte le direzioni. Ricciardi si tenne in fondo alla fila, in modo da scendere per ultimo. Il soggetto che stava seguendo era stato invece il primo a lasciare la vettura, avviandosi deciso verso la calata che dalla piazza portava, dopo diversi chilometri, di nuovo in centro. Al commissario non serviva stargli troppo appresso: ormai non c'erano piú dubbi sulla sua destinazione.

Ricciardi non aveva spiegato a Maione quanto gli pesasse il compito che si era assunto quella mattina. A mano a mano che i suoi passi risuonavano nella via, poco frequentata anche a quell'ora del giorno, l'inquietudine gli montava in petto come una marea nera e limacciosa. Erano moltissimi anni che non visitava un luogo come quello in cui era diretto, e mai avrebbe voluto tornarci.

Alle sue orecchie si presentò, in modo perfino troppo vivido, il ricordo di urla disperate, di colpi sordi sulle pareti, sulle porte, metallo contro il metallo. Rivide davanti agli occhi il bianco dei muri, le inferriate, le panche di ferro. Soprattutto avvertí di nuovo l'odore acre del vomito, delle feci, dei disinfettanti. Quando pensava all'inferno, pensava a un posto del genere.

E i morti, i tanti morti. Uccisi dalle proprie mani e dal buio della mente. Impossibile evitarli, per lui. E per lei. Si era chiesto mille volte se ciò non avesse contribuito ad accelerare la sua fine.

La figura davanti a lui, procedendo a testa china come se condividesse i pensieri di chi lo pedinava, varcò un ampio cancello aperto. Ricciardi si fermò e attese sotto l'ombrello che sparisse dalla sua vista. Da lí in poi non era piú necessario tenerla sott'occhio.

Lasciò trascorrere qualche minuto, cercando di convincersi che la sua esitazione dipendeva dalla necessità di non compromettere l'operazione. Il cuore gli batteva in petto con un ritmo lugubre. Udiva il rumore della pioggia sull'erba e sulle foglie; scrutava le chiome degli alberi all'interno del muro di cinta. Un uccello emise un richiamo che pareva un grido. Era un grido. Preso un ultimo, profondo respiro, il commissario entrò.

Davanti a lui si apriva un ampio parco. Il quel momento era deserto, ma nei giorni di sole doveva essere abbastanza popolato, come testimoniavano i tavoli e le sedie di pietra, le panchine e un paio di strutture in ferro battuto e vetro colorato. La vegetazione era folta e curatissima; alcune palme, piuttosto alte, ricevevano l'acqua sulle larghe foglie e ogni tanto la lasciavano cadere a fiotti. Un viale conduceva a un cortile ricoperto di ghiaia, occupato da due automobili e da una carrozza con un cavallo nero. Il vetturino non si vedeva. In fondo allo spiazzo c'era un edificio a tre piani collegato a corpi di fabbrica piú bassi. L'impressione generale era di quiete e serenità. Ricciardi si figurò con un brivido cosa celasse.

Nell'ampio vano d'ingresso c'era una scrivania dietro cui sedeva una giovane suora che stava ridendo con un portiere in divisa. Quando i due notarono il visitatore assunsero un'aria seria e gli domandarono che cosa desiderasse. Il commissario si qualificò mostrando il tesserino e fece le proprie richieste. I due si guardarono, e la suora rispose che era necessario sentire il direttore: se aveva la pazienza di attenderla, sarebbe andata a chiamarlo.

Poco dopo la religiosa tornò in compagnia di un uomo di media statura, sui sessant'anni, con gli occhiali cerchiati d'oro e una cravatta a farfalla nera sotto il camice bianco. I folti baffi e i capelli grigi gli conferivano autorità, ma i suoi occhi brillavano di un'intelligenza e di un'ironia quasi fanciullesche.

Si avvicinò a Ricciardi tendendo la mano.

– Sono il dottor Santoro, il direttore della villa. In che cosa posso aiutarvi?

Ricciardi gli riassunse il motivo per cui si trovava lí, evitando di entrare nel merito dell'indagine che stava svolgendo. Il dottore si mostrò collaborativo.

– Come immaginerete abbiamo frequenti contatti con la polizia, sia per consulenze sia per il pregresso dei nostri ospiti; non sono pochi quelli che hanno avuto episodi di... intemperanza. Cerchiamo di evitare traumi ulteriori a loro e alle famiglie, quindi assorbiamo, per quanto possibile, le richieste delle forze dell'ordine e della magistratura. Prego, andiamo nel mio ufficio.

Percorsero un corridoio che riceveva la luce grigia del giorno da alte finestre laterali. L'assenza di sbarre e di qualsiasi rumore permise a Ricciardi di allentare un po' la morsa che gli stringeva il petto.

L'ufficio di Santoro sembrava una piccola biblioteca. Tutte le pareti, tranne quella dietro la scrivania, dove c'era una finestra che dava sul parco, erano ricoperte di libri. L'uomo fece cenno al commissario di sedersi e, invece di andare a occupare l'ampia poltrona dall'altra parte del tavolo, prese posto su una delle sedie di fronte a lui.

Si accese la pipa con gesti lenti, misurati e aspirò con gusto.

– Ho appena finito il primo giro di visite e ho un po' di tempo. Prego, commissario: di che si tratta?

Ricciardi pronunciò il nome della persona per la quale era venuto, e Santoro cambiò l'espressione da educatamente interessata a partecipe.

– Sí, ho presente il caso. Vedete, la nostra struttura, che, come saprete, è del tutto privata, ha cento posti. Le richieste sono molte di piú, ma noi valutiamo che questo sia il numero massimo per garantire un'assistenza adeguata e permetterci di seguire ognuno in modo rigoroso.

Ricciardi si schiarí la voce, cercando di allontanare l'angoscia.

– Come vi ho accennato vorrei incontrare questa persona, e anche chi, proprio ora, a quanto mi risulta, le sta recando visita. Prima però avrei bisogno di sapere qual è la situazione specifica dal punto di vista dei pagamenti della retta.

Santoro si agitò sulla sedia.

– Commissario, queste sono informazioni molto riservate, non credo proprio di poter…

Ricciardi lo interruppe con voce calma ma ferma.

– Dottore, si tratta di un'indagine di polizia. Un'indagine che concerne un omicidio, per di piú. Se non otterrò questi dati subito, dovrò richiederli tramite il magistrato, il che rischierebbe di mettere in imbarazzo la vostra struttura. Decidete voi.

L'uomo tacque per un po', aspirando pensoso dal cannello della pipa. Poi sospirò e disse:

– Va bene, commissario. Capisco e vi ringrazio per la delicatezza. Dunque, la nostra organizzazione prevede la separazione degli ospiti, noi preferiamo chiamarli cosí, in agitati, semiagitati e tranquilli; ciò per evitare promiscuità che sarebbero solo dannose. Le diverse condizioni, è ovvio, comportano livelli di sorveglianza diversi. E va da sé che diversi sono anche i costi da sostenere.

Ricciardi sentí di nuovo crescere l'agitazione.

– La persona in questione dov'è trattenuta?

Santoro sorrise.

– Noi non tratteniamo nessuno, commissario. Qui si paga, per entrare, e ci sono liste d'attesa piuttosto lunghe. La nostra clinica è tra le piú rinomate del Paese. Per concludere il discorso, i tranquilli sono a loro volta suddivisi in due categorie: quelli corretti nel contegno e quelli la cui condotta può, in modo saltuario, destare qualche preoccupazione. L'ospite che interessa a lei è appunto collocato in questo secondo gruppo per via di alcune intemperanze mostrate in passato. Ciò implica la necessità di una sorveglianza notturna, con conseguente incremento della retta.

A Ricciardi parve di scorgere un movimento rapido al di là della finestra. Strinse le mani a pugno nelle tasche.

– Quindi tenerlo qui è piuttosto oneroso, giusto? Può darmi una cifra?

Santoro sbuffò una nuvola di fumo azzurrino.

– Vorrei fosse chiaro che tutto è commisurato all'assistenza di prim'ordine offerta sia dal punto di vista sanitario sia da quello della sicurezza. Inoltre c'è la qualità del servizio. La carne ai pasti è di prima scelta e...

– Quanto paga, la persona di cui parliamo?

In lieve imbarazzo, Santoro rispose:

– Diecimila lire l'anno. Il prezzo, peraltro, è determinato anche dal numero di richieste che riceviamo e, come le spiegavo, dalla scelta di limitare i posti per...

Ricciardi lo bloccò, cupo.

– Non vi sto chiedendo uno sconto, dottore. Per ora non ho intenzione di diventare un vostro... ospite, come dite voi. Ho bisogno di sapere se questa persona è in regola o no con i pagamenti.

Santoro si passò una mano sulla guancia.

– Posso contare sulla vostra discrezione, vero, commissario? Se si sapesse che ho fornito informazioni del genere...

Ricciardi lo rassicurò con uno sbrigativo gesto della mano. L'uomo rispose senza guardarlo negli occhi.

– La famiglia era in ritardo di due mesi. Abbiamo intimato il pagamento, altrimenti l'ospite avrebbe dovuto lasciare la stanza singola e rinunciare al trattamento di cui gode al momento. In considerazione del fatto che risiede qui da quasi sei anni, avremmo offerto una nuova collocazione in uno spazio comune. Non siamo gente cosí senza cuore da mettere in strada un essere umano in quelle condizioni, ma nel giro di poco tempo avrebbe dovuto lasciare la struttura. Per fortuna, tutto si è risolto. Abbiamo tirato un bel respiro di sollievo.

Ricciardi si sporse in avanti.
– In che senso si è risolto?
Santoro parve sorpreso della domanda.
– Be', ieri la retta è stata saldata. E ci hanno versato in anticipo anche il dovuto per il prossimo semestre.

XLIV.

Santoro affidò Ricciardi a un robusto infermiere dal volto simpatico, di nome Iovane, che lo guidò fino a una porta. L'uomo la aprí, estraendo dalla tasca del camice immacolato un pesante mazzo di chiavi, e si ritrovarono in un'ala dell'edificio.

Subito il commissario percepí un cambio di atmosfera. Le finestre, che non possedevano aperture a maniglia, ma serrature, avevano vetri protetti da reti metalliche, e all'esterno delle sbarre trasversali. Poiché davano sull'interno del parco, non erano visibili da chi transitava lungo la strada, perciò l'impressione che l'edificio fosse una palazzina e non un reclusorio era salva.

Sul lato sinistro del corridoio che percorrevano c'erano delle porte chiuse. All'improvviso da una di queste giunse un urlo terribile, disperato: era una voce maschile, ma aveva pochissimo di umano. Subito gli occupanti delle altre stanze risposero, come scimmie nella giungla, e partí un breve concerto che però si fermò di colpo, quasi un direttore d'orchestra lo avesse interrotto con un movimento della bacchetta. Ricciardi incassò la testa nelle spalle, sentendosi proiettato di nuovo in un mondo col quale era stato in doloroso contatto fino alla morte della madre.

Iovane si voltò a guardarlo con un mezzo sorriso sulla faccia e disse:

– Vi siete spaventato? Non vi preoccupate, dotto'. Stanno chiusi bene. Questo è il reparto degli agitati; ogni tanto si mettono ad *alluccare*, ma non sono pericolosi. Non tutti quanti, almeno.

Ricciardi proseguí senza rispondere. Non era il caso di spiegare che non temeva affatto per l'incolumità fisica. La sua paura, che gli attanagliava le viscere e non gli consentiva di respirare, che gli faceva desiderare di concludere il proprio compito quanto prima per fuggire a gambe levate, era di finire un giorno in un posto simile.

Magari peggiore.

Salirono una rampa di scale e percorsero un secondo corridoio. Tutto era molto pulito e gli ambienti abbastanza luminosi. Incrociarono alcuni infermieri e qualche suora indaffarata. Alla fine arrivarono davanti a una porta in tutto simile alle altre. Iovane aprí senza bussare e Ricciardi vide qualcosa che gli fece balzare il cuore in petto.

Una donna.

Non doveva essere vecchia; i capelli disordinati erano neri, e la pelle ancora liscia. A terrorizzare Ricciardi era stata l'espressione del viso, contorto in un grido muto. La bocca era spalancata, gli occhi lacrimosi stretti in uno sguardo che esprimeva orrore, i nervi del collo tesi in uno spasmo infinito, la testa piegata con un angolo innaturale. Era come se l'avessero fotografata in un momento di raccapriccio. Nel momento in cui veniva raggiunta dalla certezza che stava per morire.

Quello, si disse Ricciardi, è il volto di chi contempla l'inferno.

Per un attimo si sentí inferiore al proprio dovere. Per un attimo pensò di correre via, di mettere la maggior distanza possibile tra sé stesso, quella camera, quel palazzo e quel parco, cosí da poterli dimenticare.

Iovane si fece da parte.

– Io sto qua fuori. Vi aspetto. *Se è qualcosa*, chiamatemi.

Se è qualcosa. Se accade qualcosa, in dialetto. E che altro dovrebbe accadere, quando sei già all'inferno?

La stanza comprendeva un letto singolo, con la spalliera tonda, un comodino con dei flaconi di medicinali, un tavolino con un vaso di metallo e dei fiori, un armadio a due ante con tre cassetti e due sedie.

Su una sedeva la donna, sull'altra c'era Michelangelo Taliercio, il fratello di Cettina, che le teneva le mani, il volto girato verso Ricciardi.

La meraviglia dell'uomo e la smorfia della donna sembravano la scena di un film senza sonoro.

Taliercio si riscosse e si alzò in piedi, lasciando cadere le braccia della poveretta, che non mutò di un millimetro la propria posizione.

– Commissario! E voi che ci fate, qui? Come avete saputo... E come vi permettete di entrare in questa stanza senza la mia autorizzazione? Io non vi consento di...

Ricciardi lo fissava inespressivo.

– Signor Taliercio, vi prego. Vi prego. Basta. Non ha piú senso.

Quello rimase immobile, il viso atteggiato a una via di mezzo tra lo stupore e lo sgomento.

– Che... che volete dire? Io... Io non...

Ricciardi rivolse lo sguardo alla donna.

– Vostra moglie, vero? La signora Riccio Ada. Vi siete sposati dieci anni fa e dopo due anni lei è stata ricoverata in ospedale. Non ne è piú uscita se non per trasferirsi qui, sei anni fa. Voglio sappiate che mi dispiace, signor Taliercio. Mi dispiace davvero. E credetemi, vi capisco piú di quanto possiate immaginare.

A mano a mano che nuovi pensieri si aprivano una strada nella sua mente, sul volto del commerciante si disegnava una smorfia beffarda e amara.

– Voi capite? No, commissario. Nessuno capisce. Nessuno può capire. Questa cosa va al di là di ogni umana comprensione. Molto al di là.

Ricciardi non riusciva a calmare la propria inquietudine, che anzi pareva addirittura crescere. Dall'esterno non arrivavano rumori; del resto, come aveva detto Santoro, la moglie di Taliercio era nel reparto dei tranquilli che solo in modo saltuario destano qualche preoccupazione. Si domandò cosa diventasse, quella donna, in tali momenti.

– Io intendevo dire che avere una persona cara, inferma…

L'uomo sbottò:

– Inferma, dite? Inferma? Come se avesse, che so, la febbre? O un problema intestinale? O dei dolori reumatici? Inferma… Magari fosse inferma, mia moglie. Magari il problema fosse darle da mangiare o ripulirla dalle feci. Potrei tenerla a casa, con una brava domestica, e al mio ritorno, la sera, parlarle e sentirla parlare, confidarle tutto, come all'inizio, e ascoltare le sue, di confidenze. Guardatela bene, commissario, voi la chiamate infermità, questa? Guardatela!

Tenendo tra le dita il mento della donna, le girò il viso verso Ricciardi. La sua espressione non cambiò in nulla, come se fosse un manichino, ma un rivolo di bava le scese da un angolo della bocca.

Ricciardi si aggrappò al motivo per il quale si stava sottoponendo a quello strazio.

– Nessuna disgrazia giustifica certi atti, signor Taliercio. Nulla al mondo li giustifica. Lo sappiamo entrambi.

L'altro non perse l'aria di sfida.

– Ah, sí? E sentiamo, allora, che avrei fatto? Che volete? Perché non mi avete atteso in negozio o convocato in questura? Avete qualche accusa da muovermi?

Ricciardi prese un respiro. L'agitazione determinata dal luogo in cui si trovava lo stava mettendo in difficoltà e rendeva piú complicata una corretta ricostruzione degli eventi.

La fame, pensò. Il primo e il piú antico dei due nemici. La fame in una delle sue molteplici forme, mascherata da istinto di protezione verso le persone care. La fame travestita da amore.

Fece appello a tutta la freddezza di cui disponeva e disse:

– I soldi, signor Taliercio. Una triste, banale questione di soldi. Pochissime persone avevano la possibilità di cambiare l'ora dell'appuntamento per la conclusione dell'affare, in modo che Irace si recasse al porto quando le strade erano deserte. Pochissime persone sapevano con precisione quando si sarebbe trovato là. Pochissime persone sapevano della sua abitudine di tenere i soldi in un taschino dei pantaloni, come ci ha detto vostra sorella, una tasca nascosta che si faceva fare apposta, e non nella tasca interna del cappotto, dove abbiamo trovato il residuo della somma. Pochissime persone conoscevano la cifra esatta della transazione. Una sola persona con tutte queste caratteristiche aveva un disperato bisogno di soldi. Inoltre ho appena avuto conferma che la retta per il ricovero di vostra moglie in questa bellissima clinica privata è stata saldata da voi solo ieri.

Taliercio era rimasto impassibile, continuando a reggere il mento della moglie. Mormorò:

– È per questo che siete venuto qua. Per vedere che ne era stato dei soldi.

Ricciardi annuí.

– Sí. Volevo essere sicuro. Abbiamo saputo di vostra moglie, anche se eravate quasi riuscito a far dimenticare a tutti la sua esistenza, pur venendo a trovarla ogni giorno. Ma fate una vita ritirata e non risulta che abbiate vizi: né il gioco, né le donne. Da qualche parte i soldi dovevano finire.

Taliercio si mordeva il labbro inferiore, gli occhi fissi su Ricciardi. Il commissario conosceva quello sguardo. L'uomo stava valutando le possibili vie d'uscita.

– Non avete in mano niente. Niente. Una cosa sono le supposizioni, un'altra è provare che ho ucciso mio cognato. Io con Costantino andavo d'accordo, non avevo motivo di ammazzarlo. E nemmeno sono un violento.

Era il momento di far scattare la trappola. Se Taliercio aveva sentito la necessità di sfilare i soldi dai pantaloni di Irace per prenderne una parte e rimettere il resto nel cappotto, cosí da stornare i sospetti dalla semplice rapina per dirottarli su Sannino, doveva aver prima provato a ottenerli con le buone, senza riuscirci. Quindi era ragionevole supporre una qualche discussione, che poteva solo essere avvenuta nel negozio, quando il contante era già disponibile.

– Vi hanno sentito litigare con vostro cognato. Voi gli chiedevate i soldi e lui non ve li voleva dare. È per questo che abbiamo cominciato a indagare su di voi.

Taliercio avrebbe potuto negare. Quel litigio poteva non essere mai avvenuto. Magari il denaro lo aveva chiesto alla sorella. Una di queste cose e il castello di carte costruito da Ricciardi sarebbe crollato.

Invece l'espressione dura dell'uomo si smantellò come se avesse perduto ogni energia, come se ormai si sentisse all'angolo.

Cercò senza voltarsi lo schienale della sedia dietro di sé. Lo afferrò e si lasciò andare, le spalle curve. Allungò una mano e prese quella inerte della moglie.

– Forino. Quello stupido idiota. L'unico che si trattiene sempre in negozio fuori orario. È stato lui, vero? Ve lo ha detto lui. Sí, avevo chiesto i soldi a Costantino. Volevano sbattere Ada nel reparto collettivo, insieme a chissà quali pazzi pericolosi. Qui vogliono troppi soldi, sapete? Troppi. E quel maledetto strozzino, quel cafone fruttaiolo mi pagava uno stipendio da fame. Nonostante il negozio fosse della mia famiglia da tre generazioni, capite? Nonostante sulla carta fossimo soci. Uno stipendio poco piú alto di quello di un commesso qualsiasi. Nonostante il lavoro lo faccia io. Nonostante di tessuti lui non abbia mai capito niente, quel gretto, quel meschino, quello scaricatore.

Rivolse lo sguardo smarrito alla donna al suo fianco, sempre persa nel proprio inferno, e cominciò a parlarle come se lei fosse in grado di ascoltarlo.

– Tu capisci, Adare'? Io che ero il padrone prendevo uno stipendio. Me lo dava di nascosto, perché mantenessi un minimo di autorità con i dipendenti. E intanto lui faceva i suoi affari sporchi, prestando soldi con gli interessi a mezza città, e nel negozio non ci veniva mai. Era una cosa sua. Come lo ero io, come lo era la merce. Come lo era mia sorella, Adare'. Te la ricordi, Cettina? Con lui è diventata l'ombra di sé stessa. È come se fosse morta, Cettina. L'ha uccisa lui. E ora dovevo farti andare nel reparto comune. Ma finché campo, pure se mi mettono in galera, ci penso io a te. L'ho giurato davanti a Dio. Nella buona e nella cattiva salute. Ci penso io a te, Adare', non ti preoccupare.

Tornò a guardare Ricciardi.

– La vita si rivolta, commissa'. Io ero giovane, ricco, felice e innamorato. Poi mio padre ha fatto i debiti ed è morto. La ditta stava andando a rotoli, e mia sorella per salvarla ha dovuto sposare quel porco, che ora spero stia bruciando all'inferno. E la mia Ada... Voi non lo immaginate che donna meravigliosa era, commissa'. Che allegria, che dolcezza, che fantasia aveva. Non lo immaginate. Io, se c'era lei, ce la facevo a sopportare. Potevo smuovere le montagne prima che, un po' alla volta, diventasse cosí.

Inaspettatamente la donna emise un flebile, quasi impercettibile lamento. Taliercio le accarezzò un braccio.

Ricciardi pensò a Irace e ne sentí la voce in maniera distinta: *tu, di nuovo tu, tu, di nuovo tu, un'altra volta tu, di nuovo tu.*

– In realtà non siete stato voi a uccidere vostro cognato, vero? Voi siete comparso davanti a lui a quell'angolo di strada. Lo avete fermato, ma a farlo cadere, a dargli il colpo alle gambe è stato chi si nascondeva dietro la piccola colonna.

Taliercio impallidí, come se ogni goccia di sangue gli fosse affluita nei piedi all'improvviso. Aprí la bocca per rispondere, però la voce non gli uscí. Poi balbettò:

– Co... come avete fatto a... Qualcuno che ci ha visti? Non c'era nessuno, la strada era deserta... Da una finestra, forse... Mio Dio, mio Dio...

Gli occhi verdi di Ricciardi scrutavano quelli di Taliercio pieni di lacrime.

Ecco l'amore, pensò. L'altro nemico. Quello piú violento e disperato, quello che colpisce e distrugge.

– Dovete dirmi il nome di chi era con voi, Taliercio. Un nome che conosco già. Però dovete dirmelo, altrimenti lo sapete che non vedrete piú vostra moglie, che resterà abbandonata al suo destino.

Taliercio incrociò le proprie dita con quelle di Ada, che gemette di nuovo. Poi pronunciò il nome.

Ora Ricciardi aveva le conferme che era venuto a cercare.

Uscí dalla stanza, e si rese conto di non avere quasi respirato per tutto il tempo che era rimasto là dentro.

XLV.

Maione capí dal viso di Ricciardi che le sue teorie sull'omicidio Irace avevano trovato pieno riscontro. Il commissario sembrava piú sgualcito e sofferente della mattina presto. Alle occhiaie e al pallore si era aggiunta una tinta di malinconia, quasi di ulteriore sofferenza. La natura umana, ancora una volta, si era dimostrata peggiore di quanto i due poliziotti, con la loro esperienza, potessero immaginare.

Il brigadiere domandò se doveva mandare le guardie a prendere Taliercio con l'automobile.

– Sí, – rispose Ricciardi, – ma falle aspettare fuori dal cancello della clinica. Lasciamolo con la moglie per tutto il tempo che desidera.

Ora si trattava di arrestare il vero assassino, e al riguardo Maione non ammise discussioni: una persona capace di perpetrare un omicidio tanto efferato poteva benissimo avere una reazione violenta. Quindi ci sarebbe stato anche lui.

Si avviarono perciò verso la meta nel solito piccolo, triste corteo: Ricciardi, le mani in tasca e il capo scoperto a ricevere la pioggia fredda; Maione un passo dietro di lui, il grande ombrello proteso un po' in avanti per proteggere il commissario; in coda Camarda e Cesarano, che a mezza voce imprecavano fra loro per il tempaccio.

Vedendoli arrivare, il portiere, che non aveva dimenticato i precedenti incontri poco gradevoli, sbarrò gli occhi. Il suo sguardo passò da un poliziotto all'altro, e l'aplomb che fino ad allora era riuscito tutto sommato a conservare si incrinò. Maione gli riservò una fredda occhiata, informandolo che non avrebbe dovuto annunciare il loro arrivo per nessuna ragione, e nonostante quello avesse giurato di obbedire, diede lo stesso ordine a Cesarano, delle due guardie la piú arcigna e dotata del carattere peggiore, di fermarsi con lui. Cosí, tanto per evitare tentazioni.

Ricciardi, Maione e Camarda salirono le due rampe di scale in silenzio. C'era poco da dirsi e poco da preparare. Una volta di fronte alla targhetta con su inciso CAVALIER COSTANTINO IRACE, il brigadiere girò l'interruttore del campanello.

Quando la cameriera aprí, la spinse da parte senza molti riguardi ed entrò seguito da Ricciardi, facendo segno a Camarda di restare alla porta. Un po' di maleducazione li avrebbe preservati dal rischio di reazioni inconsulte.

Come avevano ritenuto piú che probabile, Cettina Irace era seduta al tavolo della sala da pranzo, e insieme a lei c'era il cugino, l'avvocato Guido Capone. L'uomo stava mangiando con gusto, almeno all'apparenza, mentre Ricciardi notò che la donna non aveva ancora toccato cibo. Era pallida, con il viso segnato e l'aspetto dimesso, senza un filo di trucco.

Appena li vide, Capone si alzò di scatto. Aveva un tovagliolo al collo, un lembo infilato nel colletto inamidato sopra la cravatta.

– Che significa questa irruzione? Mi auguro abbiate un motivo serio, commissario: adesso basta, subire soprusi. Se avete altre domande, dovrete convocare mia cugina per vie ufficiali.

Maione gli si accostò.

– Attento, avvoca'. Finisce che vi strozzate con i maccheroni. Nessuna domanda, stavolta. Stavolta parliamo noi.

Il tono del brigadiere era minaccioso come il rombo di un temporale in avvicinamento. Capone sbatté le palpebre, sorpreso, e si risedette di schianto. Cettina, invece, continuava a guardare nel piatto, immobile come una statua di cera.

Fu a lei che si rivolse Ricciardi.

– Buongiorno, signora. Credo di non poter aggiungere buon appetito, però. Voi avete capito perché siamo qui, vero? Probabilmente avete sempre saputo che saremmo arrivati, prima o poi.

Capone tentò una debole sortita.

– Commissario, voi...

Maione lo rintuzzò mettendogli un'enorme mano guantata di nero sulla spalla.

– Avvoca', vi ho pregato. Non aprite bocca se non ve lo chiediamo noi.

Ricciardi proseguí:

– Lo sapevate, e inconsciamente siete proprio voi ad averci messo sulla strada. «Le volte che l'ho visto ci ho a stento parlato», avete detto. Non *una* volta, a teatro, quella che sapevamo tutti. Ma *le* volte. Quindi ce n'era almeno un'altra, giusto?

Capone esclamò:

– Cettina, per carità, non parlare! È un trabocchetto che...

Maione gli strinse la spalla e la frase si spense in uno squittio. La donna non ebbe reazioni e Ricciardi riprese:

– Ce l'ha detto Sannino quando è successo, il giorno che siamo andati a prenderlo. Ma non era sicuro, perché era ubriaco e si era addormentato qui, nel portone del palazzo di fronte, accanto al punto dove si era messo la sera prima per cantarvi la sua serenata senza nome. Voi lo avete visto e siete andata da lui; per farlo dovevate essere sola, quindi vostro marito era già uscito. Cosa saranno state, le cinque? Era ancora buio, no? Lo avete baciato, e lui credeva di aver sognato.

Cettina cominciò ad avere un tremito alle mani. Capone esplose:

– Lo hai baciato? Sei scesa da lui e lo hai baciato? Ma come hai osato?

La donna rispose in un sussurro, quasi parlasse a sé stessa:

– Era da una settimana che veniva ogni notte. Da quando era tornato. Si sedeva là, appena fuori dalla luce del lampione e aspettava. Come quando eravamo ragazzi. Io mi affacciavo, lo guardavo e mi sentivo morire.

Ricciardi sospirò.

– Forse gli bastava. Forse guardare una finestra e immaginare chi c'è dietro è sufficiente.

– Magari sí. E magari io sarei riuscita a convincermi che fosse la mia fantasia, se non avesse cantato la serenata senza nome come faceva…

– … Sullo scoglio quando eravate ragazzi. Sí, me lo ha raccontato. E me lo ha anche fatto vedere, quello scoglio. Doveva essere proprio innamorato di voi. Ma non era l'unico.

L'avvocato Capone si intromise con voce incerta:

– Che volete dire, commissario? In che senso, non era l'unico?

Ricciardi si voltò verso di lui.

– Cosa vi ha spinto a realizzare questo piano, avvocato? Che cos'è che vi ha fatto decidere? Il ritorno di Sannino? Secondo me l'idea vi è venuta leggendo sul giornale del pugile morto e di tutto il resto.

Capone fissò la cugina con espressione vacua.

– Davvero lo hai baciato? Lo hai… lo hai baciato sulla bocca?

Ricciardi scrollò la testa.

– Voi lo odiate da tanto tempo, dal momento in cui avete capito che vostra cugina lo amava, ho ragione? Un odio che dura da una vita. Non vi bastava ammazzare il marito, volevate anche togliere di mezzo Sannino. E avete inscenato tutto approfittando del bisogno di soldi di vostro cugino.

L'avvocato continuava a guardare Cettina. La sua espressione, prima perplessa, andava indurendosi; aveva gli occhi stretti in due fessure, la mandibola serrata, la fronte corrugata. Anziché ridicolo, i capelli radi e il tovagliolo al collo lo rendevano ancora piú spaventoso, come un pagliaccio cattivo.

– Lo hai baciato. Con tutto quello che ho fatto, che faccio, per te, lo hai baciato. Di nuovo. Come allora, come…

Ricciardi andò avanti imperterrito.

– Siete stato chiamato per procurare il contante, secondo la prassi, poiché seguite la contabilità della ditta. A quel punto avete ricattato vostro cugino, coinvolgendolo nel delitto. Lui avrebbe dovuto fermare il signor Irace, mentre voi facevate il resto.

Capone si voltò verso Ricciardi, colmo d'ira.

– Voi non sapete proprio niente. Credete di sapere tutto e non sapete niente.

– Vostro cugino ci ha appena dichiarato che…

– Mio cugino è un idiota! Lo è sempre stato. Eravamo appena dei ragazzi ed ero io che dovevo sempre sistemare le sue sciocchezze. Quando ha sposato una donna già tarata, che poi è diventata demente, e ha cominciato a spendere per cure impossibili, chi credete che lo abbia supportato? E solo per amore di lei, di Cettina. Io la amo davvero. Non come quello strozzino del marito, che se l'è comprata coi soldi. Non come quel mentecatto di Sannino, che non ha capito che partendo l'avrebbe persa. Io ero quello che l'amava davvero, che l'ama davvero.

Ricciardi lo incalzò.

– Siete stato voi a colpire, approfittando della sorpresa di Irace nell'istante in cui si è trovato davanti il signor Taliercio. Poi, insieme, lo avete trascinato nel vicolo, dove siete stato di nuovo voi a finire l'opera.

Capone, tenuto seduto a forza dalla mano del brigadiere, gettava lampi dagli occhi e sbavava rabbia.

– Quell'idiota non ha resistito. Gli avevo detto: «Allontaniamoci separatamente, per non dare nell'occhio». E sono andato prima io. Doveva aspettare un paio di giorni, la polizia ci avrebbe restituito il denaro. Ma non ha resistito. Sapeva dove Costantino teneva i soldi e si è preso quello che gli serviva. Poi, nella fretta, ha rimesso il resto nella tasca del cappotto. Ho capito subito che sarebbe stato questo a fregarci.

Ricciardi replicò, freddo.

– A dire il vero anche altri elementi della vostra messinscena ci hanno insospettito: il fatto di aver sottolineato che la vittima aveva ricevuto un colpo uguale a quello per cui era morto il pugile in America; i tentativi di non lasciarci fare domande alla signora Irace e al signor Taliercio se non in vostra presenza; l'insistenza sulla colpevolezza di Sannino. Tutto molto strano per un avvocato specializzato in diritto commerciale.

Non volendo causare ulteriore sofferenza a Cettina, che continuava a guardare nel vuoto con il viso rigato di lacrime, Ricciardi tacque su quello che era stato il principale indizio: l'eccessiva sollecitudine di Capone nei suoi confronti fin dalla prima volta che li aveva incontrati insieme. Una sollecitudine che non riusciva a mascherare la volontà di possesso.

L'uomo si passò una mano davanti alla faccia e disse alla cugina:

– Mi hai sempre respinto. Ho provato mille volte a sfiorarti, ma tu non me lo hai mai permesso. Il mio desiderio per te mi ha fatto impazzire; non potevo pensare di avere altre donne, nemmeno le puttane. Prima credevo fosse per quel disperato di Sannino, poi perché avevi regalato il tuo corpo a un usuraio per aggiustare i guai causati dall'inettitudine di tuo padre. Ho creduto che se avessi eliminato dalla tua vita queste due presenze, la fantasia dell'adolescenza e la prigione della maturità, saresti stata mia. Perché tu eri destinata a me fin da quando eravamo bambini. Ho visto la possibilità di sbarazzarmi di entrambi in un colpo solo e ho pensato che stava per realizzarsi il nostro sogno. Il nostro, sí, perché lo so che lo sognavi pure tu. È vero, Cetti'? È vero, amore mio?

La donna si alzò con un movimento meccanico. Girò attorno al tavolo e si fermò davanti al cugino.

Con uno scatto secco della testa, gli sputò in faccia.

Poi si voltò e, senza dire nulla, se ne andò in camera sua.

XLVI.

Ci volle qualche giorno perché la magistratura completasse l'iter burocratico necessario alla scarcerazione di Vincenzo Sannino. Non era facile, per le autorità, ammettere che il pugile codardo, quello che aveva gettato alle ortiche il titolo di campione del mondo quando poteva, e doveva, essere il vanto del regime, quello che aveva pianto per avere ucciso un negro, peraltro accidentalmente, non fosse un vile assassino.

Infatti la stampa fu avvertita di non alimentare l'interesse intorno alla faccenda: se proprio doveva essere liberato, che almeno la cosa passasse sotto silenzio.

In galera Sannino non era stato trattato con particolare riguardo, ma nemmeno aveva subito vessazioni. Chi era in attesa di conoscere il proprio futuro giudiziario non aveva spazio per pensare alle celebrità, e per Vincenzo non fu spiacevole diventare un numero in mezzo ai numeri, non sentire, come sempre, gli occhi curiosi della gente addosso. Aveva potuto riflettere su sé stesso, sul suo passato e sul percorso che lo aveva portato fin lí.

Non sapeva se e come la sua situazione si sarebbe risolta. Del resto non sapeva nemmeno se effettivamente era stato lui, in balia dell'alcol, a uccidere Irace. L'idea lo spaventava molto, perché lo aveva davvero odiato, quell'uomo, la sera che lo aveva visto portare via Cettina, a teatro, come se fosse stata una cosa sua. Mai, prima di allora, aveva provato un sentimento negativo cosí forte, nemmeno quando legava le sue speranze di ritorno a casa a un singolo combattimento sul ring: l'avversario, in quei casi, era un ostacolo da superare, non un essere umano da odiare.

Era questo il dilemma che lo aveva afflitto nel poco tempo trascorso in cella: era un assassino? Aveva posto fine in modo volontario a una vita umana? La possibilità di una risposta affermativa gli spaccava l'anima e gli faceva perdere la voglia di vivere, che non aveva mai smesso di sostenerlo da quando era partito senza essersene andato. Il pugno a Rose era stato inutile, ma non conteneva alcun proposito di far male; il suo errore, per quanto grave, era stato di voler chiudere l'incontro con un colpo spettacolare. I pugni a Irace, invece, avevano un obiettivo mortale. Non c'erano dubbi.

Di quella notte annebbiata e incerta, ricordava il sogno di aver baciato Cettina. Un sogno reale come la veglia. Lui infreddolito e addormentato nello stesso androne dove, molti anni prima, aspettava un saluto dalla finestra; lei, stretta nel soprabito indossato sopra la vestaglia, che gli sfiorava la spalla, gli occhi pieni di lacrime, e avvicinava le labbra per posarle sulle sue. Non era la Cettina ragazza, come la sognava di solito, come l'aveva sognata per tutti quegli anni. Era la Cettina di adesso, bella e dolente, adulta e segnata.

Dopo non ricordava altro, se non le strade deserte e bagnate di pioggia, se non la luce ondeggiante e giallastra dei lampioni, se non i vestiti zuppi d'acqua. Non ricordava altro, se non l'oppressione sul cuore per una perdita che non era in grado di sopportare.

Non si era interessato, mentre era in stato di arresto, a ciò che stava succedendo fuori. Sapeva dell'acredine del governo nei suoi confronti, e sapeva abbastanza del Paese per non sperare in alcuna clemenza. Per quanto ne capiva, forse la sua condizione non sarebbe piú mutata. E in realtà, la cosa non lo interessava. Tanto, senza Cettina, senza la speranza di Cettina, come sarebbe sopravvissuto?

Aveva ricevuto un'unica visita, quella di Jack, che aveva pagato un inutile avvocato per ottenere un colloquio. Gli aveva fatto tenerezza. In fondo era la cosa piú vicina a un amico che avesse mai avuto. Gli aveva portato una lettera di Penny, che lui aveva letto frettolosamente. Gli chiedeva perdono per averlo odiato, per non aver accettato il fatto che lui non l'amasse. Diceva che sarebbe partita appena possibile, che tornava a casa, e che avrebbe tentato di cancellare il ricordo di lui. Non gli augurava buona fortuna, ma sperava che fosse riconosciuto innocente e che trovasse la sua strada. Quelle righe non gli diedero né conforto né tristezza, ma fu lieto che la ragazza fosse determinata a rincorrere altrove la felicità che meritava. Che chiunque merita.

A Jack aveva ribadito con chiarezza che non avrebbe combattuto mai piú, nemmeno se lo avessero liberato quello stesso giorno. E di non affannarsi a cercare vie difensive, perché per lui era lo stesso rimanere dentro o uscire. Doveva stare tranquillo, non si sarebbe fatto del male: non aver voglia di vivere e voler morire sono cose diverse. Lo invitò ad andarsene, a tornare negli Stati Uniti: contrariamente a lui, Jack era americano, non era opportuno che rimanesse.

Si salutarono guardandosi negli occhi, non potendosi abbracciare. Sul viso sfigurato dell'amico era impressa la dolorosa consapevolezza che il loro era un addio.

Una mattina, senza alcun preavviso, una guardia aprí lo spioncino della cella e gli ordinò di raccogliere le sue cose. Gli altri detenuti lo guardarono con velenosa perplessità; uno sibilò che magari lo trasferivano in un altro carcere, piú duro. Gli altri ridacchiarono con il sollievo che coglie quando il fulmine colpisce vicino e lascia illesi.

La guardia lo scortò in un parlatorio dove trovò il brigadiere enorme, quello che aveva seguito da lontano la sua passeggiata con il commissario dagli occhi verdi fino allo scoglio.

Il poliziotto gli spiegò quanto era successo. Gli disse com'era andato l'omicidio di Irace, che avevano raccolto le confessioni e che lui era scagionato da ogni accusa.

Sannino rimase sorpreso dal sollievo che gli inondò il cuore. Non era un assassino. Non aveva ucciso nessuno, se non il povero Rose, la cui grigia immagine mentre esalava l'ultimo respiro in un letto d'ospedale lo avrebbe perseguitato per tutta la vita. Non era un assassino.

Subito dopo pensò a Guido e Michelangelo. Li rivide come i due ragazzi che ricordava: quello torvo e grassottello che lo scrutava da lontano, con diffidenza; quello piú piccolo che spostava gli occhi dalla sorella al cugino a lui cercando di capire i pensieri di ognuno. Non li immaginava come due omicidi. Era una cosa orribile, e si chiese quanta sofferenza tale scoperta avesse portato a Cettina, e cosa avrebbe fatto lei adesso.

Il brigadiere gli comunicò che era libero con effetto immediato; era lí per assicurarsi che non ci fossero altri intoppi. Poi sorrise e aggiunse che era venuto su incarico del commissario Ricciardi, il quale gli porgeva i suoi saluti e gli mandava a dire che lo scoglio stava sempre là, che nessuno lo avrebbe spostato.

Il brigadiere lo accompagnò al portoncino di ferro, lo aprí e si spostò di lato per lasciarlo passare. Aveva smesso di piovere da poco, l'aria sapeva d'acqua e di mare. Vincenzo si sentí smarrito.

Non era piú il ragazzo che era partito senza essersene

andato. Non era piú l'uomo che era tornato su un transatlantico viaggiando in prima classe. Non era piú un pugile. Non era americano, perché non si era mai sentito cittadino di quel Paese. Non era nemmeno italiano, forse, perché il suo Paese lo avrebbe voluto in galera.

Chi era, adesso?

Il brigadiere lo fissava negli occhi come se leggesse i suoi pensieri. Come se la titubanza che mostrava fosse lo specchio di ciò che aveva nel cuore. Ricordò la notte di sedici anni prima, in bilico sul parapetto della nave che lo aveva portato in America, le acque nere cinque metri sotto di lui. Allora non aveva esitato. Allora aveva ben chiaro il proprio futuro.

Il brigadiere sorrise per rassicurarlo e gli fece un cenno con la testa. Una delle guardie lí vicino si mosse, a disagio: il portoncino non poteva restare aperto a lungo.

Sannino tirò un profondo respiro e uscí.

Poi vide chi lo aspettava dall'altra parte della strada, e si mise a correre.

XLVII.

Mentre tornava dal carcere, annusando l'aria tersa, ripulita dalla pioggia, Maione si lasciò andare a qualche riflessione sull'amore.

Era stato un bel modo di finire il turno. Il compito di andare a liberare Sannino era stato piacevole, e prima aveva anche avuto modo di divertirsi un po'. Ricciardi, infatti, con feroce sarcasmo, gli aveva chiesto di accompagnarlo a prendere l'ordine di scarcerazione dalle mani di Garzo. Per di piú ad annunciarli era stato Ponte, su cui il vicequestore aveva riversato l'ira che non poteva scaricare sopra di loro.

Maione avrebbe ricordato la scena a lungo, tirandola fuori dalla memoria nei momenti tristi. Ponte che dardeggiava di sguardi terrorizzati il pavimento, il soffitto, i ritratti e i soprammobili. Garzo che gli urlava contumelie di ogni risma aggrappandosi a futili motivi: la polvere sui volumi, peraltro intonsi, della libreria di arredamento; il fatto di averlo disturbato mentre era concentrato nell'esame di documenti importantissimi, quando sulla scrivania aveva solo il giornale; lo scarso ordine della divisa. E dopo il freddo, formale complimento riservato al commissario e a lui per la soluzione del caso Irace.

Il documento firmato dal magistrato recava la data di due giorni prima. Doveva essere stato proprio difficile digerire il rospo, per il povero Garzo. Maione, uscendo dal suo ufficio, mentre all'interno ancora risuonavano le urla all'indirizzo di un Ponte avvilito e con le orecchie rosse, aveva ringraziato Ricciardi per lo spettacolo, quasi lo avesse ospitato nel palco reale del San Carlo. Lui aveva risposto con un lieve cenno, ma senza nemmeno un sorriso.

Il commissario non era certo un tipo incline all'allegria, eppure l'occhio affettuoso di Maione riusciva spesso a cogliere in lui qualche momento di ironia o di serenità. Negli ultimi giorni, invece, era stato cupo in un modo particolare, come se fosse schiacciato da un dolore e da una malinconia ancora piú profondi del solito. Doveva essere accaduto qualcosa, ma Maione non aveva modo di saperlo. E di sicuro Ricciardi non gliene avrebbe mai parlato. Il brigadiere poteva solo augurarsi che il problema fosse risolvibile. Attraversando la piazza della Ferrovia diretto verso casa, pensò che, se il superiore non avesse mostrato segni di miglioramento nella settimana che stava iniziando, ne avrebbe parlato in confidenza col dottor Modo, che nella sua ruvida maniera era un vero amico. Forse lui avrebbe saputo cosa fare.

Chissà se erano problemi d'amore, si interrogò Maione. Dopotutto il commissario aveva passato i trent'anni, ed era solo. Aveva frequentato la vedova Vezzi, una donna bellissima e piena di vita, ma non era andata bene. Poi c'era stata la ragazza che abitava di fronte a lui, la figlia del commerciante di guanti e cappelli con il negozio a via Toledo, ma pure di lei si erano perse le tracce. E ora era apparsa la contessa di Roccaspina, il cui marito stava in galera: una donna splendida, aristocratica e infelice, quindi simile a Ricciardi. Ma chissà, magari anche questa relazione era fallita.

Maione ringraziò la fortuna per avergli fatto incontrare Lucia, e si congratulò con sé stesso perché era riuscito a convincere una donna cosí bella, intelligente e allegra a sposarlo. Come ogni volta che gli sorgeva quel pensiero, provò a immaginare la sua esistenza senza di lei e si sentí gelare. È l'amore che rende la vita degna di essere vissuta, pensò. Solo l'amore.

Tali riflessioni gli riportarono alla mente qualcosa e qualcuno. Era lunedí sera, quindi era trascorsa quasi una settimana, e non aveva piú ricevuto notizie, né era stato chiamato.

Alzò gli occhi verso il cielo: non c'erano stelle, ma nemmeno pioveva. Dato che a Poggioreale si era sbrigato prima del previsto, forse la cena poteva attendere ancora qualche minuto.

Accelerò il passo e si arrampicò sulla salita di via San Nicola da Tolentino, accorgendosi di essere un po' inquieto: non sapeva proprio cosa aspettarsi.

Mentre sbuffava lungo la ripida scala che portava all'appartamento dell'ultimo piano, incrociò un uomo di una trentina d'anni che scendeva fischiettando con un largo sorriso sotto i baffetti sottili. Maione gli scoccò uno sguardo truce e quello abbassò la testa, strisciando lungo la parete del pianerottolo con il chiaro intento di rendersi invisibile. Da un grammofono giungeva fortissima la musica di un tango che raccontava di un gatto che era di porcellana, quindi non poteva miagolare all'amore.

Maione picchiettò alla porta socchiusa, piú per evitare di essere testimone di qualche spettacolo sgradevole che per educazione.

La voce profonda e modulata di Bambinella disse:

– Avanti, avanti. È libero.

Maione entrò.

– Ciao, Bambine'. Sei vestito, spero.

Il *femminiello* uscí dalla camera da letto, chiudendosi la fusciacca della vestaglia a fiori. Sul volto aveva ancora le tracce della violenza degli uomini di Lombardi, ma i lividi erano in via di guarigione e il pesante trucco li nascondeva bene; solo l'occhio era ancora un po' chiuso dal gonfiore. Per il resto, era tornato il Bambinella di sempre.

– Uh, brigadie', ma che piacere inaspettato! Per fortuna che siete venuto, tenevo proprio voglia di farmi un surrogato. Devo togliermi un saporaccio che tengo in bocca per...

Maione alzò entrambe le mani.

– Per carità, Bambine', vai immediatamente a lavarti che non ti posso nemmeno guardare, e tantomeno ti lascio fare il surrogato con le mani che tieni adesso.

Bambinella rise nel suo modo equino, coprendosi le labbra.

– Ma che dite, brigadie'? Ah, avete incontrato Ciccillo che mo' se n'è andato, è *overo*? Ma io mi sono già lavata, l'igiene è la prima cosa per me, lo sapete. State tranquillo, il surrogato mio è un nettare.

Maione grugní, incerto.

– Tu comunque lascia perdere, per me è tardi e poi non dormo. Piuttosto, come va?

Bambinella indicò l'appartamento con un gesto vago.

– E che vi devo dire, brigadie', mi sono messa a posto. Ho pulito e rassettato casa. Ho tolto il disordine, pure nei pensieri miei. E ho ricominciato la vita di prima. Vi lascio immaginare, appena si è sparsa la voce sono venuti da ogni quartiere della città; un altro poco e dovevo far fare la fila come nei bordelli buoni. Ma che volete, io sono unica. È noto a tutti che come li faccio io i...

Maione sospirò.

– Bambine', ti prego! Volevo sapere come stai, non che fai.

Il *femminiello* si voltò bruscamente verso la cucina economica e cominciò ad armeggiare con la macchinetta del caffè.

– E chi sta meglio di me? – cinguettò. – Ci ho tante amiche e tanti amici che mi vogliono bene e a cui voglio bene. Mi vengono a raccontare i fatti loro e io do consigli a tutti quanti. I maschi mi chiedono cosa pensano le femmine e le femmine cosa pensano i maschi. Lo sapete, quelle come me vanno bene sempre. E io sono contenta se posso far sorridere le persone.

Maione fissava la schiena ampia dell'amico.

– E di Donadio hai piú saputo niente?

Invece di rispondere, Bambinella si mise a canticchiare, seguendo le ultime note del tango suonato dal grammofono che troneggiava su un mobiletto di foggia cinese al centro della stanza.

– Ma non è bellissima, 'sta musica, brigadie'? Io mi immagino di ballarla in una sala grande grande, di quelle che ci stanno nei palazzi della riviera di Chiaia. Mi ci vedo proprio, vestita di rosso e di nero, con una rosa nei capelli, tra le braccia di un uomo alto e forte come voi. Che dite, brigadie', lo balleremo mai un tango, io e voi?

Maione rimase in silenzio. Bambinella, senza voltarsi, proseguí con tono neutro:

– Comunque Gustavo ha mantenuto la promessa che mi feci fare su vostro consiglio, e non è piú venuto. Ho saputo che alla fine gli uomini di Lombardi sono riusciti a trovarlo, ma stava a casa, a giocare coi figli suoi. Lo hanno lasciato stare: come voi avevate previsto, i padri di famiglia non li toccano. Anzi, gli hanno proposto di lavorare per loro, perché ci ha le mani d'oro e quella capacità di infiltrarsi tramite le fognature. La moglie, però, si è intromessa e ha detto che, se finiva di nuovo in galera, lo cacciava a calci nel culo e lo potevano pure ammazzare. Allora pare che si è trovato un posto di garzone in una salumeria di via Toledo. Speriamo che resiste.

Il brigadiere diede un colpo di tosse.

– Mh. E a te queste belle cose chi te le ha raccontate?

Il *femminiello* esitò, canticchiando ancora a mezza voce. Poi si voltò: aveva gli occhi pieni di lacrime.

– È stata Ines, la moglie. È venuta a trovarmi proprio ieri. Mi ha ringraziato, pensate un po'. E alla fine ci siamo pure abbracciate.

Maione tossí di nuovo.

– E lui?

Bambinella si strinse nelle spalle.

– Lui questo si merita, no, brigadie'? Una vita normale, con una famiglia normale. Io sono troppo, per lui. Sono troppo per chiunque, non posso essere di un uomo solo. Bambinella è di tutti, perché ci ha il cuore enorme e c'entra tanta gente dentro. Bambinella è l'amore, no? E l'amore non si può negare. Quanto zucchero, brigadie'?

A quel punto Maione fece una cosa che in seguito non avrebbe mai ammesso di aver fatto: si avvicinò e abbracciò Bambinella, accogliendo le sue lacrime calde e il rimmel sciolto sulla giacca della divisa.

L'amore, pensò. Ma che guaio che è, questo amore.

Epilogo

Ma che guaio che è, questo amore.

Il vecchio pronuncia la frase all'improvviso, con tono profondo, netto, privo di incertezze. Il ragazzo sobbalza sullo sgabello.

Dopo che ha smesso di cantare, il vecchio si è assopito. Accade sempre, come se quell'azione intensa e per lui cosí naturale, che esegue con la voce di un giovane, facendo volare le dita deformi sul manico stretto e corto dello strumento, lo sfibrasse, gli sottraesse ogni energia.

Per il tempo del canto il vecchio pare andarsene via da qualche parte, in una dimensione nascosta e riservata, in una stanza del tesoro dove prende a piene mani la magia. Poi cade in un sonno simile alla morte, ma in realtà è un intervallo di pensiero.

In certi momenti una parte del ragazzo lo odia per il talento che, sente, lui non avrà mai. Eppure deve ammettere che venire lí lo sta cambiando in meglio. La passione che il vecchio gli ha seminato in petto germoglia e mette foglie, e prima o poi, forse, darà anche frutti. Lui lo spera con tutto il cuore, perché un conto è figurarsi che esista chi suona e canta in quel modo, un altro è saperlo con certezza.

Una cosa l'ha compresa: ogni parola del vecchio, ogni sua riflessione, anche la piú bizzarra, anche quando sembra che stia solo pensando ad alta voce, riguarda la musica.

Che volete dire, Maestro?, domanda. In che senso l'amore è un guaio?

Il vecchio fa una smorfia, tenendo gli occhi chiusi. Un guaio, sí. Uno magari trova un equilibrio, una quiete. Si convince di avere raggiunto un minimo di serenità, che è un traguardo importante. Poi arriva l'amore, col suo fantasma di felicità, e ti fa sembrare tutto grigio, inutile. Quello che hai diventa poco, una piccola, inutile meschinità.

Il ragazzo rimane un attimo assorto. Poi replica: ma se non c'è l'amore, Maestro, niente vale la pena, no? La musica, le canzoni, le poesie...

Il vecchio sorride, la testa contro la spalliera della poltrona, e continua: ... e il mare, il cielo, il vino, il cibo e l'aria. Hai ragione, tutto perde senso. Te l'ho detto, guaglio', è per questo che l'amore è un guaio, un guaio grosso. Perché quando ce l'hai, lo puoi perdere.

Il ragazzo si stringe nelle spalle. Lui ha una ragazza con la quale sta da parecchio. Da prima del successo, da prima dei concerti. A volte è un po' un peso; gli piacerebbe avere il tempo e la libertà di incontrare una tra le donne bellissime che agli spettacoli lo guardano ammiccanti e, se possono, gli si avvicinano. Si è trovato a desiderare di non averla, a volte, la sua ragazza.

Però, quando succede, si sente una brutta persona. E pensa anche a come sarebbe la sua vita se non trovasse sempre quegli occhi dolci e noti in prima fila. Se davvero non l'avesse piú.

Non lo so, Maestro, dice. Immagino di sí. Forse diamo per scontata una cosa finché non la perdiamo.

Il vecchio spalanca gli occhi e si volta verso il ragazzo. Quella considerazione banale, chissà perché, lo ha colpito. Annuisce, lento, e con gravità risponde: sí, finché non la perdiamo. È per questo che l'amore è un guaio grosso.

Riappoggia la testa e resta in silenzio.

Il ragazzo è a disagio; si chiede se suonerà ancora o se la lezione è finita. Fuori la pioggia intensifica il suo ritmo e rimbalza contro i vetri.

All'improvviso il vecchio dice: sí, l'amore è un guaio; eppure c'è di peggio.

Il ragazzo, allora, sente il cuore che salta un battito. Capisce che è sul punto di scoprire un segreto importantissimo.

Di peggio, Maestro? Che cosa c'è di peggio?

Il vecchio si alza con una scioltezza da lasciare meravigliati. Fa due passi e guarda fuori dalla finestra come se cercasse qualcosa.

O qualcuno.

Quando parla, la sua voce sembra arrivare dall'inferno.

Il tradimento, dice. Il tradimento è peggio dell'amore.

Finale

Aveva cercato di non pensarci.

Ci aveva provato, ma l'avvicinarsi del giorno era stato lo stesso rumoroso, dentro di lui, quasi avvertisse l'insorgere di un dolore fisico, di una sofferenza sorda, simile all'esito, o al presagio, di una forte emicrania.

Era cosí da quando gliene aveva parlato. Da quando lo aveva sentito dalla sua voce durante il loro surreale incontro nel fumoso, piccolo caffè, mentre fuori diluviava. Da quando lei aveva posto un termine, tracciando in questo modo il confine dell'ineluttabile.

Il compleanno di Enrica.

La data la conosceva. L'aveva appresa dalla rilevazione del documento nell'archivio un anno e mezzo prima.

Ricordava bene l'episodio: un interrogatorio assurdo. Se l'era trovata davanti all'improvviso, dopo averla convocata senza sapere che fosse lei, solo perché il suo nome compariva sullo sgrammaticato libretto degli appuntamenti di una vecchia cartomante uccisa.

Colombo Enrica, nata il ventiquattro di ottobre del millenovecentosette. Quel lunedí di pioggia sottile, che a lui pareva una tempesta, compiva venticinque anni.

Tanti, pochi? Abbastanza per desiderare qualcosa che lui non poteva darle. E ora, a breve distanza dalla sua impotenza, a breve distanza dalla sua disperazione, avrebbe detto di sí alla vita che meritava. Che voleva. Per la quale era nata e cresciuta.

E lui, il commissario Luigi Alfredo Ricciardi, ne sarebbe stato felice. Se si ama qualcuno, si è felici della sua felicità. Punto e basta.

Ma se è cosí, insinuava con perfidia una voce interna, perché ti senti morire? Per quale motivo hai contato uno dopo l'altro i minuti che ti separavano da questo momento?

La sera prima aveva incontrato Bianca ed era stato piú silenzioso del solito, tanto che negli occhi viola della donna era comparsa una vena di sconcerto, di preoccupazione. «Stai bene?» gli aveva chiesto. «Sí, certo», le aveva risposto. Invece no, non stava bene affatto.

Bianca, Bianca. Gli piaceva stare con lei. Si sentiva al sicuro come non gli era mai successo al cospetto della passionalità aggressiva di Livia. Bianca l'aristocratica dolente, la dolce contessa che conosceva il dolore e però voleva vivere. Passato quel lunedí, avrebbe trovato la forza per dare una possibilità a sé stesso e a Bianca? Non lo sapeva. Eppure lei poteva significare una vita fatta di presente, che non chiedeva di alzare lo sguardo verso un futuro irrealizzabile.

Livia stessa, a dire il vero, che rappresentava una tentazione pure per il tedesco biondo, era ancora impigliata in un anfratto della sua mente. Livia, che forse gli aveva fatto del male, ma che molto di piú ne aveva subito da lui.

Erano tanti i pensieri che gli si affollavano nel cervello, però non riuscivano a soffocare quello di Enrica. Della sua festa. Del nuovo inizio che stava per avere la sua esistenza.

Aveva addirittura preso in considerazione l'ipotesi di uscire. Per una volta, lui che rifiutava ogni piacere, avrebbe annegato nel vino e nella musica l'attesa di un appuntamento che non lo riguardava. Avrebbe potuto andarsene in giro con Bruno Modo e con il suo cane libero, in cerca di una trattoria a buon mercato satura di fumo. Oppure chiedere a Bianca di incontrarlo anche quella sera, per poi perdersi in un teatro dove avrebbero rappresentato emozioni altrui, o in un salotto scintillante ballando un valzer antiquato e bevendo una coppa di champagne, poi un'altra e un'altra.

Ma la contessa e l'amico gli avrebbero letto il dolore negli occhi, e lui non avrebbe saputo come giustificarlo. Cosí aveva ripiegato sull'idea di mettersi in strada da solo, con le mani nelle tasche del soprabito e la testa scoperta per ricevere tutta la pioggia del mondo, nella speranza che gli lavasse via ogni angoscia.

Poi, però, aveva capito che non poteva evitare di assistere a quel ricevimento domestico dall'inizio alla fine. In un certo senso aveva ricevuto una condanna, e la sentenza doveva essere eseguita.

Durante la silenziosa cena, alla quale, come al solito, Nelide aveva assistito in piedi, addossata al muro e pronta a recepire ogni sua esigenza, si era chiesto il perché di tanta pena. Lo sai che è giusto, si ripeteva. Lo sai che è meglio. Lo sai che è opportuno. Lo sai che è una liberazione, anche. Quindi perché soffri? La verità è che vorresti volare dall'altra parte della strada, irrompere nel salotto e dire: tanti auguri, signorina, e buonasera a tutti. Cari signori Colombo, abito qui di fronte, osservo la vostra famiglia di nascosto da un sacco di tempo e sono innamorato di vostra figlia. Quanto a voi, signor ufficiale tedesco, potete lasciare questa casa, perché sono io quello che Enrica sposerà.

Ma ormai non sarebbe servito a niente. Per fortuna, quando Enrica aveva avuto l'idea insensata di fermarlo e di chiedergli che cosa poteva aspettarsi da lui, aveva trovato il coraggio di fare ciò che era giusto. Non poteva rischiare di propagare la sua follia caricandola sulle spalle di un innocente.

Terminata la cena aveva detto a Nelide che aveva mal di testa, e che invece di mettersi in poltrona a leggere, ascoltando un po' di musica alla radio, sarebbe andato subito a coricarsi.

Si era chiuso nella propria stanza e, senza accendere la luce, si era seduto davanti alla finestra, un po' spostato indietro perché non fosse visibile nemmeno la sua sagoma. E adesso era come essere al cinematografo, con le immagini appena sfocate dalla pioggia che rigava i vetri.

Dall'altra parte del vicolo le luci di casa Colombo sfavillavano, e le donne della famiglia si producevano in un incessante andirivieni, con bicchieri e vassoi, tra il salotto e la cucina, i due ambienti visibili da Ricciardi. Gli occhi verdi del commissario scrutavano dall'ombra quanto accadeva, cercando di decifrare le scene senza l'aiuto del sonoro; meglio cosí, perché la musica, le risate e soprattutto la conversazione sarebbero state un peso eccessivo da sopportare.

Mangiarono. Bevvero. Il padre di Enrica sorrideva cortese, dava anche l'impressione di essere il meno coinvolto dall'allegria generale. Il maggiore tedesco, in alta uniforme, giocava con i piú piccoli, dialogava amabilmente con la sorella di Enrica e rifilava pacche sulle spalle di suo marito con fraterno cameratismo. A un certo punto accennò qualche passo di danza con la madre, mandandola in visibilio.

Enrica indossava una gonna marrone a metà polpaccio, stretta in vita, e una camicia di seta bianca sotto una giacca corta che Ricciardi non ricordava di averle mai visto. D'altronde, si disse, quasi con la volontà di infliggersi un ulteriore supplizio, l'occasione richiedeva abiti nuovi.

La ragazza pareva calma, a suo agio. Non tradiva alcuna tensione. Perché avrebbe dovuto essere nervosa, del resto? In fondo, ciò che stava per avvenire era la realizzazione di un sogno. Del sogno di qualsiasi donna.

Mentre a lui non restava che cantare in silenzio, nel buio della propria anima e per sempre, la serenata senza nome.

Certo che erano proprio adatti l'uno all'altra. Manfred era avvenente e sicuro di sé, e ciò significava che il corteggiamento di Livia non aveva sortito effetti. Enrica era... era perfetta. Ricciardi non avrebbe saputo definirla in modo diverso.

La serata proseguí secondo un copione di familiare prevedibilità. Dalla sua postazione il commissario immaginava gli argomenti trattati tra una pietanza e un dolce, tra un sorso di vino e uno di rosolio.

Poi la sorella piú giovane di Enrica si allontanò con i bambini, e poco dopo anche quella sposata prese congedo insieme al marito. Il maggiore si alzò a salutare la coppia, sfoggiando uno smagliante sorriso, e Ricciardi rilevò un leggero rossore sul suo viso; chissà se era da imputarsi al bere o a un minimo di agitazione per ciò che si accingeva a dire.

Nel salotto, oltre a lui, erano rimasti Enrica, il padre e la madre.

Il tedesco portò la mano chiusa a pugno davanti alla bocca, come per schiarirsi la voce. Ricciardi avrebbe voluto trovare la forza di porre fine a quella tortura, di tirare la tenda e mettersi a letto davvero, per contemplare il proprio destino, addormentarsi o magari morire.

Il maggiore cominciò a parlare. La madre di Enrica lo ascoltava estatica, senza perdersi una sola sillaba. Il padre fissava impassibile la figlia con un'espressione illeggibile sul volto austero. Enrica aveva le mani in grembo e lo sguardo basso sulla gonna nuova; una volta si aggiustò gli occhiali sul naso. Ricciardi scrutava il suo seno alzarsi e abbassarsi in un respiro regolare.

Manfred concluse il proprio discorso. La madre di Enrica pareva scoppiare di felicità. Si girò verso la figlia e le indirizzò un cenno del capo, forse per sollecitare una sua risposta.

Lei si alzò. Fece un passo e parlò a sua volta.

All'improvviso la madre assunse un'espressione di stupore e il sorriso le si congelò sulla faccia trasformandosi in una smorfia, come una che ascolta una lingua straniera e non la comprende. Il padre si coprí gli occhi.

Ricciardi balzò in piedi.

Manfred aveva la fronte corrugata, la bocca aperta, la mano destra alzata a mezz'aria; somigliava a un direttore d'orchestra che sta per dare inizio a una sinfonia.

Enrica gli si avvicinò, gli posò una lieve carezza sul viso e uscí dalla stanza.

Un attimo dopo comparve nella cucina deserta e guardò in direzione di quella che doveva sembrarle una finestra buia.

Quindi si sedette, e sorrise.

Ringraziamenti.

Ancora una volta questo viaggio nei primi anni Trenta è dovuto alla cura amorevole e alla bravura di molte persone.

Ricciardi, lo sanno tutti, non sarebbe mai esistito senza Francesco Pinto e Aldo Putignano.

La vicenda è stata immaginata ancora una volta da Antonio Formicola e dalla sua impagabile mente criminale.

Napoli e i personaggi sono stati arredati, vestiti, dipinti, colorati e descritti dalle ricerche instancabili di Stefania Negro, col fondamentale aiuto degli Archivi Troncone e Parisio.

Le ferite e le lesioni dei morti che animano i giorni e le notti di Ricciardi sono state tratteggiate e definite dalla competenza di Davide Miraglia e Roberto de Giovanni.

Pranzi e cene sono stati preparati con l'aiuto di Nicola Buono e Alfredo Carannante.

I colpi sul ring e fuori dal ring, gli allenamenti e i sacrifici di Vinnie Sannino sono stati sapientemente raccontati da Bruno Valente e dal caro Ettore Coppola.

Questo libro è dovuto al meraviglioso lavoro di Francesco Colombo, Daniela La Rosa, Rosella Postorino, Chiara Bertolone, Riccardo Falcinelli, Maria Ida Cartoni, Paola Novarese e le sue fantastiche ragazze. E di Paolo Repetti, va'.

Ma mai avrei immaginato, pensato o raccontato nulla e mai lo farei senza la mano, il sorriso, la voce, la limpida mente e il cuore della mia dolcissima Paola.

Nota.

I versi alle pp. 9, 214 sono tratti dalla canzone *Voce 'e notte*. Testo di Edoardo Nicolardi e musica di Ernesto De Curtis (1903).

I versi alle pp. 82, 84-85 sono tratti dalla canzone *Come pioveva*, interpretata da Achille Togliani. Testo e musica di Armando Gill (1918).

I versi a p. 139 sono tratti dalla canzone *Parlami d'amore, Mariú*, interpretata da Vittorio de Sica. Testo di Ennio Neri e musica di Cesare Andrea Bixio (1932).

I versi a p. 208 sono tratti dalla canzone *The Man I Love*. Testo di Ira Gershwin e musica di George Gershwin (1924).